PU YI, LE DERNIER EMPEREUR

PU YI, LE DERNIER EMPEREUR

DU MÊME AUTEUR

chez le même éditeur :

Y A-T-IL ICI QUELQU'UN QUI A ÉTÉ VIOLÉ
ET QUI PARLE ANGLAIS ? (1978)

LA TRANSFUGE, roman (1981)

EDWARD BEHR

PU YI
LE DERNIER EMPEREUR

Traduit de l'anglais par Béatrice Vierne

ÉDITIONS ROBERT LAFFONT
PARIS

NOTE DE L'ÉDITEUR

Il existe plusieurs façons de transcrire les noms chinois. L'histoire de Pu Yi se déroule essentiellement à une époque où la nouvelle graphie n'existait pas encore. Nous avons donc pris le parti de conserver l'orthographe ancienne, plus connue et plus familière au lecteur.

© Recorded Picture Co (productions) Ltd et Screenframe Ltd, 1987

Traduction française : Éditions Robert Laffont, S.A., Paris, 1987
ISBN 2-221-05404-0

Remerciements

Au cours du festival de Cannes 1984, j'ai rencontré par hasard le producteur de films britannique Jeremy Thomas. Il m'a annoncé qu'il venait enfin d'obtenir la permission des Chinois pour aller tourner Le dernier empereur en Chine même. Je lui ai souhaité bonne chance, sachant bien qu'il en aurait besoin.

Deux festivals plus tard, nous nous sommes retrouvés exactement à la même table, au bar du Carlton. Au bout d'une douzaine de voyages en Chine, dont certains avec le cinéaste Bernardo Bertolucci et le scénariste Mark Peploe, et à la suite d'interminables négociations sur place, Jeremy était sur le point de commencer le tournage de son film à l'intérieur même de la Cité interdite; c'était de loin le projet de long métrage le plus ambitieux jamais réalisé en Chine par une firme cinématographique étrangère.

Il m'a demandé si cela m'intéresserait d'écrire un livre lié au tournage du film. Je lui ai répondu que, plutôt qu'un « livre sur le film », j'aimerais mieux m'essayer à une authentique biographie de Pu Yi, retraçant sa vie et son temps. Le présent ouvrage est le fruit de notre entretien.

C'est pourquoi mes remerciements vont, avant quiconque, à Jeremy Thomas, car c'est lui qui m'a permis de faire la connaissance des quelques « personnages » ayant joué un rôle dans l'histoire de Pu Yi, encore en vie à l'heure actuelle. Sans son aide quotidienne, à Beijing, en 1986, jamais je n'aurais été en mesure de m'entretenir avec eux comme je l'ai fait et je n'aurais probablement pas été capable de les découvrir tout seul.

Je souhaite aussi remercier Bernardo Bertolucci et Mark Peploe, pour leurs conseils et leurs suggestions. Tout en précisant que les opinions exprimées dans mon livre n'engagent, bien entendu, que moi, je tiens à dire que leur avis m'a été précieux : lors de la rédaction de leur scénario, ils avaient exploré une grande partie du terrain que j'ai parcouru à mon tour et ils m'ont grandement facilité les recherches.

Toute l'équipe anglo-italienne qui a participé au tournage du Dernier empereur en Chine, dans des conditions difficiles, m'a fait bénéficier de sa généreuse et entière coopération, de même que le personnel de « l'unité de coproduction numéro un » de Beijing, et je les en remercie tous ici.

Les survivants de cette période fascinante et troublée de l'histoire chinoise méritent eux aussi ma reconnaissance particulière. Pu Dchieh, frère cadet de Pu Yi, aujourd'hui octogénaire, mais toujours bon pied bon œil et doué d'une excellente mémoire, m'a reçu à plusieurs reprises. De même que Li Wenda, l'éminent journaliste qui a aidé Pu Yi à écrire son autobiographie et qui le connaissait sans doute mieux que personne au monde. Jui Lon, le neveu préféré de l'ex-empereur, Pu Ren, son demi-frère, et Rong Qi, son beau-frère, m'ont tous accordé des heures d'entretien. Je rends tout spécialement hommage à Rong Qi, qui se remettait d'une crise cardiaque et m'a parlé sur son lit d'hôpital.

Je remercie aussi de tout cœur Jin Yuan, le directeur, désormais à la retraite, de la prison de Fu-shun, qui a consacré dix années de sa vie à la « rééducation » de Pu Yi, ainsi que Grand Li, serviteur et majordome de Pu Yi une grande partie de sa vie, qui par loyauté l'a suivi en prison et qui a répondu à toutes mes questions avec patience et sincérité.

Il m'aurait été impossible de capturer toute la saveur, en même temps que la substance, de leurs souvenirs sans l'aide d'un interprète de première classe. J'ai eu beaucoup de chance de trouver Rachel Wang, distinguée étudiante de Wellesley College et Américaine bilingue, qui s'est si bien imprégnée de l'esprit de mes recherches qu'elle en venait à poser de son propre chef des questions auxquelles j'aurais dû songer moi-même ; son enthousiasme, son tact et sa parfaite connaissance de la Chine et de

Beijing ont fait de mes recherches sur place un véritable plaisir.

La période dans laquelle s'inscrit l'existence de Pu Yi est riche en mémoires et histoires de tout genre. L'une de mes sources directes a été bien sûr la propre autobiographie de Pu Yi, J'étais empereur de Chine, ainsi que, pour les premiers chapitres, Twilight in the Forbidden City de Reginald Johnston et The Dragon Empress de Marina Warner. Pour les chapitres 10 à 16, je dois énormément à l'œuvre monumentale de David Bergamini, Japan's Imperialist Conspiracy, histoire extraordinairement riche et détaillée de l'Empire nippon au XXe siècle. Jamais nos routes ne se sont croisées lorsque nous travaillions tous les deux pour le magazine Life. Je regrette de ne pas avoir eu l'occasion de le rencontrer avant sa mort prématurée.

Je souhaite également remercier le personnel de la School of Oriental and African Studies et celui des Imperial War Museum Libraries, à Londres, pour leurs constantes gentillesse et coopération, ainsi que Ted Slate, de Newsweek, pour avoir déniché à mon intention des livres et articles de presse rares et depuis longtemps oubliés. Merci aussi à Jacques Baeyens, à Robert Elegant, à Peter O'Toole, à Jean Pasqualini et à bien d'autres experts sur la Chine, pour leur aide et leurs conseils.

La direction de Newsweek a bien voulu m'accorder une période « sabbatique » pour travailler à l'ouvrage que voici et je remercie tous ses membres de leur compréhension et de leur patience.

Ce livre n'aurait jamais été écrit sans l'initiative, les encouragements et le soutien d'Ed Victor qui a été présent à tous les stades de la préparation de l'ouvrage, à Cannes, Londres et Paris, et même à Beijing par le truchement d'innombrables coups de téléphone ; il a lu le premier jet et m'a fourni, comme toujours, de précieux conseils.

Finalement, je voudrais remercier Christiane, ma femme, de son fidèle soutien et de sa patience à mon égard, avant, pendant et après l'écriture de ce livre.

EDWARD BEHR
Paris, Londres, Beijing,
Ramatuelle, 1986-1987.

Avant-propos

Jusqu'ici, il n'a été qu'une simple note en bas de page de l'histoire mondiale : Pu Yi, dernier empereur de Chine, inspire davantage la raillerie que la haine. Dégingandé, myope, timoré et d'une distraction rédhibitoire, il ne ressemble guère à ses rudes ancêtres mandchous qui ont renversé la dynastie des Ming en 1644, à la tête de leurs cavaliers mandchous et mongols. Ce n'est pas un hasard si sa vedette de cinéma préférée est l'un des grands comiques du muet, Harold Lloyd, lui aussi myope et suprêmement maladroit. A d'innombrables reprises, le dernier empereur de Chine a reconnu non seulement qu'il n'arrivait pas à la cheville de ses aïeux, mais aussi qu'il avait pleinement conscience du mépris et de la dérision qu'il faisait naître chez les autres.

Cela étant, il n'en était pas moins prodigieusement doué pour la survie. A partir de l'année de sa naissance (1906) et jusqu'en 1949 (année où le parti communiste chinois terrasse les dernières poches de résistance du KMT et où Chiang Kai-shek s'enfuit à Taiwan), la Chine ne connaît que rarement la paix. Tout au long de ces années troublées, Pu Yi va résister à la perte de son trône, à son expulsion hors de la Cité interdite, à l'exil et à divers complots contre sa vie ; survivre à ses rapports avilissants avec les Japonais et finir, après neuf années de « rééducation » dans les prisons chinoises, dans la peau d'un citoyen respecté de la Chine communiste, plus en paix avec lui-même, semble-t-il, qu'il ne l'a jamais été auparavant.

Un tel passé sous-entend une ténacité, une résolution et une astuce considérables. Pu Yi était peut-être le comble de l'antihéros, capable des trahisons les plus abominables pour sauver sa peau, mais — à mesure que la perception que j'avais de lui s'est approfondie au fil de mes recherches sur sa personnalité, sa vie et son temps — je me suis aperçu qu'il ne fallait pas, dans son cas, se fier à la première impression. Le dandy déliquescent, qui, durant son séjour en prison, se vautrait avec complaisance dans l'aveu de sa propre bassesse, s'est néanmoins adapté à une vitesse incroyable à son état de prisonnier. Il a en outre forcé, presque malgré eux, le respect d'hommes tels que Chou En-lai, qui s'y entendaient pourtant à juger les autres. Et, à sa manière équivoque, il pouvait, lorsqu'il était bien disposé, se montrer humain, voire généreux, envers ses ennemis.

La franchise avec laquelle il a admis ses défauts était, certes, due en grande partie au système pénitentiaire chinois, unique au monde par l'importance qu'il attache à l'autocritique et au repentir. En ce qui concerne Pu Yi, la longue confession de ses fautes passées a eu en quelque sorte une valeur purgative, car il devait réellement répondre d'une multitude d'anciens péchés, même si l'intolérance ne figurait pas parmi eux.

Tout en apprenant sur Pu Yi beaucoup de choses surprenantes, au cours de mes entretiens avec les amis, les parents, les anciens serviteurs et les gardiens ou directeurs de prison qui lui ont survécu, j'ai pu constater qu'un aspect du personnage restait constamment insaisissable : la Chine de l'après-Mao, quoique légèrement plus tolérante que par le passé, reste, selon les critères occidentaux, un pays d'un puritanisme exacerbé. Aujourd'hui encore, on note chez les Chinois une répugnance considérable à parler de leur propre vie affective ou de celle d'autrui. Ceux qui ont le mieux connu Pu Yi ne paraissaient avoir aucune envie d'évoquer sa vie sexuelle avec l'étranger que j'étais.

Le degré de cette défiance est illustré par le comportement de l'un des deux survivants parmi les eunuques de la cour impériale de Pu Yi. Un journaliste français singulièrement dépourvu de tact ayant osé lui demander quel effet cela faisait d'être eunuque et s'il avait continué à éprouver du désir sexuel

12

après son opération, cet homme coupa court à l'entretien et fit savoir qu'il se refusait dorénavant à recevoir d'autres journalistes.

J'avais, pour ma part, des questions du même ordre, qui n'ont jamais reçu de réponse. Pu Yi a eu durant son existence deux épouses et trois « concubines » officielles, et pourtant je n'ai jamais pu établir, malgré tous les entretiens que j'ai eus à Beijing, quels ont vraiment été ses rapports affectifs avec elles. Dans le cas d'Elizabeth, sa première femme, les rapports physiques semblent avoir été une série de fiascos et, quoique ceux qu'il a eus avec sa première concubine aient été moins désastreux, en tout cas au début, elle n'a pas tardé à le quitter ; ses concubines ultérieures étaient toutes des adolescentes et il fut un temps où son attirance pour les très jeunes filles était à la limite de la pédophilie.

D'après tout ce que j'ai pu apprendre, il ne fait aucun doute pour moi que Pu Yi était bisexuel et — selon son propre aveu — qu'il manifestait des penchants sadiques dans ses rapports avec les femmes. Il se pourrait bien que l'aliénation de sa première femme et le départ de sa « première concubine » aient eu pour origine un comportement inacceptable.

Tout cela, néanmoins, on ne peut que le subodorer à partir des carnets intimes de certains proches de Pu Yi et de sa propre autobiographie, extrêmement sélective. A d'innombrables reprises, lorsque j'ai demandé à des proches de l'ancien empereur, qui s'étaient montrés jusque-là coopératifs, voire parfois fort diserts, de m'en dire plus long, j'ai pesté intérieurement contre leur discrétion protectrice... tout en sympathisant, dans une certaine mesure, avec elle. Peut-être, dans leur jeunesse, certains d'entre eux ont-ils été, à l'occasion — et à contre-cœur —, les partenaires sexuels de Pu Yi ; or, la réserve chinoise est telle qu'il était, je le savais, impensable qu'ils l'admettent.

Les puristes trouveront peut-être mon interprétation du comportement de Pu Yi à l'âge adulte trop déductive ; ils estimeront qu'elle ne s'appuie pas suffisamment sur des témoignages venant la corroborer, mais je me suis efforcé de raconter son histoire avec autant de véracité et d'exactitude que possible. Dans mon esprit, il ne fait aucun doute que la conscience qu'a eue l'empereur d'avoir commis une erreur monumentale en se rangeant du côté des Japonais à partir de 1931 a eu pour résultat une dépression nerveuse prolongée, dont la gravité n'a fait que croître. Elle a pris, entre autres, la forme occasionnelle de sévices sexuels, d'origine sadique, infligés à des adolescents des deux sexes, impuissants et serviles, qui ont été, pendant plusieurs années, ses prisonniers virtuels à l'intérieur du « palais de la Gabelle » à Ch'ang-ch'un, la capitale fantoche du « Manchukuo ».

Et, pourtant, cet empereur-pantin, qui se mouvait avec les gestes maladroits et saccadés d'une véritable marionnette, était capable non seulement de se conduire avec bonté, mais aussi avec une authentique dignité, voire un vrai courage moral, comme l'atteste son attitude envers l'amant de sa première épouse. Toute sa vie, il a eu conscience de l'absurdité de sa condition. Par moments, il a manifesté le détachement d'un simple spectateur, contemplant ses propres singeries sans la moindre trace de complaisance.

Son problème, bien sûr, c'était qu'à un âge où les enfants dépendent énormément d'un environnement familial protecteur et jouent à être astronautes ou soldats, lui a été catapulté sur le trône, traité comme un dieu vivant et privé de toute véritable affection. Ce n'est qu'en tant que prisonnier dans une geôle chinoise qu'il a commencé à se comporter en être humain ordinaire. Jusque-là, ses rapports avec tous ceux qui l'entouraient — à l'exception, peut-être, de son précepteur, Reginald Johnston — ont eu lieu sur un plan totalement artificiel. D'ailleurs, Johnston lui-même idéalisait son royal élève et cet érudit, plus écossais que nature, était beaucoup trop conventionnel et trop impressionné par le rang impérial de Pu Yi pour lui donner le moindre conseil concernant sa vie privée. Comme dans les autres familles royales, on s'en tenait à une fiction polie selon laquelle l'empereur et son impératrice vivaient en parfaite harmonie, et Johnston a contribué à renforcer cette fable, envers et contre tout.

Pour toutes ces raisons, aucun portrait de Pu Yi ne saurait avoir de véritable relief. Etant donné qu'il n'y a guère de chances de voir un des rares vieillards qui faisaient jadis partie de son entourage se confier sans restriction, certaines zones d'ombre — surtout celles qui recouvrent sa vie privée — ne seront jamais éclaircies.

Il y avait bien entendu un moyen de résoudre ce problème, qui était de « romancer » l'histoire de Pu Yi en décrivant des événements fictifs, mais vraisemblables, comme s'ils avaient effectivement eu lieu... et que l'auteur avait été une mouche sur le mur. C'est une technique qui m'a toujours irrité chez les autres — même superbement réalisée, ce n'est jamais qu'un subterfuge —, et je n'ai eu aucun mal à résister à cette tentation-là.

Car les événements dont Pu Yi a été le témoin, ou l'acteur, n'ont aucun besoin d'artifice, et les extraordinaires hauts et bas qui constituent son épopée tragi-comique n'exigent pas le moindre ornement. Nous sommes en face d'un homme qui a commencé sa vie dans la peau d'un dieu-roi médiéval, soumis à une pompe quotidienne pratiquement inchangée depuis quelque deux millénaires. Et qui, après avoir traversé plusieurs guerres et révolutions, tant sociales qu'industrielles, a assisté à la transformation de son pays en un Etat totalitaire moderne et, ultérieurement, à son entrée dans le club très fermé des grandes puissances nucléaires.

Vers la fin de sa vie, Pu Yi a dû jeter sur son passé un regard perplexe et incrédule. C'est un peu comme si la même personne avait connu, en l'espace d'une courte vie humaine, les changements qui distinguent la France de Louis XIV de celle de De Gaulle, ou l'Angleterre élisabéthaine de celle de Mme Thatcher, et avait vécu assez longtemps pour nous apporter son témoignage direct.

Il est bien difficile de croire que nous appartenons au même siècle que lui et qu'il est mort, à l'âge de soixante-deux ans, il y a à peine plus de dix ans.

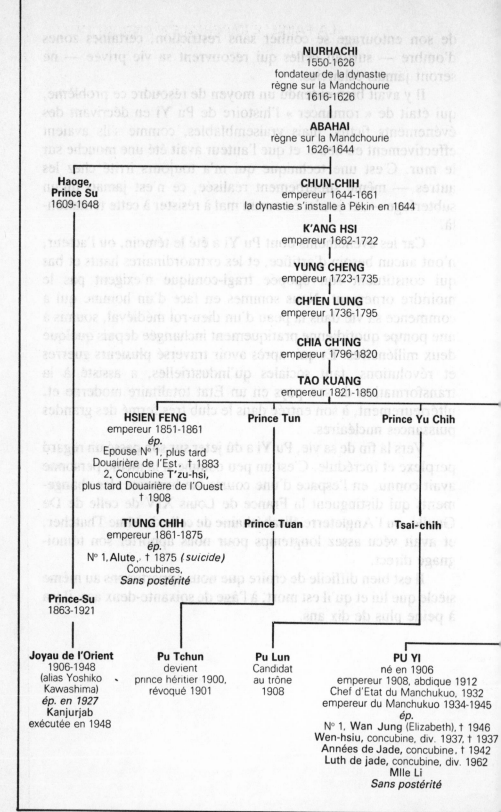

NURHACHI
1550-1626
fondateur de la dynastie
règne sur la Mandchourie
1616-1626

ABAHAI
règne sur la Mandchourie
1626-1644

**Haoge,
Prince Su**
1609-1648

CHUN-CHIH
empereur 1644-1661
la dynastie s'installe à Pékin en 1644

K'ANG HSI
empereur 1662-1722

YUNG CHENG
empereur 1723-1735

CH'IEN LUNG
empereur 1736-1795

CHIA CH'ING
empereur 1796-1820

TAO KUANG
empereur 1821-1850

HSIEN FENG
empereur 1851-1861
ép.
Epouse N° 1, plus tard
Douairière de l'Est, † 1883
2. Concubine T'zu-hsi,
plus tard Douairière de l'Ouest
† 1908

Prince Tun

Prince Yu Chih

T'UNG CHIH
empereur 1861-1875
ép.
N° 1, Alute, † 1875 *(suicide)*
Concubines,
Sans postérité

Prince Tuan

Tsai-chih

Prince-Su
1863-1921

Joyau de l'Orient
1906-1948
(alias Yoshiko
Kawashima)
ép. en 1927
Kanjurjab
exécutée en 1948

Pu Tchun
devient
prince héritier 1900,
révoqué 1901

Pu Lun
Candidat
au trône
1908

PU YI
né en 1906
empereur 1908, abdique 1912
Chef d'Etat du Manchukuo, 1932
empereur du Manchukuo 1934-1945
ép.
N° 1, Wan Jung (Elizabeth), † 1946
Wen-hsiu, concubine, div. 1937, † 1937
Années de Jade, concubine, † 1942
Luth de jade, concubine, div. 1962
Mlle Li
Sans postérité

LA FAMILLE IMPÉRIALE MANDCHOUE

*Les noms des empereurs figurent
en capitales.
De 1644 à 1908, ils sont donnés sous
leur nom de règne, qui commence
l'année lunaire suivant la mort de
leur prédécesseur.*

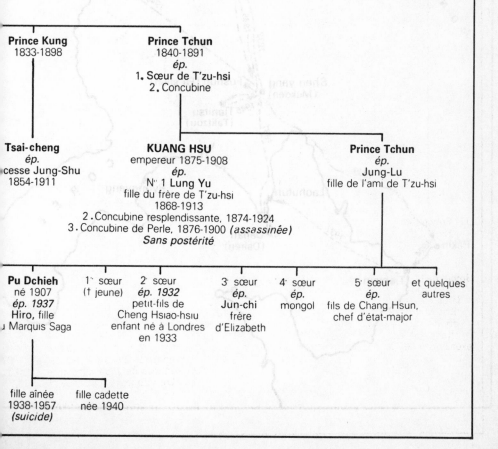

Prince Kung
1833-1898

Prince Tchun
1840-1891
ép.
1. Sœur de T'zu-hsi
2. Concubine

Tsai-cheng
ép.
cesse Jung-Shu
1854-1911

KUANG HSU
empereur 1875-1908
ép.
N⁰ 1 Lung Yu
fille du frère de T'zu-hsi
1868-1913
2. Concubine resplendissante, 1874-1924
3. Concubine de Perle, 1876-1900 *(assassinée)*
Sans postérité

Prince Tchun
ép.
Jung-Lu
fille de l'ami de T'zu-hsi

Pu Dchieh
né 1907
ép. 1937
Hiro, fille
u Marquis Saga

1ʳ sœur
(† jeune)

2ᵉ sœur
ép. 1932
petit-fils de
Cheng Hsiao-hsiu
enfant né à Londres
en 1933

3ᵉ sœur
ép.
Jun-chi
frère
d'Elizabeth

4ᵉ sœur
ép.
mongol

5ᵉ sœur
ép.
fils de Chang Hsun,
chef d'état-major

et quelques
autres

fille aînée
1938-1957
(suicide)

fille cadette
née 1940

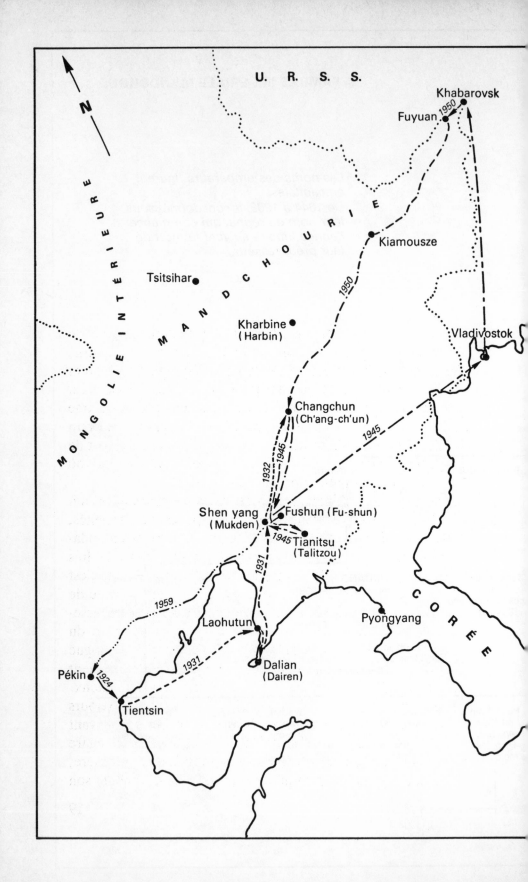

1.

Le vieil homme agonisant dans une chambre privée de l'hôpital de la Capitale à Pékin sait qu'il est en train de mourir, mais, au début, il a la courtoisie de feindre que tout va bien et qu'il sera bientôt de retour dans son minuscule deux-pièces. Trois ans auparavant, en 1964, les médecins ont tenté une première opération exploratoire, procédé à l'ablation d'un rein et lui ont annoncé qu'il souffrait d'un cancer qui risquait fort de se généraliser. Depuis, il a fait deux autres séjours à l'hôpital, où il a toujours été un patient privilégié et dorloté.

Les hôpitaux chinois sont des endroits surpeuplés, où règnent la sévérité et l'efficacité. Sous-payés et surmenés, médecins et infirmières n'ont pas le temps de faire des mondanités : la façon dont ils traitent leurs malades est à la fois brusque et impersonnelle. Pour ce malade-là, cependant, c'est différent. Le Premier ministre, Chou En-lai, a pris la peine de téléphoner en personne à l'administrateur en chef de l'établissement pour lui dire : « Soignez-le bien. » Pas un membre du personnel hospitalier n'a le souvenir d'un appel analogue concernant qui que ce soit, et tout le monde a été dûment impressionné. Le cancéreux a droit à tout ce qu'il y a de mieux.

Il n'a pas posé de problème, d'ailleurs, remerciant toujours les employés de leur gentillesse et s'excusant de leur donner tant de mal ; bref, un patient modèle, à cela près qu'il égare constamment ses lunettes. Selon les souvenirs d'une infirmière, il est d'une « humilité presque caricaturale ». Au début, son épouse, elle-même infirmière dans un autre hôpital, est venue le voir, mais ses visites se sont peu à peu espacées avant de cesser totalement.

La Révolution culturelle a commencé l'année précédente, et sa femme a une excellente raison de s'absenter aussi longtemps : pour la plupart des adultes, les rues ne sont plus sûres. En 1967, quand le cancéreux est hospitalisé pour la troisième fois, le mouvement a tout juste quatorze mois ; c'est un désastre d'une ampleur presque incommensurable, voulu par Mao lui-même, qui va entraîner la mort de quelque deux millions de personnes, la déportation d'une vingtaine de millions d'intellectuels et infliger à la Chine dix années de paralysie économique, politique et intellectuelle.

C'est une période marquée par le chaos et la cruauté aveugle. Des bandes de tout jeunes gardes rouges provinciaux, qui n'ont même pas vingt ans, déferlant par centaines de milliers sur la capitale, courent les rues et imposent leurs propres lois. Le spectacle d'adultes, pris en sandwich entre deux grossières affiches précisant leurs « crimes » et affublés de bonnets d'âne, en butte aux crachats, aux insultes et aux coups, n'a rien d'exceptionnel. Des convois d'« ânes » sont ainsi paradés à travers les rues de Pékin, dans des camions réquisitionnés, et malmenés par des enfants cruels, ivres de leur propre pouvoir.

En 1967, la Révolution culturelle prend tout juste sa vitesse de croisière. Inutile de dire que les adultes s'efforcent de se faire oublier : une carrière au sein du Parti, un poste à responsabilités suffisent à faire de vous la cible des persécutions de ces jeunes, rageurs, fanatiques et imprévisibles.

L'homme qui se meurt d'un cancer de la vessie dans une chambre privée de l'hôpital de la Capitale n'est que vaguement conscient de cet état de choses. Tout ce qu'il sait, c'est qu'à cause de quelque nouveau désordre sa famille a les pires difficultés à se risquer dans les rues pour venir lui rendre visite. Il entend au-dehors toutes sortes de bruits nouveaux et inhabituels, notamment d'interminables morceaux « autorisés » de musique martiale à la gloire de Mao, le « grand timonier », diffusés jour et nuit par des haut-parleurs.

Le mourant se considère comme un partisan loyal du

président Mao, mais Chou En-lai occupe dans son cœur une place à part, non seulement à cause de son intervention auprès des autorités hospitalières, mais à cause de ce qui s'est passé auparavant. A présent, Chou, qui, par miracle, survit à la Révolution culturelle, fait de son mieux pour mettre un frein à la démence des gardes rouges, avec un succès mitigé.

Le malade est totalement déboussolé : il a une foi totale en Mao, dans le Parti et dans les « masses », mais il ne parvient pas à comprendre pourquoi les deux derniers nommés s'entre-déchirent ainsi. C'est sa foi dans la « nouvelle société » qui lui a permis d'affronter sa maladie avec un calme stoïque. Mais, à mesure que les jours passent et que les gardes rouges deviennent plus bruyants et plus violents, son moral s'en ressent. Ses souffrances augmentent régulièrement, elles aussi. Il attend avec impatience que sa femme lui rende visite une dernière fois.

Les visiteurs qui font irruption dans sa chambre sont ridiculement jeunes ; vociférant, ils se moquent pas mal de Chou En-lai. Le couloir sur lequel donne la chambre devient d'abord un forum tapageur, puis un champ de bataille, lorsque les gardes rouges de l'extérieur, qui sont entrés par la force, se heurtent aux gardes rouges de l'hôpital. Les premiers veulent emmener le malade, le punir, le tuer peut-être. Les gardes de l'hôpital — des employés qui ont enfilé à la hâte des brassards rouges pour se prévaloir d'un semblant d'autorité, à présent que le Parti est en ruine — leur objectent que celui qu'ils prétendent ainsi transporter est un homme au seuil de la mort. Armés d'un louable courage, ils défendent leur patient, d'abord avec des cris, puis avec leurs poings.

Les envahisseurs finissent par se retirer, en menaçant de revenir. Ils obtiennent en tout cas une petite satisfaction. Le malade, disent-ils, a prétendu, dans un livre récent, être devenu un citoyen comme les autres ; c'est donc ainsi qu'il faut le traiter. Plus de chambre privée, plus de menus spéciaux ni de traitement de faveur. Ils ne partiront, annoncent les meneurs, que s'il est transféré dans une salle commune et traité comme n'importe quel autre patient.

Les gardes rouges de l'hôpital cèdent à contrecœur. Ils le transportent, avec le plus de ménagement possible, dans une vaste salle surpeuplée à un autre étage. Le vieil homme ne saisit que très imparfaitement les raisons de l'esclandre, mais une fois dans la salle commune, il comprend que les décrets de Chou En-lai ne sont plus souverains : les infirmières ne s'occupent plus de lui et les piqûres calmantes s'interrompent. Ses souffrances empirent. Il fait sous lui et personne ne vient le nettoyer.

Et puis, miracle ! un nouvel appel de Chou En-lai furieux lui permet de réintégrer son ancienne chambre. Un de ses parents, qui brave les gardes rouges pour venir lui rendre visite, s'est rappelé par la suite que son corps est alors grotesquement enflé et que sa peau a pris une teinte verdâtre. Il a de nouveau droit aux substances analgésiques, mais administrées un peu au petit bonheur ; on sent que les infirmières ont peur d'encourir les foudres des gardes rouges de l'extérieur, si elles se montrent trop gentilles avec lui. Lorsqu'une femme vient enfin le voir, ce n'est pas du tout son épouse légitime, mais un fantôme surgi du passé.

Cette personne encore jeune — entre trente et quarante ans — est jolie femme, mais dans une colère noire. Elle aussi porte un brassard de garde rouge, bien qu'elle n'y ait certainement pas droit. C'est simplement un déguisement commode pour se déplacer sans encombre. Elle est accompagnée par sa belle-sœur, elle aussi travestie en garde rouge, alors qu'elle est largement quadragénaire. Toutes deux sont venues en train jusqu'à Pékin depuis la lointaine Mandchourie, de Ch'ang-ch'un pour être précis, et si l'aspect du patient les horrifie, elles n'en laissent rien paraître. Elles l'accablent de reproches et de revendications, comme si elles étaient convaincues qu'il fait simplement semblant d'avoir mal.

« Tu as gâché ma vie, crie la plus jeune. En Mandchourie, tout le monde dit que je suis une ennemie du peuple, uniquement parce que j'ai été ta " concubine ". Il faut que tu écrives une confession pour dire que je n'ai rien eu à voir avec ce qui s'est passé là-bas à cette époque-là. Comme ça, peut-être que les gardes rouges de Ch'ang-ch'un me ficheront la paix. »

L'homme marmonne qu'il est trop malade pour écrire.

Li Yi-ching, l'ancienne « concubine », ne désarme pas pour autant. « Ce n'est pas tout, glapit-elle. Tu as écrit un livre, dans lequel tu as parlé de moi. Tu m'as entraînée avec toi dans le gouffre. Ça mérite un dédommagement. Combien le livre t'a-t-il rapporté ? »

Le malade répond qu'il n'a pas rapporté grand-chose et que « de toute façon, j'ai presque tout donné à l'Etat ». Les deux femmes refusent de le croire. « Ce livre t'a rapporté de l'argent. J'ai droit à ma part », déclare la plus jeune.

Elles continueraient à le harceler ainsi, si un autre parent n'arrivait. Il est furieux de les voir et décèle aussitôt la supercherie. « Vous n'êtes pas de vrais gardes rouges, accuse-t-il. Vous avez mis ces brassards uniquement pour pouvoir venir jusqu'ici tourmenter un mourant. Vous voulez le voir puni, c'est votre seul alibi pour que les gens de Ch'ang-ch'un vous prennent pour de véritables révolutionnaires. Si vous ne partez pas immédiatement, je m'en vais dire aux vrais gardes rouges qui vous êtes. »

Les deux femmes s'éclipsent, non sans avoir extorqué 200 yuans (environ 360 francs) au cancéreux. Elles assurent qu'elles reviendront, mais elles sont désormais démasquées et elles le savent bien. Il ne les reverra plus.

Après cet épisode, son état se détériore très rapidement. Un petit-neveu encore adolescent, souffrant lui-même d'une maladie de la moelle épinière et hospitalisé dans le même établissement, vient lui tenir la main, mais sa fin traîne en longueur. Il n'a plus droit aux piqûres calmantes ; les infirmières ont peur de l'approcher, peur des réactions des gardes rouges. Elles ne souhaitent qu'une chose : qu'il meure, et vite. Aux tout derniers stades de sa maladie, le vieil homme retrouve un semblant de sérénité et la douleur s'estompe. Sa dernière femme, cependant, celle qu'il a épousée en 1962, est dans l'incapacité de se rendre à l'hôpital à temps pour le revoir.

« Il faut prendre le plus grand soin de lui », a dit Chou En-lai, mais ses ordres n'ont désormais plus le moindre poids. Après la mort du vieillard, tout va de mal en pis. Sa dépouille est incinérée à l'hôpital même, comme celle des nécessiteux sans famille. On conserve les cendres, mais il n'y a pas la moindre espèce de cérémonie. L'un des parents du défunt se risque à braver les foudres des gardes rouges en folie et emporte les cendres pour les mettre en sûreté dans la demeure même de Chou En-lai.

En Chine, même en Chine communiste, les rites funéraires ont beaucoup d'importance. Comme le disent les membres de la famille du mort, son âme ne trouvera le repos qu'une fois que ces rites auront été accomplis. La Révolution culturelle s'éternise, cependant, et elle est suivie du règne de « terreur » de la « bande des quatre ». Ce n'est qu'en 1979 — soit trois ans après que Chou En-lai a succombé à son tour au cancer — que la famille du vieil homme disparu peut récupérer ses cendres et organiser des funérailles dans les formes.

Ses restes sont transportés jusqu'au cimetière de « la Colline des Huit Grands Sites », à 30 kilomètres de Pékin. C'est un lieu où sont ensevelis aussi bien les révolutionnaires de premier plan que les citoyens ordinaires, et le fait qu'il ait été choisi prouve assez que le défunt, quoique inhumé dans la partie publique, n'a pas été sans honneurs dans son pays, en tout cas durant les dernières années de sa vie.

Il s'appelle Pu Yi et il a été, brièvement, le dernier empereur de Chine. Jadis, il a été adoré comme un dieu vivant. Par la suite, il a été honni en tant que traître, on l'a cru mort et il a finalement été réhabilité après quatorze années de détention, dont neuf dans une prison chinoise.

Je l'ai rencontré une seule fois : en 1964, alors que je tournais en Chine un documentaire pour la télévision, j'ai été invité à une réception donnée par le gouvernement chinois en l'honneur de l'inauguration de la première foire commerciale internationale organisée par la France à Pékin, peu après que de Gaulle eut établi des relations diplomatiques avec Mao. Un personnage émacié et voûté, le nez chaussé de lunettes à verres très épais, a levé un verre et souri dans ma direction, un sourire pâle et las. « Kanpei, m'a-t-il dit, à votre santé. » Les autres invités l'observaient avec une curiosité amicale. J'ai demandé à Pierre Chayet, un diplomate français de mes amis, qui était cet homme. « C'est Pu Yi, m'a-t-il répondu, le dernier empereur de Chine. C'est lui qu'il vous faut pour votre film. »

J'ai fait, frénétiquement, le tour de la grande salle de

réception, sans pouvoir le retrouver. Je lui ai couru après, mais il était déjà parti. J'ai tenté de le localiser, sans succès. Les instances officielles dont j'ai sollicité l'aide n'ont pas pu, ou pas voulu, le contacter.

J'ai l'impression que nous nous retrouvons enfin. Kanpei !

2.

En 1793, le glorieux ancêtre de Pu Yi, l'empereur Ch'ien-lung, le plus grand des rois-guerriers de la dynastie des Mandchous (ou Ch'ing), inflige à lord Macartney, envoyé par le gouvernement britannique pour établir des relations avec le « Fils du Ciel », une célèbre rebuffade. La hautaine fin de non-recevoir signifiée par Ch'ien-lung, qui sonne, pour la Grande-Bretagne, le glas de tout espoir de mettre sur pied des « relations spéciales » avec la Chine, ravale l'émissaire de Sa Gracieuse Majesté au rang de ces petits seigneurs-guerriers fort méprisés qui viennent se prosterner devant l'empereur dans la Cité interdite.

« Il existe, dit le souverain chinois, des règles bien établies concernant les envoyés tributaires des Etats extérieurs à Pékin... En fait, la vertu et le prestige de la Dynastie Céleste se sont répandus par tout l'univers, les rois des innombrables nations viennent vers nous par terre et par mer, porteurs de toutes sortes de dons précieux. Nous n'avons par conséquent besoin de rien. »

Les empereurs chinois des dynasties Ming (1368-1644) et Ch'ing (1644-1911) sont convaincus que le système chinois de gouvernement est le meilleur du monde, parce qu'il est fondé sur les principes de Confucius et ne doit rien au monde extérieur.

Les « Analectes » ou enseignements de Confucius (551-479 av. J.-C.) ne sont pas tant une philosophie qu'une série de lois morales déterminant les rapports entre gouvernants et gouvernés ; beaucoup d'entre elles sont admirables et conviennent parfaitement aux empereurs férus de hiérarchie et à leurs courtisans.

Confucius lui-même est un aristocrate humanitaire, un pacifiste qui exècre non seulement les guerriers, mais les classes commerçantes, un érudit intimement persuadé que les différences sociales sont d'origine divine, mais aussi que les dirigeants ont le devoir moral de se comporter de façon responsable et généreuse envers leurs inférieurs. Le cantique anglican « The rich man in his castle, the poor man at his gate » (Le riche dans son château et le pauvre à sa porte) aurait recueilli son entière approbation. Certains de ses préceptes ont un petit cachet très « réarmement moral ».

C'est le respect qu'éprouve Confucius pour le savoir et l'intellect, qui est à la base du système chinois de la méritocratie. Celui-ci place des érudits (les mandarins) à la tête des provinces et restreint les échelons supérieurs de l'administration à une toute petite minorité élitiste qui a fait ses preuves intellectuelles en réussissant une succession d'examens diaboliques. Ce système n'est pas sans rappeler l'élite très fermée, issue d'Oxford et Cambridge, qui gouverne la Grande-Bretagne, et surtout le mandarinat des « grandes écoles » françaises, réservant la couche suprême des bureaucraties gouvernementales et universitaires au groupuscule de leurs lauréats.

Ce qui rend le système chinois unique, c'est le fait que cette élite intellectuelle est au service d'une dynastie impériale qui se cramponne à une vision médiévale du monde ; une vision, cependant, que bien peu des mandarins supérieurement intelligents et éduqués osent contester. L'insularité des souverains chinois s'accompagne d'un goût du secret (aujourd'hui encore Pékin est une ville de quartiers emmurés et pas seulement à l'intérieur de la Cité interdite) et d'une passion pour l'intrigue.

Il est difficile de dire, en ce qui concerne la série presque ininterrompue de conflits qui ont marqué les relations entre la Chine et le monde extérieur juste avant la naissance de Pu Yi, lequel des deux camps a eu le pire comportement : de la Chine impériale, xénophobe, absurdement conservatrice, convaincue dans son arrogance qu'elle n'a rien à apprendre des « barbares aux cheveux rouges », ou bien des puissances occidentales, dont l'immoralité cynique et prédatrice, à l'apogée de l'impérialisme du XIXe siècle, n'a pas encore fini de scandaliser. La Grande-Bretagne se heurte à la Chine, de 1839 à 1842, avec la guerre de l'Opium qui vise à assurer la libre exportation de l'opium cultivé aux Indes vers la Chine, après que l'empereur de la dynastie mandchoue a interdit son entrée sur ses territoires. Le comportement du Japon est uniformément honteux et déplorable. On trouvera le reflet le plus fidèle des attitudes occidentales envers la Chine dans une diatribe d'un racisme confondant, prononcée par lord Palmerston, que n'aurait sans doute pas reniée Hitler :

« Le moment est proche, déclare-t-il en 1855, où nous serons obligés de frapper un nouveau coup contre la Chine. Les gouvernements à demi civilisés, tels que ceux qui existent en Chine, au Portugal et en Amérique latine, ont besoin d'une solide raclée, tous les huit ou dix ans, afin de les faire marcher droit.

« Leurs esprits sont trop superficiels pour recevoir une impression qui durera plus longtemps qu'une période de cet ordre, et les mises en garde ne servent pas à grand-chose. Les paroles leur importent peu et il faut non seulement leur montrer le bâton, mais leur en frotter les épaules, avant qu'ils ne cèdent. »

Le bâton, la Chine va en tâter un an plus tard, lorsque, à la suite d'un incident auquel est mêlé le navire marchand britannique *Arrow* dans le port de Canton, Palmerston met sur pied une expédition. Lord Elgin, fils du grand seigneur britannique amateur de statues qui a fait main basse sur les trésors de la Grèce antique, s'embarque pour la Chine, chargé d'une « mission à Pékin » où il doit exiger que les coupables soient punis... et réclamer aussi la présence d'un ambassadeur britannique permanent accrédité auprès de la cour mandchoue. La mission Elgin, retardée par l'éclatement de la mutinerie indienne en 1857, entraîne finalement un second conflit armé, auquel sont mêlés des canonnières et des marins français, ainsi qu'un corps expéditionnaire de l'armée britannique et indienne, au grand complet ; dans le feu de l'action le palais d'Eté est mis à

28

sac et les concessions étrangères, auxquelles le défunt empereur Ch'ien-lung s'était opposé, sont établies sur une grande échelle.

Il est ironique — et c'est en outre une preuve de la xénophobie de l'Empire chinois dans tout ce qu'elle a de plus absurde — de constater que la principale raison pour laquelle la Chine met un tel acharnement à empêcher lord Elgin de pénétrer dans Pékin, c'est que la cour impériale ne parvient pas à se persuader que des puissances étrangères peuvent être disposées à monter une telle expédition uniquement pour échanger des ambassadeurs et faciliter le commerce. Jadis, les guerriers mandchous sont descendus de leurs forteresses tartares du Nord-Est pour conquérir et abattre la dynastie des Ming. En 1860, la cour impériale chinoise est fermement convaincue que lord Elgin, succédant aux Mandchous d'antan, poursuit le même objectif, que les « hommes velus aux grands nez » ont bien l'intention de s'emparer du trône. Ce n'est que progressivement que les conseillers de l'empereur se rendent compte que les « barbares » britanniques et français ne cherchent qu'à établir des liens commerciaux, ainsi qu'une présence diplomatique permanente. S'ils l'avaient compris plus tôt, des milliers de vies humaines — et les inestimables trésors du palais d'Eté — auraient pu être sauvées.

En l'occurrence, l'expédition Elgin marque le début de la « colonisation » de la Chine et des empiétements sur son territoire, processus qui va se prolonger tout au long du XIXe siècle et jusqu'à la fin de la Seconde Guerre mondiale. En effet, à peine lord Elgin a-t-il obtenu une ambassade britannique à Pékin que la Russie s'empare du port d'Haishenwei, plus connu aujourd'hui sous le nom de Vladivostok. Quelques années plus tard, les Japonais vont annexer Formose, les Français l'Annam, et la Grande-Bretagne la Birmanie. Tout le long de la côte chinoise, le Japon, la France, l'Allemagne, la Russie et la Grande-Bretagne établissent des « concessions » étrangères où prévaut le privilège exécré de l'extra-territorialité. Alors que l'empereur Ch'ien-lung avait confiné les étrangers au sein d'une minuscule enclave à Canton, leur refusant même le droit de pénétrer à l'intérieur des murs de cette cité, lorsque Pu Yi vient au monde (en 1906), tous les étrangers qui vivent dans une des nombreuses concessions éparpillés le long de la côte jouissent de l'équivalent des privilèges diplomatiques, c'est-à-dire qu'ils ne sauraient être arrêtés et jugés par une cour chinoise ; les enclaves britannique, française, allemande et japonaise sur le sol chinois sont devenues des microcosmes de leurs pays respectifs. Parmi toutes les grandes puissances, seuls les Etats-Unis ne participent pas à la course aux « concessions », car ils se refusent à copier le modèle « colonialiste » des nations européennes en raison de leur propre passé anticolonial. A mesure que le temps passe, cependant, les Américains viennent s'installer en nombre considérable dans les concessions étrangères et dans leur sillage — suivant cette fois l'exemple des Européens qui n'hésitent pas à envoyer leurs troupes d'élite pour protéger leurs minorités nationales — arrivent les *United States Marines.*

Du fait que les empereurs mandchous du XIXe siècle considèrent la Chine comme leur bien personnel, les « démons étrangers » n'en sont que plus désireux de s'emparer de portions de son territoire. « Le but instinctif et inébranlable de la politique mandchoue est de mettre et de maintenir le peuple au secret, écrit Paul H. Clements, auteur de *The Boxer Rebellion* (1915). Les conquérants mandchous, une fois qu'ils se furent approprié l'une des régions les plus favorisées du globe, ne mirent pas longtemps à comprendre qu'étant en nombre relativement réduit ils avaient tout intérêt — en tant que seigneurs d'une race passive, certes, mais intelligente et respectueuse des lois, qui constituait un quart de la population du globe — à interdire toutes les tentatives de changement, à isoler leur pays, de façon que le renouvellement de leur propre exploit, ou le rejet de leur autorité par le fait d'influences intérieures, fût impossible. »

Or, nul ne va mieux personnifier cet état d'esprit que l'impératrice douairière Tz'u-hsi (son nom qui signifie « Maternelle et Favorable » n'est qu'un des nombreux patronymes — « Parfaite », « Révérende », « Illustre » — qu'elle devait acquérir au fil des ans), le pernicieux « Vieux Bouddha », née en 1835, qui va dominer la Chine de 1860 à sa mort, en 1908, et mettre Pu Yi sur le trône deux jours avant d'expirer.

Tz'u-hsi (ou Cixi, pour reprendre l'orthographe moderne de son nom) est aussi l'une des souveraines les plus rusées, les plus dépourvues de scrupules et de principes de son temps, et elle fait partie intégrante de notre récit, car sans elle la Chine serait devenue un autre pays et Pu Yi ne serait sans doute jamais monté sur le trône. Elle est la vivante incarnation de l'incapacité du gouvernement chinois au XIXe siècle. En même temps, sa force de caractère, ses talents de manipulatrice et — par-dessus tout — sa faculté de se sortir des pires guêpiers forcent l'admiration. Par ses manœuvres politiques et ses dons pour jongler avec le pouvoir, elle n'est pas sans rappeler Indira Gandhi. Il y a aussi quelque chose de gaullien dans son nationalisme buté. Quant à sa vie personnelle, elle ferait aisément passer Messaline et les Borgia réunis pour des enfants de chœur.

Tz'u-hsi démarre dans l'existence avec un avantage incontestable : elle est mandchoue, c'est-à-dire qu'elle appartient, de naissance, à la tribu, forte de cinq millions d'âmes seulement, qui domine et gouverne la Chine depuis 1644. Marina Warner, dont l'excellent ouvrage, *The Dragon Empress,* reste la biographie qui fait autorité, a écrit : « La famille de Tz'u-hsi n'était pas riche ; en Chine, cela signifiait probablement que son père était un homme intègre. » C'est un mandarin subalterne du Conseil des nominations civiles, c'est-à-dire un haut fonctionnaire dans l'administration chinoise. Il deviendra plus tard intendant, ou gouverneur, d'An-hui, agréable et verdoyante région de la Chine sur les rives du grandiose Yang-tsê kiang. La famille a des antécédents aristocratiques : dans le clan Yehe Nara, qui en fait partie, figure une « Altesse », une jeune fille qui a épousé Nurhachi, fondateur de la dynastie des Ch'ing (mandchous), quelque deux cent cinquante ans avant la naissance de Tz'u-hsi. Depuis, la famille a connu un long déclin.

A sa naissance (1835), Lan Kueu (« Petite Orchidée », comme elle s'appelle avant d'acquérir son titre « impérial ») n'est qu'une jeune Mandchoue de bonne famille, parmi tant d'autres, fille d'un fonctionnaire appartenant aux échelons moyens de l'Administration.

Il n'existe pas de photographies anciennes de Tz'u-hsi. Les

clichés sépia qui datent de sa vieillesse lui donnent, malgré la pose soigneusement étudiée, un aspect positivement simiesque. C'est un tout petit bout de femme et dans sa jeunesse elle doit posséder un charme considérable de « fausse laide ». « Beaucoup de gens me jalousaient, parce qu'à l'époque je passais pour une beauté », confie-t-elle d'ailleurs à sa sœur Teh-ling. Ce qui la distingue de la plupart des autres jeunes filles mandchoues de son âge, c'est son intelligence précoce et — avant même d'avoir vingt ans — son ambition dévorante.

Les femmes mandchoues possèdent sur leurs sœurs « Han » (chinoises) de bonne naissance un avantage énorme : on ne leur bande pas les pieds ; elles ne sont pas soumises à cette torture prolongée qui oblige les courtisanes chinoises à claudiquer sur des moignons de moins de dix centimètres, ces fameux « pieds en lotus » qui sont censés exciter jusqu'à la frénésie la concupiscence des hommes et interdire aux femmes de mener des existences normales.

Tz'u-hsi est si petite que ses pieds sont minuscules sans l'aide d'aucun artifice : vers la fin de sa vie, lorsqu'elle côtoie des étrangères, elle ne peut s'empêcher de contempler d'un œil horrifié leurs gigantesques et disgracieux souliers. Peut-être est-ce son aspect physique — petits pieds compris — qui incite les « prospecteurs » impériaux à la sélectionner, lorsque, après avoir porté le deuil de son père pendant une période convenable, le jeune empereur Hsien-feng (1831-1861), dont le nom signifie « Plénitude universelle », commence à chercher des épouses et des concubines.

En 1851, elle reçoit, ainsi que sa sœur, l'ordre de se présenter devant la cour, dans l'enceinte de la Cité interdite. Tz'u-hsi fait partie d'une soixantaine de jeunes filles de bonne famille mandchoues ainsi convoquées, dans le cadre d'une cérémonie qui relève un peu des rites chinois anciens, beaucoup de l'astrologie et par certains côtés d'un vulgaire concours de beauté. Elle est âgée de seize ans et, après une rigoureuse sélection effectuée par la mère de l'empereur (lequel n'a pas son mot à dire dans cette affaire), elle est nommée « Personne honorable » ou concubine du cinquième rang. Sa sœur échoue dans cette épreuve. Les données astrologiques, satisfaisantes dans le cas de Tz'u-hsi, sont néfastes dans le sien. Elles sont néanmoins compatibles avec celles d'une autre « altesse » célibataire, et la sœur de Tz'u-hsi épouse un des frères cadets de l'empereur, le prince Tchun.

La Cité interdite est une ville à l'intérieur de la ville, une communauté peuplée de quelque six mille habitants, établie dans un véritable dédale de palais, temples, cours et jardins. Aujourd'hui encore, quiconque franchit une de ses superbes portes, percées dans des murailles ocre, a le sentiment de pénétrer dans un monde à part : les bâtiments se caractérisent par une complète absence de formalisme, qui est un constant plaisir des yeux. Même au milieu du Pékin contemporain, avec sa circulation bruyante et congestionnée, on a l'impression que le monde extérieur n'existe pas.

La Cité interdite n'est pas seulement le palais de l'empereur. C'est une cité à l'intérieur de la capitale, où se côtoient des temples, des chambres fortes, des théâtres, des magasins d'armes, des écoles, des chenils et même des prisons et des « lieux de punition » pour les courtisans récalcitrants et les concubines désobéissantes.

Le palais impérial, ceint d'un mur de dix mètres de haut et de douves larges de cinquante mètres, se dresse à l'entrée de la Cité interdite. Il est censé compter 9 999 pièces, mais un dénombrement effectué officiellement par le personnel du musée en 1958 a permis de constater qu'il n'y en avait que 8 886. Le palais ne se compose pas d'un unique bâtiment, à l'occidentale, mais d'un enchevêtrement de tours, de cours et de pavillons. Au centre s'élève une tour couronnée d'un double toit couvert de tuiles jaunes vernies, lesquelles étaient spécialement confectionnées pour l'usage exclusif de l'empereur. Un groupe de cinq pavillons, à l'intérieur du palais impérial, est surnommé « les cinq phénix ». Dans la mythologie chinoise, le phénix est l'oiseau légendaire qui symbolise la bonne fortune, et les toits des « cinq phénix » abondent en statues à son effigie.

C'est par un pont de marbre blanc, le « Pont du Ruisseau des eaux d'or », que le palais impérial est relié au reste de la Cité interdite, et seul l'empereur a le droit de fouler sa partie centrale. Il mène à la « Porte de la Suprême Harmonie », qui

33

ouvre sur une énorme cour pavée, presque aussi vaste qu'un stade de football, où peuvent s'entasser quatre-vingt-dix mille personnes debout. C'est là que se réunissent les gardes impériaux et les fonctionnaires de la cour pour rendre hommage à l'empereur dans les occasions solennelles.

A l'intérieur des murs de la Cité interdite se trouvent dix-neuf autres palais. Certains, comme les « Six palais de l'ouest » et les « Six palais de l'est », ressemblent davantage à des demeures officielles. A l'époque de Pu Yi, ils abritent les appartements privés des impératrices, des concubines et des eunuques. Sous la dynastie des Ming, plus d'un millier d'eunuques y vivent. Lorsque Pu Yi monte sur le trône, leur nombre est tombé à environ deux cents.

Chacun des autres palais possède une fonction bien précise : dans la Salle de l'Harmonie suprême, soutenue par vingt-quatre colonnes vermillon, se trouve le trône impérial. Il sert rarement en dehors des couronnements et des cérémonies de cour les plus solennelles. L'empereur se détend dans la « Salle de l'Harmonie parfaite », aux dimensions plus modestes, où il se réunit sur un pied quasi amical avec ses courtisans, écoute de la musique ou se repose tout simplement. Elle contient aussi un trône, mais plus petit.

Les banquets ont lieu dans la « Salle de la préservation de l'harmonie », de même que les examens d'Etat pour les aspirants au mandarinat. Reliée à cette salle par des escaliers et des terrasses de marbre, la Porte de la Pureté céleste est flanquée de quatre lions en bronze doré, qui montent symboliquement la garde sur l'intimité du souverain : c'est par là, en effet, que l'on accède à ses appartements privés, dans le « palais de la Pureté céleste ». Juste à côté se dresse la « Salle de l'Union », où sont couronnées les impératrices et où les dames de la cour élèvent des vers à soie. Elle jouxte le « palais de la Tranquillité terrestre », avec sa célèbre « chambre rouge », où se déroule la nuit de noces du couple impérial. En Chine, le rouge est une couleur de bon augure et la chambre est décorée de phénix brodés en fil d'or. Le seul meuble est un énorme lit à baldaquin.

Tz'u-hsi préfère la petite, mais exquise, « Salle de la Nourriture du caractère », sans doute parce qu'elle est plus proche du jardin impérial, avec ses paysages de pierre, ses pins, ses cyprès, ses bassins et ses parterres. Douée d'une passion dévorante pour le jardinage, elle y passe des journées entières. Aujourd'hui, la Cité interdite est un gigantesque musée, où l'on peut admirer des bijoux, des habits de cérémonie, des sceaux d'ambre et des ustensiles de cuisine. Il est toujours possible de déambuler le long de ses étroits sentiers et de s'imaginer que l'on vit encore à l'époque impériale. A l'encontre de Versailles, qu'il vaut mieux contempler d'avion si l'on veut goûter pleinement son extraordinaire symétrie, il est impossible d'obtenir une vue d'ensemble de la Cité interdite, encore que l'on puisse voir le palais impérial depuis la « Montagne de charbon », une petite hauteur située derrière la Cité interdite, où l'on entreposait jadis du charbon. A l'intérieur des murs de la Cité, l'œil est constamment ébloui par des arcs-boutants chinois, des sculptures dorées, des statues de toutes sortes et par les toits jaunes, verts et rouges, aux formes ravissantes. C'est un lieu plein de surprises : des portes étroites mènent à de spacieuses cours carrées, des degrés de marbre à de petits temples délicats. Sans une carte fort détaillée, rien n'est plus facile que de se perdre dans ce labyrinthe raffiné.

Sous les Ming, les empereurs ont eu à leur service jusqu'à cent mille eunuques. Certains — une infime minorité — ont acquis une véritable influence en tant que ministres, mais la plupart n'étaient ni plus ni moins que des esclaves, que l'on pouvait battre, voire mettre à mort, à volonté. En dépit des châtiments encourus, chacun savait que les eunuques saignaient l'empereur à blanc. C'était leur façon, bien compréhensible, de se venger d'avoir été ravalés à un rang aussi abject et méprisable. Du vivant de Tz'u-hsi, les eunuques sont notoirement corrompus. Ils ne font en cela que suivre l'exemple de leur maîtresse, car l'un des traits de caractère de cette dernière est une passion pour les richesses, qui ne la quittera jamais : même à l'apogée de sa puissance et de sa gloire, elle ne cesse d'amasser, tel un écureuil, un énorme magot de bijoux, argent liquide, antiquités et lingots d'or, sans se soucier de distinguer entre les revenus de l'Etat et le sien propre. Le célèbre « bateau de marbre », l'un des trésors du palais d'Eté (rebâti selon les exigences de Tz'u-hsi après le sac de 1860), dont l'insolite le dispute au mauvais goût, a été édifié à la suite du détournement de fonds alloués à la reconstruction de la marine chinoise.

Une concubine du cinquième rang — ce que devient Tz'u-hsi à partir de 1854 — n'est pas nécessairement une intime de l'empereur et la nouvelle venue comprend vite qu'elle aura besoin de la complicité de certains eunuques pour avoir accès à la chambre à coucher impériale. Le nouveau souverain, Hsien-feng, est, de toute façon, un personnage singulièrement « fin de race » : veule, dissolu, couard, il hante, depuis la puberté, les bordels de Pékin, à la recherche aussi bien de garçons que de filles.

Les plaisirs sexuels autorisés à la cour lui paraissent aussi fades que conventionnels. Les manuels taoïstes érotiques du XIIᵉ siècle — que l'on trouve sur les tables de chevet de toute l'aristocratie chinoise — ne laissent rien à l'imagination, même si chaque acte y est décrit, comme il se doit, en termes fleuris : la fellation, c'est « la fille de jade qui joue de la flûte » ; la sodomie, « jouer avec la fleur du jardin de derrière ». On ne sait pas comment la minuscule et vive Tz'u-hsi, qui (en tout cas selon les critères chinois classiques) n'a rien d'une remarquable beauté, va parvenir à se faufiler jusque dans le lit du jeune empereur. Par la suite, le bruit courra, entretenu par les ragots du palais, qu'elle a soudoyé le chef des eunuques pour qu'il soumette sa candidature au souverain. Quoi qu'il en soit, son nom apparaît sur la tablette de jade où celui-ci écrit le nom de celle qui doit passer la nuit avec lui.

Selon un rite séculaire, dicté d'ailleurs davantage par la sécurité que par l'érotisme (les empereurs mandchous, comme les Ming avant eux, ont une peur morbide d'être assassinés), une nuit l'eunuque se présente chez elle, la met entièrement nue, l'enveloppe dans une couverture écarlate et l'emporte sur son dos jusqu'à la couche impériale. La date des rapports est notée dans un registre et frappée du sceau impérial. Peut-être l'empereur est-il charmé non seulement par la sensualité de sa concubine, mais aussi par son esprit et son agréable voix quand elle chante. Toujours est-il que son nom apparaît de plus en plus souvent sur la tablette de jade et qu'en avril 1856, à l'âge de vingt ans, elle donne le jour à un fils.

L'empereur est déjà père d'une petite fille, née d'une autre concubine, mais les filles ne comptent guère : Tsai-tch'un (qui prendra plus tard le nom « impérial » de T'ung-chih) sera l'unique enfant mâle du souverain, si bien que, du jour au lendemain, la position de Tz'u-hsi au palais change radicalement. Elle devient concubine du deuxième rang. Elle a déjà, comme le savent les courtisans et les eunuques, une volonté de fer et elle vise à présent l'objectif suprême auquel peut prétendre une femme : le rang d'impératrice douairière. Sans les calamités qui s'abattent sur la Chine au moment même où elle se fait admettre dans le lit de l'empereur, elle n'aurait pas la moindre chance d'y parvenir.

En effet, l'année où Tz'u-hsi devient l'une des nombreuses concubines impériales est aussi celle qui voit survenir quelques-uns des événements les plus catastrophiques de l'histoire chinoise : Hung Hsiu-ch'üan, un illuminé converti au protestantisme, qui a échoué aux examens permettant de devenir mandarin, se proclame « roi du ciel, frère cadet de Jésus-Christ » et rival de l'empereur. Il déclenche une guerre sainte contre les « usurpateurs » mandchous.

Parti de sa province du Kuang-hsi, il gagne à sa cause un nombre croissant de partisans, à mesure qu'il se dirige vers le sud et l'ouest. Ses troupes envahissent An-hui, le pays natal de Tz'u-hsi, prennent le pouvoir à Nankin, capitale de la Chine méridionale ; elles menacent bientôt Pékin. L'armée paysanne du « roi du ciel » rebelle forme une entité disciplinée et fanatisée. La « révolte des T'ai-p'ing », comme on baptise le mouvement, est un curieux mélange de puritanisme, de protestantisme sommairement adapté aux nécessités chinoises et de communisme primaire. Les agriculteurs pressurés, les partisans de toujours de l'ancienne dynastie des Ming, les méridionaux qui considèrent les Mandchous comme des envahisseurs tartares se rallient tous à sa cause.

Selon tous les critères, on peut dire que le jeune empereur, Hsien-feng, se conduit de façon honteuse. Lorsque les forces des T'ai-p'ing atteignent les environs de Tientsin, une ville côtière située à cent kilomètres au sud de Pékin, il s'affole. Il faut toute la persuasion de son entourage pour l'empêcher de quitter ignominieusement la Cité interdite pour son palais de Jehol, dans le Nord, sous prétexte d'effectuer sa « tournée d'inspection annuelle ».

Heureusement pour l'empereur, son rival commence assez vite à donner des signes de démence et, alors que le rythme des visites de Tz'u-hsi à la chambre impériale s'accélère, les armées du souverain mandchou se mettent à remporter des victoires sur les T'ai-p'ing rebelles. L'année de la naissance de son fils, le danger qui menaçait le trône est partiellement écarté, mais le prix à payer est affreusement élevé : la Chine est un pays dévasté et il faudra attendre 1860 pour que les T'ai-p'ing soient définitivement mis hors de combat. Cette année-là, cependant, est celle de l'expédition franco-britannique contre Pékin, avec à sa tête lord Elgin. Lorsque les troupes françaises et britanniques sont aux portes de la Cité interdite, l'empereur se laisse à nouveau gagner par la panique et, cette fois, il s'enfuit bel et bien à Jehol où il se réfugie dans le palais et les pavillons de chasse qu'il possède. Il emmène sa cour, y compris Tz'u-hsi et son nouveau-né, laissant derrière lui son frère plus courageux, le prince Kung, pour affronter les « barbares » européens.

La nouvelle de l'occupation de Pékin par les troupes étrangères et de la mise à sac du palais d'Eté plonge l'empereur dans un accès de dépression d'où il ne sort que pour noyer son chagrin dans l'alcool, la drogue et la débauche. Tz'u-hsi est en disgrâce : elle manifeste désormais ouvertement son mépris pour le dépravé de vingt-neuf ans, préférant à sa compagnie celle des eunuques, autrement spirituels et celle des officiers de la garde du palais, autrement virils.

La cour, où les rumeurs et les ragots foisonnent, ne tarde pas à retentir de ses infidélités et elle est reléguée au rang d'humble dépendante du souverain. Si l'empereur contrôlait vraiment la situation, elle pourrait fort bien être mise à mort, mais il est harcelé par d'autres problèmes, beaucoup plus pressants que les fredaines d'une de ses concubines. Son exil se prolonge, encore et toujours. On est à présent en 1861 et dans Pékin, qu'occupent toujours les forces étrangères, les vivres se font si rares et l'inflation sévit à tel point que l'habituelle révérence chinoise envers la royauté a laissé la place au mépris et à la haine : les commerçants jettent des poignées de factures, totalement dévalorisées par l'inflation, à la figure des fonctionnaires du palais. On abhorre ouvertement cet empereur poltron, absent et débauché.

De toute façon, ce dernier est déjà mourant, miné par l'hydropisie, l'alcool et la dépression. C'est juste avant sa fin que Tz'u-hsi va manifester un avant-goût de cette force de caractère qui fera d'elle la femme la plus puissante de Chine.

« L'empereur étant pratiquement inconscient de ce qui se passait autour de lui, écrit-elle à sa sœur Teh-ling, j'ai amené mon fils à son chevet et je lui ai demandé qui il comptait désigner pour lui succéder sur le trône. Il n'a pas répondu à ma question, mais comme toujours en cas de crise, j'ai été à la hauteur de la situation et je lui ai dit : " Voici votre fils " ; à ces mots, il a aussitôt ouvert les yeux et dit : " Bien sûr, c'est lui qui doit monter sur le trône. " Inutile de dire que je me suis sentie bien soulagée lorsque la chose a été réglée une fois pour toutes. Ces paroles ont été pratiquement les dernières qu'il a prononcées. »

La légende et la haine posthume vouée à Tz'u-hsi fournissent bien entendu une autre version de cette succession : on croit aujourd'hui que la concubine a soudoyé un eunuque pour qu'il vole le sceau impérial qui proclame son fils empereur et qu'elle a brûlé un décret impérial ordonnant aux huit régents nommés pour superviser le règne du nouvel empereur de « mettre Tz'u-hsi à mort si elle fait le moindre esclandre ».

A l'époque, la jeune Mandchoue est déjà passée maîtresse dans l'art de la manipulation et, au milieu de l'atmosphère de malaise qui règne sur la cour à Jehol, où la dépouille du défunt souverain attend dans son cercueil que la conjonction des astres lui soit favorable pour entamer le retour vers Pékin, elle s'approprie très vite l'autorité suprême. L'épouse « numéro un » de feu Hsien-feng, la bonne impératrice Niuhuru, qui n'a pas eu d'enfant, est charmée par les manières déférentes de Tz'u-hsi qui lui propose son aide : Niuhuru, qui est presque illettrée et qui se sent totalement dépassée par ses nouvelles responsabilités, se rend volontiers à la proposition de la concubine lorsque celle-ci suggère qu'elles deviennent toutes les deux impératrices douairières, nanties de pouvoirs supérieurs à ceux des huit régents.

Lorsque le cercueil de l'empereur mort arrive enfin à Pékin, Tz'u-hsi est remontée dans la hiérarchie et se trouve à présent à portée de main de ce pouvoir suprême qu'elle convoite depuis toujours.

Elle ne tarde pas à montrer son côté machiavélique. A peine la procession funèbre a-t-elle atteint la capitale qu'elle frappe un grand coup, avec pour alliés le prince Kung et un autre frère de l'empereur, le prince Tchun (mari de sa sœur) : les régents sont révoqués pour avoir bâclé les négociations avec les envahisseurs « barbares » ; l'ancienne concubine va même jusqu'à récrire l'histoire, puisqu'elle affirme à présent que le défunt souverain, le père de son enfant, a été « forcé, tout à fait contre son gré, de se réfugier à Jehol ». Trois autres princes, dont un est soupçonné d'avoir comploté la mort de Tz'u-hsi, sont arrêtés pour subversion. Deux d'entre eux sont « autorisés à se suicider », tandis que le troisième est décapité comme un vulgaire criminel. Ils ne sont que les premiers de beaucoup d'autres qui trouveront la mort aux mains du « Vieux Bouddha » et, très vite, son intelligence supérieure lui permet de transformer l'autre impératrice douairière en simple pion. C'est Tz'u-hsi qui prend désormais toutes les mesures importantes pour le compte de son tout jeune fils, négociant avec les étrangers : leurs armées contribuent à vaincre les groupes restants de T'ai-p'ing rebelles, avant de rentrer chez elles. En 1863, la plupart des troupes européennes ont quitté le territoire chinois, mais quelques centaines de soldats britanniques et français demeurent pour protéger les légations qui viennent d'ouvrir leurs portes dans le tout nouveau « quartier des légations » à Pékin.

Tz'u-hsi laisse très vite voir que la loyauté est la moindre de ses qualités : en 1865, elle accuse le courageux prince Kung d'avoir tenté de la maltraiter au cours d'une audience et, bien qu'elle lui ait ensuite « pardonné », elle le fait rétrograder au rang de « conseiller » et met à sa place le prince Tchun, plus malléable. C'est le futur grand-père de Pu Yi.

Elle adopte progressivement une trajectoire qui va mener la

Chine à la faillite aussi bien économique que morale : lorsqu'elle a besoin de fonds pour ses extravagants caprices, elle vend le droit d'accéder à la fonction de magistrat ou de préfet. Les frais d'entretien de la Cité interdite se montent à des sommes astronomiques. C'est son eunuque favori, An Te-hai, qui est chargé d'organiser les coûteux plaisirs qu'elle s'octroie dans son palais ; il sera plus tard exécuté pour s'être lui-même comporté en roi.

Tz'u-hsi n'est pas sans savoir que, dès que son fils aura atteint sa majorité, elle ne pourra plus, selon la formule consacrée, « abaisser le paravent et vaquer aux affaires d'Etat ». Les femmes, fussent-elles impératrices douairières, ne sont pas officiellement admises à diriger les affaires d'Etat dans la salle du trône, à moins de prendre place derrière un paravent jaune.

Heureusement pour elle, il s'avère que son fils, T'ung-chih (1856-1875), est presque aussi mollasson que son père. Tz'u-hsi le traite avec la plus extrême indulgence. Plus tard, inévitablement, ses détracteurs l'accuseront d'avoir délibérément cultivé la propension innée du jeune homme à la boisson et à la débauche. Elle ne fait pas le moindre effort pour mettre un frein à ses expéditions dans les bordels pékinois. T'ung-chih apprécie la compagnie des travestis, est presque certainement bisexuel et contracte peut-être la syphilis. Marié à seize ans à une ravissante aristocrate mandchoue (fille d'un des hauts fonctionnaires contraints naguère au suicide, l'union étant d'ailleurs censée mettre fin à une querelle intestine à l'intérieur du clan), il ne s'amende pas pour autant. En attendant, sachant fort bien que, si son fils venait à engendrer un héritier mâle, sa puissance et son prestige personnels s'en ressentiraient énormément (car s'il arrivait alors quelque chose à l'empereur, ce serait sa bru, Alute, qui deviendrait régente à son tour), Tz'u-hsi fait tout ce qui est en son pouvoir pour humilier la jeune femme.

Une fois encore, les événements tournent à son avantage. Le jeune empereur meurt de la variole à l'âge de dix-neuf ans ; peu après, Alute se suicide (« encouragée à le faire », allèguent les détracteurs de Tz'u-hsi, par sa belle-mère) ; Tz'u-hsi redevient la souveraine incontestée de la Chine. Elle affirme, pour sa part, qu'à présent que son fils est mort « tout mon bonheur est révolu ».

En tout cas, elle ne perd pas de temps : le jour même de la mort de T'ung-chih, elle convoque d'urgence le Conseil pour régler les problèmes de succession et personne n'est surpris de la voir imposer à la cour le candidat de son choix : le fils aîné de son beau-frère, le prince Tchun, alors âgé de trois ans et promptement rebaptisé Kuang-hsu, « de glorieuse succession ».

C'est un choix arbitraire, illégal et violemment critiqué, même si, sur le moment, les courtisans hésitent à faire quoi que ce soit qui risque de provoquer une des redoutables colères du « Vieux Bouddha ». L'empereur en effet n'est pas seulement le dirigeant temporel de la Chine, mais son chef spirituel. Parmi ses devoirs les plus importants figurent le culte des ancêtres et les sacrifices devant leurs tombes. Seul un héritier mâle a le droit d'accomplir de tels rites et il doit appartenir à une génération différente de celle des défunts. Or Kuang-hsu est le cousin germain du dernier empereur et, de ce fait, n'est pas autorisé à présider de façon valide à toutes ces cérémonies. Pour régler le problème, Tz'u-hsi s'empresse de l'adopter, mais sa cynique indifférence aux traditions lorsque celles-ci la gênent incite au moins un mandarin distingué à mettre fin à ses jours ; quant au prince Tchun, en apprenant que son fils doit monter sur le trône, il fond en larmes.

Bien des années plus tard, Pu Yi, se remémorant ses visites chez son grand-père, s'est rappelé avoir vu « de nombreux parchemins de la main même de mon grand-père, suspendus dans les chambres de ses fils et petits-fils. Il y en avait une paire où l'on pouvait lire : " La richesse et la fortune engendrent la fortune ; les faveurs royales apportent un surcroît de faveurs. " ».

Le prince Tchun est, sans aucun doute, un lèche-bottes princier de la pire espèce, comme le laisse penser le parchemin en question, mais il connaît à présent suffisamment Tz'u-hsi pour la redouter. Ayant placé un autre bambin sur le trône, cette dernière s'apprête à reprendre sa position « derrière le paravent jaune ». Cette fois, son règne s'achèvera dans le sang, l'ignominie et la révolution ; et sur son lit de mort, l'ancienne concubine choisira comme ultime héritier du trône un autre enfant, Pu Yi, le dernier empereur de Chine.

3.

En dépit du glissement vers la corruption, l'anarchie et — finalement — la révolution, les premières années au pouvoir de l'impératrice douairière Tz'u-hsi, c'est-à-dire les années 1880 et 1890, sont d'abord perçues comme des années de progrès et d'harmonie par la communauté étrangère établie en Chine.

Bien qu'elles aient officiellement le même rang, son alter ego, l'impératrice Niuhuru, lui laisse l'entière responsabilité des affaires d'Etat jusqu'à sa mort prématurée en 1881, à l'âge de quarante-quatre ans, à dater de laquelle Tz'u-hsi règne sans partage. Inévitablement, mais sans doute à juste titre, le bruit court au palais que cette dernière a fait empoisonner sa rivale.

Jamais T'zu-hsi ne changera d'attitude envers les « barbares » honnis, mais avec elle le vieil adage chinois : « Sers-toi des barbares pour contrôler les barbares », prend toute sa raison d'être. Pour la première fois, des étrangers autres que les jésuites (qui ont pratiquement adopté la nationalité chinoise, en même temps que les us et coutumes du pays) arrivent en Chine en grand nombre, en tant que constructeurs de navires, mercenaires, administrateurs sous contrat, interprètes. Certaines sections de la bureaucratie — notamment les Douanes — deviennent leur chasse gardée (et tout spécialement celle des Britanniques). Fort judicieusement, Tz'u-hsi part du principe que des étrangers bien payés seront plus honnêtes que des mandarins. Elle commence même à confier certaines missions diplomatiques chinoises à des Européens.

Mais, au moment même où il semble que des rapports qui n'ont encore jamais été aussi harmonieux vont permettre d'accéder à une ère nouvelle de confiance mutuelle, l'énorme influx de missionnaires étrangers de tout poil entraîne de nouvelles tensions et conforte l'impératrice dans sa conviction que tous les étrangers sont, au fond, de véritables « démons ».

A leur façon, certains de ces nouveaux missionnaires se conduisent avec la même brutalité que Palmerston, réquisitionnant des temples bouddhistes pour en faire des églises chrétiennes. Parmi les « convertis » autochtones au christianisme se trouvent des malfaiteurs notoires qui s'abritent derrière leur nouvelle religion pour échapper à la justice chinoise, ce qui exaspère évidemment les autorités locales. Les pamphlets antichrétiens commencent à proliférer, ainsi que des équivalents chinois des « Protocoles des Anciens de Sion » accusant les chrétiens de toutes les turpitudes, depuis le cannibalisme jusqu'à l'habitude de boire du sang menstruel. Lorsqu'une quarantaine de bébés hébergés dans un couvent des sœurs de Saint-Vincent-de-Paul, à Tientsin, meurent de la variole en 1870, après qu'un enfant malade a été admis dans l'établissement pour y être baptisé, la communauté locale se soulève contre les religieuses, convaincue qu'elles se sont livrées à des sacrifices humains ; des diplomates français coléreux se conduisent avec une arrogance bravache… et se font mettre en pièces par une foule déchaînée. En fait, les pauvres sœurs n'ont péché que par prosélytisme mêlé d'orgueil statistique, car, dans leur désir de gonfler le nombre de bébés baptisés, elles accueillent avec le même enthousiasme des petits mourants et même, à leur insu, des enfants enlevés à leur famille par leur portier corrompu. Une fois de plus, la diplomatie de la canonnière est à l'ordre du jour ; des navires de guerre français se rapprochent de la côte, près de Tientsin, et ouvrent le feu sans sommation, tuant des centaines de personnes.

Tz'u-hsi sait pertinemment que la Chine ne peut espérer remporter une victoire militaire sur une puissance occidentale, si bien qu'elle ordonne à son vice-roi à Tientsin de châtier ceux qui ont massacré les religieuses et les diplomates français. Dix-huit meneurs sont exécutés, vingt-cinq autres condamnés à de lourdes peines de prison et les familles des victimes reçoivent un dédommagement financier. Mais la France considère ces mesures comme insuffisantes, et le bruit court que Napoléon III va organiser une expédition punitive en Chine et profiter de ces assassinats pour obtenir de nouvelles concessions. Heureusement pour les Chinois, la guerre franco-prussienne de 1870 ne tarde pas à monopoliser l'attention du gouvernement français et le projet est abandonné.

Finalement, dans l'incapacité de proroger son mandat de douairière au-delà du dix-huitième anniversaire du jeune empereur Kuang-hsu, Tz'u-hsi renonce à ses fonctions d'assez bonne grâce. Elle a désormais mis sur pied un tel réseau d'espions à l'intérieur de la Cité interdite que rien ne peut s'y passer sans qu'elle n'en soit immédiatement informée. Elle a même recours à de petites ruses mesquines : par exemple, elle fait murer l'accès entre les appartements de l'empereur et ceux de l'impératrice et de ses concubines, de façon qu'il soit obligé de passer par ses propres appartements (dont le plancher grince) à chaque fois qu'il leur rend visite. En plus de quoi, la nouvelle impératrice est l'alliée naturelle de l'ancienne, puisque c'est une de ses nièces.

Avec l'âge, la convoitise de Tz'u-hsi ne fait que croître, ainsi que ses caprices architecturaux. Grâce aux pots-de-vin et aux cadeaux de toutes sortes, elle a accumulé une énorme fortune personnelle et consulte des banques londoniennes sur la possibilité d'entreposer quelque huit millions et demi de livres sterling (en or et en lingots) « dans une chambre forte tout à fait sûre ». Les divers palais, jardins, temples et lacs construits aux frais de la nation, sur l'ordre exprès de Tz'u-hsi, font aujourd'hui le ravissement des touristes, mais ils sont à l'époque d'une folle extravagance, car la Chine est en faillite et incapable de se défendre contre la rapacité de ses voisins : en 1887, la France occupe le protectorat chinois dans la région qui constitue aujourd'hui l'Indochine. Le Japon, déjà lancé sur une trajectoire expansionniste, annexe en 1894 la Corée, qui est alors un protectorat chinois d'une grande importance stratégique, après avoir écrasé les forces chinoises sur terre et sur mer. Ce qui exaspère Tz'u-hsi, au moins autant que la perte physique de ces territoires, c'est qu'elle est obligée, en raison de la défaite chinoise, d'annuler les opulentes festivités prévues pour célébrer son soixantième anniversaire.

La victoire japonaise est le signal d'une autre folle ruée des grandes puissances mondiales pour s'approprier quelques nouvelles parcelles de territoire chinois : l'Allemagne s'empare de Chiao-chou, dans la province du Shan-tung, après l'assassinat de deux missionnaires allemands dans cette ville en 1897 ; la Grande-Bretagne (à Hongkong, Canton et Wei Hai-wai) et la Russie (en Mandchourie et en Mongolie) se sont d'ores et déjà taillé d'énormes « zones d'influence ».

Le seul pays, quasiment, qui ne parvient pas à prélever sa livre de chair chinoise, c'est l'Italie. En 1899, un diplomate italien, De Martino, est envoyé par le gouvernement de Rome pour exiger que la Chine lui cède la baie de San-men dans la province du Che-kiang. L'Italie dispose d'une marine des plus modestes et n'a pas vraiment les moyens de recourir à la « diplomatie de la canonnière » en cas de refus. Pour une fois, la Chine se montre ferme, refuse sèchement de livrer le moindre pouce de son sol à l'Italie et déjoue son coup de bluff. De Martino quitte la Chine dans l'année, abreuvé d'humiliations. Son échec, note le célèbre correspondant du *Times* à Pékin, George Morrison, est dû en partie au fait que les Chinois ne parviennent pas à comprendre le charabia de l'interprète incompétent de De Martino et ne trouvent sur la carte aucun endroit correspondant aux exigences de l'envoyé italien. En outre, confient avec mépris à Morrison certains mandarins, le diplomate a fait la preuve de son ignorance crasse en se référant, dans une note réclamant une concession italienne permanente, au « concert européen des nations » au moyen d'un idéogramme chinois « communément réservé aux représentations théâtrales ».

Cependant, quelques mois à peine avant l'échec de De Martino, en cette même année 1899, Tz'u-hsi reprend le pouvoir, après avoir fait enfermer le jeune empereur Kuang-hsu dans une île transformée en prison, au fond du parc du palais d'Été. La disgrâce de Kuang-hsu va avoir d'énormes répercussions en Chine, où elle sonne le glas de la dynastie mandchoue et garantit que quiconque succédera à Tz'u-hsi ne régnera pas bien longtemps.

La crise se noue lorsque le jeune souverain commence à se rendre compte de l'état désastreux dans lequel se trouve son pays. Horrifié, il tombe alors sous la coupe d'un petit groupe de « réformateurs » dont le plus éminent est un érudit du nom de Kang Yu-wei, qui, tout en restant loyal à la monarchie, est fermement décidé à provoquer des changements radicaux.

L'empereur se met à lire les notes que lui fait parvenir Kang… et agit en conséquence. C'est ainsi qu'en 1898, pendant une période enivrante de « Cent jours », des édits réformateurs, frappés du sceau impérial, déferlent sur les ministères, les provinces et les quartiers généraux de l'armée dans la Chine entière. Un décret établit l'université de Pékin ; un autre fait de la ville plus progressiste de Nankin la capitale du pays ; les voyages à l'étranger sont encouragés, des écoles techniques créées dans tout le pays et les temples des villages transformés en écoles. Le costume chinois traditionnel sera abandonné en faveur de la mode européenne, l'armée occidentalisée et la presse vivement incitée à publier des articles politiques ; les vieux examens de culture mandarine, qui déterminent l'accès aux postes clefs, sont abolis et de nombreux hauts fonctionnaires reçoivent leur congé.

Dans toute cette avalanche de mesures, il y en a beaucoup qui sont admirables et qui auraient dû être prises depuis longtemps. Parfois, cependant, l'enthousiasme quelque peu aveugle du jeune empereur pour le changement — et son mépris total pour les conséquences de ses actes — ont un aspect tragi-comique, presque courtelinesque. Non seulement aucun effort n'est fait pour préparer au changement le pays, la cour hostile aux réformes et les colossaux intérêts qui dépendent du statu quo, mais, en outre, la mise en application des nouveaux décrets reste dans le vague, la responsabilité en incombant aux fonctionnaires locaux qui, pour la plupart, n'en tiennent aucun compte. Tz'u-hsi, en vieux briscard qu'elle est, se joue de l'empereur comme d'un poisson bien ferré. Et, à la fin des « Cent jours », elle porte le coup de grâce.

Kuang-hsu, conscient de son total isolement à l'intérieur de la Cité interdite, croit avoir le soutien du seul général chinois apparemment favorable aux réformes, Yuan Shi-kai. Ce dernier s'est distingué en Corée et commande aux meilleures troupes du pays. Kuang-hsu le convoque à Pékin. En même temps, il adresse à ses conseillers réformateurs une note pitoyable. « Au vu de l'actuelle difficile situation, j'ai pu constater que seules des réformes peuvent sauver la Chine et qu'elles ne sauraient être menées à bien que par le biais du renvoi des ministres conservateurs et ignorants et de la nomination d'érudits intelligents et courageux. Sa Gracieuse Majesté, l'impératrice douairière, n'est pas de cet avis. Je me suis efforcé à de multiples reprises de la convaincre, mais je l'ai trouvée à chaque fois plus courroucée. C'est à vous... de délibérer immédiatement pour trouver des moyens de me sauver. Avec d'extrêmes inquiétudes et de fervents espoirs. »

Au début, Yuan Shi-kai joue le jeu. Il y a, semble-t-il, un moment où il est animé par un sincère esprit de réforme, mais parmi les conseillers de l'empereur figurent des radicaux qui recommandent ouvertement la mise à l'écart de Tz'u-hsi (« Il faut se débarrasser... de cette vieille pourrie, sinon notre pays va périr »). La loyauté personnelle à la dynastie mandchoue est un devoir sacré parmi les « fidèles de la bannière mandchoue », comme on appelle les membres du clan impérial chinois. Yuan Shi-kai, l'un des principaux « fidèles » et l'un de ceux qui ont le plus d'influence à la cour, va aussitôt trouver l'une des âmes damnées de l'impératrice pour l'avertir de ce qui se trame.

La vieille souveraine — elle a à présent soixante-quatre ans — fait irruption dans les appartements de l'empereur. « Connais-tu la loi de la maison impériale envers quiconque lève la main sur sa mère ? » hurle-t-elle avant de le frapper.

Des gardes du palais tout dévoués à Tz'u-hsi emmènent l'empereur dans une petite île située au sud du Palais de Vagues de jade. « Je n'ai rien trouvé à dire », confiera ensuite Kuang-hsu à l'une de ses tantes. Il restera prisonnier du « Vieux Bouddha » jusqu'à sa mort, dix ans plus tard. Le coup d'Etat, mal préparé, tourne au désastre. Les soldats de Yuan Shi-kai entrent à Pékin, six chefs du mouvement réformateur (parmi lesquels ne figure pas Kang Yu-wei qui parvient à s'échapper) sont décapités, tous les décrets ordonnant des réformes abrogés et Tz'u-hsi reprend officiellement les rênes du pouvoir pour une ultime et catastrophique étape.

Les choses étant ce qu'elles sont, l'empereur prisonnier est contraint d'apposer lui-même son sceau à des décrets annulant chacune de ses réformes, ainsi qu'aux condamnations à mort de ses amis. Pour le public, le palais se contente de faire savoir que « l'empereur étant malade, l'impératrice douairière a repris ses fonctions de régente ».

Peut-être est-ce l'humiliation de l'Italie — une fois que De Martino a décampé de Pékin sans que la Chine ait dû faire la moindre concession territoriale — qui incite le « Vieux Bouddha », une fois de plus seul maître à bord, à s'imaginer que le moment est venu de prendre plus fermement position contre les « démons étrangers ». Ou bien peut-être, l'âge aidant, son intuition politique est-elle moins aiguisée que par le passé. En tout cas, à présent que l'empereur est son captif, Tz'u-hsi se prépare avec joie à « baisser le paravent jaune » pour le reste de sa vie.

A la veille de la « Rébellion des Boxeurs », ultime et désastreux soulèvement qui va assener à la dynastie mandchoue le coup de grâce, elle ne semble pas avoir le moindre pressentiment et, lorsque éclate la révolte, elle reste aveugle à ses possibles conséquences pour n'y voir que le moyen de chasser une fois pour toutes les arrogants « démons étrangers » qu'elle exècre, de remonter le temps et d'instaurer un nouvel âge d'or chinois fondé sur le principe du splendide isolement.

Car l'impératrice douairière n'est pas la seule à être convaincue, comme elle le confie à sa cour à cette époque, que « les étrangers sont le seul fléau qui ravage la Chine à l'heure actuelle ». Un autre mouvement populaire, d'« inspiration divine », est en train de croître dans le pays entier, celui des partisans de « La vertueuse harmonie », dont le symbole est un poing fermé, ce qui leur vaudra le surnom de Boxeurs. Ce mouvement antichrétien et xénophobe, fanatiquement dévoué à la dynastie mandchoue, pourrait n'être qu'une de ces mystérieuses sociétés secrètes, reposant sur des rites et un rituel païens, comme les centaines d'autres écloses sur le sol chinois au cours des siècles, n'étaient les dettes, les humiliations et la misère qui gagnent la Chine entière au lendemain de la guerre sino-nippone. A l'instar des rebelles T'ai-p'ing, les Boxeurs balaient tout sur leur passage, assassinant çà et là quelques étrangers, prêchant la guerre sainte, revendiquant des pouvoirs surnaturels. Ils constituent assez vite une force redoutable.

La Rébellion des Boxeurs, comme celle des T'ai-p'ing un demi-siècle auparavant, est issue de mouvements provinciaux. Leurs chefs croient sincèrement que l'impératrice douairière ne peut être sauvée des griffes de ces « démons étrangers » si détestés qu'avec leur aide. Ils sont en outre singulièrement naïfs sous d'autres rapports : ne sont-ils pas persuadés que les amulettes et les charmes suffiront à les protéger des balles étrangères ?

Tandis que le mouvement rassemble ses forces, avec la bénédiction tacite de Tz'u-hsi, celle-ci veille à assurer ses arrières : elle annonce, par décret impérial, que désormais son héritier sera Pu-tchun, un adolescent dévoyé, fils de son parent, le prince Tuan, qui a épousé une de ses propres nièces. Cela fait déjà longtemps que Tuan est un favori au palais ; c'est une sorte de grand escogriffe fanfaron qui rappelle à Tz'u-hsi les fringants officiers qu'elle aimait fréquenter lorsqu'elle n'était qu'une obscure concubine en disgrâce à Jehol. C'est, qui plus est, un bon soldat, loyal, sans une once de cette intelligence toujours à redouter, et il présente le double avantage de partager son aversion pour les étrangers et de jouir d'une réputation d'avidité et de corruption qui fait de lui un pantin entre les mains de sa redoutable parente : il n'y a guère de risque qu'il se retourne contre elle ou réclame des « réformes ».

Le dernier mauvais service que Tz'u-hsi va rendre à son pays, c'est de croire qu'elle peut se servir des Boxeurs pour arriver à ses fins, c'est-à-dire pour se débarrasser des étrangers et gonfler les rangs de ses propres partisans armés. Il n'y a même pas besoin de les payer, ce qui n'est pas un mince avantage à une époque où la Chine est criblée de dettes en raison des « réparations » qu'elle doit à l'Allemagne, à la France et au Japon.

La Rébellion des Boxeurs a donné naissance à des dizaines

de livres et à un film d'un comique irrésistible, quoique involontaire, *Les cinquante-cinq jours de Pékin* avec Ava Gardner. Les Boxeurs marchant sur la capitale chinoise, obtenant le soutien de Tz'u-hsi, assiégeant le quartier des légations et se faisant finalement disperser par une armée multinationale regroupant des troupes américaines, britanniques, françaises et japonaises — la garde impériale du Kaiser arrivant après la bataille, mais juste à temps pour le pillage —, tout cela fait désormais partie des événements mythiques du début du XXᵉ siècle ; sur le moment, l'affaire a un retentissement énorme dans la presse mondiale, les récits des témoins oculaires se multiplient et provoquent un intérêt sans précédent envers la Chine.

La politique sinueuse et mensongère de l'impératrice Tz'u-hsi, qui d'une main arme et encourage les jeunes Boxeurs, tout en noircissant de l'autre des pages d'écriture destinées à convaincre l'Occident qu'elle est victime et non complice du siège de Pékin, n'est pas pour tromper les assiégés. Les Boxeurs, « apprentis sorciers », ont droit à ses remerciements serviles tant qu'ils paraissent avoir le dessus et il ne fait aucun doute qu'elle espère bien, à un moment donné, qu'ils vont massacrer tous les étrangers pris au piège dans le quartier des légations, y compris les femmes et les enfants, afin qu'il ne reste plus le moindre témoin de sa scélératesse et de sa duplicité.

Cependant, dès qu'il devient évident que la colonne de secours mise sur pied pour venir en aide aux assiégés va l'emporter, elle s'empresse de retourner sa veste. Il s'agit d'une regrettable erreur, pleurniche-t-elle. Les Boxeurs ne sont pas des patriotes mais des rebelles, et elle a fait son possible pour protéger les étrangers, ce qui lui a même valu de frôler la mort à plusieurs reprises.

Ses mensonges ne convainquent personne, car ils sont en contradiction flagrante avec sa conduite une fois qu'il est clairement établi que les Boxeurs ont perdu leur ultime bataille. Tz'u-hsi décide alors de quitter Pékin, redoutant les représailles que pourraient exercer les « démons étrangers ». Avant de s'enfuir de la Cité interdite, cependant, le « Vieux Bouddha » frappe à l'aveuglette, au cours d'un accès de rage presque démente. Elle fait décapiter quelques-uns de ses aides de camp qui ont eu le courage de s'élever contre sa politique. Puis, lorsque la Concubine de Perle, la favorite de l'empereur prisonnier, la supplie de ne pas déshonorer ses ancêtres mandchous en prenant la fuite, Tz'u-hsi ordonne aux eunuques qui lui servent de gardes du corps de la jeter dans le puits de la cour du Nord-Est. Le souverain déchu est forcé d'assister au meurtre de sa concubine bien-aimée. Plus tard, la mort de celle-ci sera officiellement transformée en « suicide patriotique ».

Ayant coupé ses quinze centimètres d'ongles (un diplomate a noté que, quand on serre la main de Tz'u-hsi, on a l'impression de « tenir une poignée de crayons ») et ressemblant à s'y méprendre, sous son déguisement, à une petite paysanne boulotte, l'impératrice gagne avec son triste cortège la province de Shan-hsi, tandis que les soldats européens qui viennent de lever le siège de Pékin pillent la Cité interdite et griffonnent des obscénités sur les murs de la chambre à coucher impériale et que les puissances occidentales inventent de nouveaux moyens de faire payer la Chine.

Son exil va durer deux ans, d'abord à Hsi-an, puis à Kaifeng. Pendant ce temps, ses ministres, qui sont restés à Pékin, font de leur mieux pour apaiser les commandants des forces d'occupation. Contre de colossales réparations financières, les Européens acceptent de passer l'éponge et permettent finalement à Tz'u-hsi de remonter sur le trône.

C'est un « come-back » extraordinaire. Les grandes puissances, après avoir caressé le projet d'occuper la Chine ou de l'obliger à changer de dynastie, décident plutôt, dans l'intérêt de la stabilité, de permettre aux Ch'ing de rester en place. En échange de sommes considérables (dont les paiements s'échelonneront théoriquement jusqu'en 1940), de l'octroi de nouvelles concessions et de quelques exécutions de boucs émissaires, tout est pardonné et l'indestructible impératrice douairière regagne Pékin en grande pompe. Les puissances étrangères acceptent, non sans cynisme, la fable d'une « rébellion » contre le trône. Certains ministres consentent avec beaucoup d'obligeance à se pendre. D'autres meneurs, de moindre importance, sont soit décapités, soit exécutés par les forces d'occupation. Le prince Tuan qui a encouragé Tz'u-hsi à se ranger du côté des Boxeurs est en disgrâce, mais il est autorisé à s'exiler. Le décret qui faisait de son fils l'héritier du trône est abrogé. Cette branche de la famille est à jamais écartée du trône et un décret ultérieur les fera même déchoir au rang de roturiers.

Sans se laisser démonter pour autant, Tz'u-hsi se tourne à présent vers un autre de ses favoris militaires pour lui demander son aide. Le général Jung-lu a joué un rôle équivoque durant le siège de Pékin, puisqu'il a semblé prendre parti pour les Boxeurs, alors qu'en fait il faisait tout son possible pour les empêcher de remporter une victoire décisive. C'est un de ces fringants officiers qui jadis, à Jehol, ont fait la cour à Tz'u-hsi, alors qu'elle n'était qu'une concubine de bas étage. Nul n'ignore qu'ils ont été amants dans leur jeunesse. En plus de quoi, il est entré dans le clan impérial par son mariage. Quant au renégat Yuan Shi-kai, le « traître » qui a naguère causé la perte de son empereur en révélant ses projets de réforme à l'impératrice douairière, lui aussi a été un des adversaires de la politique pro-Boxeurs de Tz'u-hsi. Il est désormais très bien en cour.

Le « Vieux Bouddha » revient à Pékin, d'abord dans un train officiel fourni par les Belges (qui ont construit le chemin de fer), à bord d'un wagon tendu de la soie jaune impérial, puis dans un palanquin de cérémonie orné de plumes de paon. A la porte du Sud de la Cité interdite, l'empereur, toujours prisonnier, vient s'agenouiller devant elle, comme un esclave, pour lui souhaiter la bienvenue. Les membres de la communauté étrangère, qu'elle a cherché, pour certains, à affamer, massacrer et incendier durant les cinquante-cinq jours du siège, assistent à son entrée et lorsqu'elle leur adresse un timide sourire de petite fille, en s'inclinant vers eux avec une soumission feinte, les mains jointes devant elle, ils éclatent en applaudissements. Elle vient de faire du jour le plus sombre de sa vie un triomphe personnel.

Son retour au pouvoir sera bref, mais remarquable. Elle reçoit les diplomates avec, à ses côtés, l'empereur silencieux, dompté. Elle donne un thé pour les dames étrangères, où elle les comble de présents. Elle parvient même à sangloter en leur prenant les mains et en leur expliquant à quel point tout était affreux pendant le soulèvement. « Pour un temps, les Boxeurs ont triomphé du gouvernement, déclare-t-elle, et ils ont même apporté leurs canons pour les disposer sur les murs du palais. Jamais plus une telle chose ne se reproduira. » Elle offre à ses invitées quelques-uns de ses chiots pékinois et les bénéficiaires confondues ne s'apercevront qu'après coup que ceux-ci ont été opérés de façon à ne pouvoir se reproduire.

Elle commence même à appliquer certaines des réformes qui ont entraîné la disgrâce de l'empereur, réorganisant le système judiciaire, allégeant la bureaucratie, abolissant la torture, supprimant le trafic de l'opium, encourageant son personnel à voyager à l'étranger et allant même, en 1906, jusqu'à professer sa foi en la monarchie constitutionnelle.

On dirait vraiment, assurent les diplomates ébahis, qu'elle a décidé de s'acheter une conduite. Toutefois, en dépit des terribles réparations exigées par les puissances étrangères, qui saignent le pays à blanc, jamais elle ne proposera de puiser dans son immense fortune personnelle, aujourd'hui estimée à plus de 35 millions de dollars en or, pour éponger les dettes dues à ses erreurs politiques. La Chine n'est plus désormais qu'une spectatrice passive, même lorsque, comme c'est le cas en 1904-1905, le Japon et la Russie entrent en conflit sur son sol à propos de la Mandchourie. La Russie est battue à plate couture et le Japon obtient d'énormes concessions territoriales et ferroviaires dans la province en question. Le « Vieux Bouddha » accepte cette nouvelle humiliation avec une apparente sérénité ; elle consacre de plus en plus de temps à des activités de théâtre amateur, à mettre sur pied avec le plus grand soin les cérémonies qui marqueront son anniversaire et à se délecter des cadeaux extravagants dont ses fonctionnaires la comblent (payés, comme de bien entendu, par les paysans miséreux accablés d'impôts).

A mesure qu'elle reprend de l'assurance, le traitement qu'elle réserve à l'empereur déchu se détériore. Aux premiers mois de son retour à Pékin, elle a brièvement desserré son impitoyable étreinte ; il lui arrive même, parfois, de faire semblant de le consulter. Mais elle s'aperçoit vite que les « démons étrangers » n'ont aucune intention de l'obliger, comme elle l'a craint, à le remettre en liberté et elle retombe dans ses anciennes habitudes. Kuang-hsu, prématurément vieilli, malade, brisé, est désormais en butte aux tours cruels que lui jouent d'insolents eunuques. En 1903, on installe l'électricité dans la Cité interdite, mais pas dans les quartiers de Kuang-hsu. Lorsqu'elle l'autorise à regagner ses anciens appartements à l'intérieur du palais, elle veille d'abord à en faire murer les fenêtres, de façon qu'il n'ait aucune vue et reste à tout moment conscient du fait qu'il est son prisonnier.

Le « Vieux Bouddha » a toujours eu un appétit prodigieux et, en 1907, elle est gravement atteinte par la dysenterie. L'empereur déchu, tuberculeux, dépressif, qui souffre de la maladie de Bright, est lui aussi grabataire. La maladie étant venue rappeler à Tz'u-hsi sa condition de mortelle, elle se sent tenue de chercher pour la troisième fois un héritier convenable. Son choix reflète ses loyautés du moment, ainsi que sa volonté, même au-delà de la mort, de s'assurer qu'aucun successeur n'aura jamais son envergure.

Il y a plusieurs candidats à la succession... et à la régence. L'un d'eux est le jeune prince Pu Lun. Le général Yuan Shi-kai estime avoir une bonne chance de lui servir de régent et laisse même croire à qui veut l'entendre qu'ils forment le tandem désigné par Tz'u-hsi pour lui succéder. Il y a aussi le prince Tchun II, fils cadet du servile prince Tchun, qui a pleuré jadis, quand l'impératrice douairière a désigné son fils — le malheureux Kuang-hsu — comme héritier.

Ce second prince Tchun est un conservateur médiocre, brouillon, veule qui, Tz'u-hsi le sait pertinemment, n'aura certainement jamais sa stature. En outre, il a épousé une fille de son vieil ami et ex-amant, le général Jung-lu, qui lui a donné un fils âgé alors de trois ans, Pu Yi. Il y a d'autres candidats encore, mais la plupart des familiers du palais ont l'impression que Yuan Shi-kai et Pu Lun tiennent la corde. Jusqu'à la toute dernière minute, le « Vieux Bouddha » se refusera catégoriquement à faire connaître sa décision.

Le 14 novembre 1908, l'empereur prisonnier rend l'âme.

Sa mort, à l'âge de trente-quatre ans, n'est pas inattendue, car il semble avoir perdu le goût de vivre, mais la façon dont il succombe provoque l'étonnement général. Un médecin de la cour, qui l'a examiné trois jours avant sa fin, signale que les symptômes de son malade faisaient davantage penser à un empoisonnement aigu qu'à la tuberculose ou à la maladie de Bright. « Il ne pouvait plus dormir ni uriner, les battements de son cœur s'étaient accélérés, son visage était violacé, sa langue jaune », note le praticien après coup. Bien qu'il n'ose pas l'affirmer noir sur blanc, il a de toute évidence la conviction que l'empereur a été assassiné.

Il y a plusieurs suspects possibles : l'impératrice douairière, craignant qu'il ne raconte son affreuse histoire, s'il venait à lui survivre, a fort bien pu demander à ses eunuques de mettre du poison dans ses aliments. Le « traître » Yuan Shi-kai, redoutant que l'empereur n'exerce quelque atroce vengeance après la mort de Tz'u-hsi, a aussi d'excellentes raisons de vouloir le supprimer et assez d'amis à la cour pour mettre un tel projet à exécution. Quant aux eunuques, ils savent que leur position à la cour sera fort menacée s'il survit et impose enfin ses détestables réformes ; il se peut donc fort bien que ce soient eux qui l'aient tué. On ne connaîtra jamais la vérité.

Le lendemain (15 novembre 1908), c'est Tz'u-hsi elle-même qui s'éteint, victime de la dysenterie, après s'être imprudemment gorgée d'un énorme plat de pommes sauvages à la crème et avoir enfin désigné l'empereur de son choix. Sa décision est une amère déception pour Yuan Shi-kai. Il n'a pas su s'apercevoir que le « Vieux Bouddha », à l'agonie, en était venue à la conclusion qu'il était trop ambitieux pour son propre bien.

La disparition de l'impératrice est marquée par un deuil de pure forme. A l'annonce de sa mort, nombreux sont les Chinois des classes aisées à se ruer en masse dans les bordels pour fêter ouvertement l'événement.

Depuis la Rébellion des Boxeurs, le pays est en proie au chaos. Dans le Sud, où un puissant mouvement républicain, ayant à sa tête l'exilé Sun Yat-sen, a quasiment pris le pouvoir, l'autorité du gouvernement central est nulle. Le mécontentement envers le régime en place sévit non seulement parmi les paysans pauvres, mais aussi parmi les anciens piliers de la monarchie : les mandarins, les officiers, la bourgeoisie, peu nombreuse, mais riche. Tous les observateurs étrangers sont d'accord pour dire que la dynastie des Ch'ing est aux abois. La question qui se pose n'est plus : pourra-t-elle survivre ? mais bien : comment tout cela finira-t-il et dans combien de temps ?

4.

Il fait déjà nuit, en ce 13 novembre 1908, lorsqu'un cortège insolite quitte la Cité interdite par la porte Wu Men, la porte cérémoniale, et commence à se frayer un chemin à travers la ville. Il est composé d'hommes à pied et de cavaliers aux riches uniformes. Au centre se trouve un palanquin, porté par quelques-uns des eunuques les plus robustes du palais impérial et escorté d'un escadron de gardes impériaux, précédé par des chambellans et autres dignitaires, tous à cheval.

Il lui faut environ une demi-heure pour gagner sa destination : la « Demeure du nord », au bord du lac, résidence du prince Tchun II et de ses deux épouses. Son arrivée n'a pas été annoncée — à cette époque, le téléphone n'est pas encore installé à Pékin — et la procession a été assemblée en toute hâte. Le « Vieux Bouddha » est manifestement au seuil de la mort et il faut absolument qu'elle nomme son successeur dans les plus brefs délais.

Le cortège s'arrête au bord du lac, où restent la plupart des cavaliers. Le portail de la « Demeure du nord » s'ouvre tout grand et les eunuques qui portent le palanquin s'engagent entre ses deux battants, ainsi que les hauts fonctionnaires de la cour. Ce n'est qu'à ce moment-là que le prince Tchun comprend que son fils aîné, Pu Yi, a été choisi comme prochain empereur et que ces gens viennent le chercher.

Le bambin de trois ans est en train de jouer avec sa nourrice, Mme Wang, lorsque le palanquin s'immobilise dans la cour. C'est un enfant têtu, qui résiste invariablement à tous les efforts faits pour le mettre au lit à une heure raisonnable. La demeure est pleine de parents, de domestiques, de courtisans, et l'arrivée des fonctionnaires du palais plonge toute la maisonnée dans la confusion. Le chambellan donne en hurlant l'ordre de « vêtir l'enfant » et de le porter dans le palanquin au plus vite, mais l'irruption inopinée et effrayante de tous ces inconnus dans leurs étranges costumes terrorise le malheureux Pu Yi. Il court se cacher dans les bras de sa nourrice et, quand ces hommes qu'il ne connaît pas tentent de l'en retirer, il se faufile jusqu'à une cachette sûre, un placard où il a l'habitude de jouer à cache-cache avec Mme Wang. Des eunuques souriants et obséquieux tentent de l'attirer au-dehors par leurs cajoleries. Les fonctionnaires du palais leur ordonnent de le sortir de là. Le petit garçon, en larmes, hurlant, les griffe et leur échappe en se contorsionnant. Le règne s'annonce mal.

Au milieu de cette scène consternante, la vieille mère du prince Tchun s'évanouit et on doit l'emporter d'urgence dans sa chambre. Le chambellan du palais s'attend à ce que, en sa qualité de régent, le prince affirme son autorité et prenne les choses en main, mais ce dernier reste prostré sur un siège, foudroyé par la nouvelle, incapable de bouger.

C'est finalement le chambellan qui se charge de dénouer la crise. « La nourrice. Allez chercher la nourrice ! » lance-t-il. Mme Wang, qui n'a que vingt et un ans, est la seule personne qui ait la moindre influence sur le petit Pu Yi. Elle sait ce qu'il faut faire : elle s'avance jusqu'à lui, dénude son sein et le lui offre. Le résultat est immédiat. Les hurlements s'apaisent. Pu Yi s'installe dans ses bras et se love confortablement contre le doux berceau que lui fournit ce corps jeune et chaud. Elle l'emporte sans un mot hors de la maison, monte dans le palanquin et le cortège les emmène tous les deux au palais impérial, laissant la Demeure du nord en proie au chaos. Pu Yi ne devait pas revoir sa mère naturelle au cours des cinq années suivantes.

Comme on peut s'en douter, les souvenirs qu'a gardés Pu Yi de ce jour fatidique sont flous. Cependant, lorsqu'il écrit son autobiographie, certains des témoins de la scène sont encore en vie et il peut donc les consulter. En plus, il a de la chance :

l'homme qui l'aide à rédiger cet ouvrage et à faire les recherches nécessaires, Li Wenda, journaliste chevronné, retrouve infatigablement leurs traces.

Le nom de Li n'apparaît nulle part dans le livre de Pu Yi, *J'étais empereur de Chine*. Comme tous les bons « nègres », il minimise son rôle, mais tous les parents et les anciens serviteurs de Pu Yi encore en vie à l'heure actuelle sont bien d'accord pour dire que jamais ce dernier n'aurait pu écrire son livre tout seul. C'est Li Wenda qui a comblé à mon intention de nombreuses lacunes dans l'histoire de Pu Yi. Il a reconnu qu'il avait fait d'innombrables démarches pour retrouver des parents éloignés, des courtisans et des eunuques et les soumettre à un interrogatoire très serré sur les jeunes années de Pu Yi.

Li Wenda est un homme pourvu d'impeccables états de service révolutionnaires. A partir de 1944, il a servi dans la IVe armée de route (communiste), d'abord contre les Japonais, puis contre les forces du Kuomintang (KMT) de Chiang Kai-shek. Il a quitté l'armée en 1949 pour devenir journaliste, ayant été jusqu'à cette date responsable du bulletin d'informations de son unité, une feuille polycopiée régulièrement imprimée juste derrière les premières lignes, dans des conditions le plus souvent fort hasardeuses. Par la suite, il travaille pour un journal et une maison d'édition de l'Etat, qui l'engage pour superviser l'autobiographie de Pu Yi, car le projet a reçu la bénédiction de Chou En-lai. C'est grâce à Li Wenda que l'on a pu apprendre beaucoup de choses sur les premiers jours qu'a passés le petit empereur à l'intérieur de la Cité interdite.

Du jour au lendemain, le garçonnet se retrouve promu au rang de dieu vivant, dans l'impossibilité de se comporter comme le petit enfant qu'il est, sauf avec sa nourrice. Il ne se déplace qu'en palanquin porté par des eunuques, car on considère qu'un empereur ne peut pas s'abaisser à marcher. Où qu'il aille, les eunuques et les suivants se prosternent devant lui, s'agenouillant sur son passage pour frapper par neuf fois le sol de leur front. Il n'y a que la nuit qu'il se sent en sécurité : il dort dans le « palais de la Pureté céleste », sur un énorme *kang,* c'est-à-dire un lit en forme d'estrade, dans les bras de Mme Wang.

Quelques heures seulement après avoir quitté le toit

paternel, Pu Yi se retrouve dans la « Salle de la Nourriture du Caractère », où on l'a amené au chevet du « Vieux Bouddha ».

« J'ai gardé un très vague souvenir de cette rencontre, écrira-t-il bien des années plus tard, dont le choc s'est profondément gravé dans mon esprit. Je me rappelle m'être trouvé soudain tout seul au milieu d'inconnus, tandis que devant moi pendait un rideau terne à travers lequel j'apercevais un visage émacié, d'une hideur terrifiante. C'était Tz'u-hsi. On dit que je me suis mis à hurler en la voyant et que j'ai été pris d'un tremblement incoercible.

« Tz'u-hsi, poursuit Pu Yi, a dit à quelqu'un de me donner des bonbons, mais je les ai jetés par terre et j'ai crié : " Je veux ma nounou, je veux ma nounou ! " ce qui a eu le don de lui déplaire infiniment. " Quel vilain petit garçon, a-t-elle dit. Qu'on l'emmène jouer ailleurs ! " »

Bien que Mme Wang soit la seule personne capable de le contrôler et avec qui il se sente à l'aise, elle est exclue des cérémonies du couronnement. Le protocole exige que ce soit le prince Tchun, en sa double qualité de père et de régent, qui reste aux côtés de Pu Yi tout au long de ce rituel interminable, effrayant, parfaitement incompréhensible pour un enfant de trois ans.

La cérémonie est à la fois religieuse et séculière : des musiciens, des eunuques et des prêtres se pressent dans la Salle de l'Harmonie suprême, où Pu Yi est perché sur son trône à une hauteur affolante. Il fait glacial, en ce 2 décembre, et le petit garçon frissonne à la fois de froid et de peur, tandis qu'une succession d'officiers de la garde du palais et de ministres défilent devant lui, un par un, pour lui prêter allégeance.

« Je trouvais tout cela bien long et bien ennuyeux, note Pu Yi. Il faisait si froid que, quand on m'a porté dans la Salle et qu'on m'a hissé sur ce trône énorme et trop haut, je n'ai pas pu me contenir davantage. Mon père qui me soutenait, agenouillé près du trône, m'a dit de ne pas m'agiter comme ça, mais je me suis débattu en criant : " Je n'aime pas être ici. Je veux rentrer à la maison ! " Mon père était tellement affolé qu'il s'est mis à transpirer abondamment. Tandis que les dignitaires continuaient à se prosterner devant moi, mes hurlements se sont faits de plus en plus perçants. Mon père s'est efforcé de m'apaiser, en disant : " Ne pleure pas, ce sera bientôt fini. " Ces paroles, destinées à me calmer, ont eu un effet déplorable sur les fonctionnaires du palais, qui ont cru y voir un " présage sinistre et prophétique ". »

Commence alors pour l'enfant une existence régie par le protocole, sans aucun compagnon de son âge. Ses courtisans le traitent avec toute la déférence due à un dieu vivant. De temps à autre, quand il devient vraiment trop insupportable, les eunuques qui pourvoient à ses besoins quotidiens l'enferment à clef dans un petit cagibi jusqu'à ce qu'il se soit calmé. Mme Wang, sa nourrice, est son seul lien avec le passé et elle continuera à l'allaiter et à partager son lit pendant les cinq années suivantes.

Il est important pour un empereur d'acquérir le talent traditionnel du calligraphe et ses eunuques de compagnie sont les premiers à lui apprendre à lire et à écrire ; ils lui font retenir par cœur l'ensemble fondamental de caractères chinois grâce auxquels il pourra reconnaître son nom sur les sceaux impériaux. Comme presque toutes les jeunes campagnardes de l'époque, Mme Wang est analphabète et les fonctionnaires de la cour la méprisent et la craignent à la fois. Ils considèrent cette femme dévouée et pleine d'abnégation d'un œil soupçonneux, parce qu'ils redoutent, si elle s'incruste à la Cité interdite, qu'elle n'en vienne, avec le temps, à exercer une influence démesurée sur le jeune empereur. Pour le moment, ils ne peuvent pas grand-chose contre elle, car, dès que Pu Yi en est séparé, il devient un petit garçon rétif, sujet à des accès de rage incontrôlée. En outre, ils se trouvent à cette époque confrontés à des problèmes beaucoup plus graves.

En effet, l'année où Pu Yi monte sur le trône, la Chine est en proie au désordre le plus complet. Dans le Sud du pays, le gouvernement impérial n'est plus obéi : Canton et toute la province du Kuang-tung bouillonnent de ferveur républicaine. Sun Yat-sen (1886-1925), le chef républicain exilé et fondateur du parti du Kuomintang (l'Alliance), vient tout juste de tenter son neuvième coup d'Etat avorté pour renverser la monarchie. Il est toutefois resté la plupart du temps en coulisse, car sa tête est mise à prix.

Mais alors qu'aux premiers jours du KMT son soutien lui est principalement venu des Chinois vivant à l'étranger et de quelques sociétés secrètes japonaises, à présent l'opposition à l'intérieur même de la Chine comprend des fonctionnaires, des officiers, des marchands et même des confucianistes érudits, tous convaincus que les Mandchous doivent disparaître. L'effondrement virtuel de l'administration rend l'avènement de la république inévitable — une question de mois plutôt que d'années —, alors même que Pu Yi vient d'être proclamé empereur.

De façon assez ironique, c'est le prince Tchun, l'un des régents les plus incompétents de toute l'histoire de la Chine, qui va porter le coup de grâce à la dynastie mandchoue, en congédiant le seul homme capable de la prolonger encore un peu.

Yuan Shi-kai, le « traître » qui, en 1898, a privé à la dernière minute les partisans de la réforme de son soutien pour l'apporter au camp ultra-conservateur de Tz'u-hsi, est, à l'époque de l'accession au trône de Pu Yi, commandant en chef de l'armée chinoise. Pour douteuse que soit sa moralité, c'est un soldat compétent, féru de discipline, qui sait inspirer confiance à ses hommes. Le prince Tchun s'empresse de le faire révoquer.

Les termes de son renvoi sont volontairement insultants. Selon le décret impérial, signé par le petit Pu Yi :

« ... Yuan Shi-kai souffre en ce moment des pieds ; il a beaucoup de mal à marcher et il ne lui est guère possible de remplir ses devoirs comme il se doit. Nous lui ordonnons donc de démissionner immédiatement de sa charge (de commandant en chef) et de regagner sa ville natale afin d'y soigner son mal et de s'en remettre. Nous sommes bien résolus à montrer envers lui considération et compassion. »

Or, Yuan Shi-kai est depuis longtemps le favori des Européens, et surtout de la communauté britannique de Pékin, qui voient en lui un de ces « hommes forts », providentiels, seul capable d'assurer la stabilité à l'intérieur du pays, de maintenir celui-ci dans le camp de l'Europe et de lui permettre ainsi d'honorer les colossales réparations.

« Pourquoi Yuan Shi-kai ne se met-il pas à la tête de dix mille hommes et ne fiche-t-il pas tous les Mandchous à la porte ? » demande, non sans un certain manque de diplomatie, le ministre britannique à Pékin, sir John Jordan, à Morrison, l'envoyé du *Times*. En fait, par le biais d'intermédiaires, le Chinois a déjà commencé à sonder les républicains sur leurs intentions. Son renvoi est providentiel pour lui : il lui permet de rester sur la touche et de laisser tout simplement les événements suivre leur cours.

C'est le 10 octobre 1911 que s'achève le règne de la dynastie des Ch'ing, mais ce qui est assez surprenant, c'est qu'elle n'est pas éliminée par les républicains de Sun Yat-sen. C'est d'abord à Wuhan qu'un groupe de jeunes officiers de l'armée se mutine et s'en prend aux généraux corrompus, en réclamant de vastes réformes. L'armée impériale, démoralisée, se range du côté des rebelles. On ne trouve plus de troupes pour défendre le régime moribond. Les gouverneurs s'enfuient et les soldats fraternisent avec les mutins. Ces derniers, cependant, n'ont pas d'objectifs politiques bien définis. Les républicains de Sun Yat-sen, au contraire, en ont à revendre et ce sont eux qui prennent alors la tête du mouvement. A partir de Wuhan, celui-ci se répand dans le pays presque entier. Les banquiers, hommes d'affaires et commerçants de Chine, ainsi que la minuscule bourgeoisie, prennent ouvertement le parti des républicains, réclamant le départ de la dynastie Ch'ing, archaïque et inefficace.

Morrison télégraphie à la direction de son journal, à Londres : « La dynastie mandchoue est en danger. Les sympathies de l'immense masse des Chinois éduqués penchent entièrement du côté révolutionnaire. On exprime bien peu d'affection pour la dynastie mandchoue, corrompue et décadente, avec ses eunuques et autres attributs barbares. La cour vit dans l'angoisse et l'avenir du trône paraît bien compromis. »

En désespoir de cause, le prince Tchun fait alors appel à Yuan Shi-kai, le sommant de regagner Pékin pour redresser une situation désespérée. Le rusé général a beau jeu de lui répondre innocemment que son pied lui fait toujours mal. Pendant ce temps, il complote avec les révolutionnaires qui ont proposé de faire de lui le premier président de la République chinoise. Yuan a toujours été animé par une ambition dévorante. Convaincu que son heure est enfin venue, il prend le commandement des forces impériales, mais veille soigneusement à ce que nulle part les républicains ne subissent de défaite décisive. Il continue à négocier en secret avec certains de leurs chefs, parmi lesquels ne figure pas Sun Yat-sen, toujours en exil. Morrison rend visite à Yuan Shi-kai, à Han-kou, où ce dernier fait semblant de défendre la dynastie mandchoue agonisante, et il en repart persuadé que « la Chine ne se soucie pas de savoir si Yuan Shi-kai va se bombarder président ou empereur ; les Mandchous doivent disparaître. Il semble que tout le monde soit unanime sur ce point ».

En décembre 1911, le prince Tchun renonce à sa position de régent et l'impératrice douairière, Lung Yu, qui a toujours fait preuve d'une compréhension des affaires politiques bien supérieure à la sienne, autorise Yuan Shi-kai à mettre au point un compromis avec les républicains. A dater de ce moment, le général contrôle pleinement les événements. En moins d'un an, il parvient à écarter Sun Yat-sen pour devenir le premier président de la République chinoise.

Bien qu'il n'ait que cinq ans à l'époque, Pu Yi est témoin de ce qui doit être une ultime et cruciale rencontre entre l'impératrice douairière et le général. Voici comment il dépeint la scène :

« L'impératrice douairière était assise sur un *kang,* dans une petite salle du Palais de la Nourriture de l'Esprit ; elle s'essuyait les yeux avec un mouchoir, tandis que devant elle était agenouillé sur un coussin rouge un vieillard adipeux (Yuan), le visage trempé de larmes. J'étais assis à la droite de l'impératrice et je me demandais pourquoi les deux grandes personnes pleuraient. En dehors de nous trois, il n'y avait personne dans la pièce et tout était très calme ; le vieil homme reniflait bruyamment tout en parlant et je ne comprenais rien à ce qu'il disait... Ce fut en cette occasion que Yuan souleva directement la question de l'abdication. »

Selon n'importe quels critères, les « Articles assurant un traitement bienveillant au grand empereur Ch'ing après son abdication » sont d'une générosité extraordinaire : l'empereur conserve son titre (« la République chinoise le traitera avec toute la courtoisie due à un souverain étranger »), une énorme liste civile, le droit de continuer à résider dans la Cité interdite (pour une période indéterminée) et toute sa fortune personnelle. La garde du palais continuera à le servir, à cette différence près qu'elle sera considérée — pour les services comptables du gouvernement — comme faisant partie de l'armée régulière. Et, bien que la république établisse de nouveaux ordres et décorations, l'empereur a toujours tout loisir de distribuer ses propres récompenses ; il peut créer des duchés, des baronnies et même des principautés, et promouvoir des mandarins du septième au premier rang, avec toute la pompe et le snobisme qui marquent aujourd'hui une promotion dans l'ordre de *Saint Michael and Saint George* ou dans celui de la Légion d'honneur. Le seul changement dans le mode de vie du souverain se résume, pour ainsi dire, au fait qu'on n'engagera plus de nouveaux eunuques ; en revanche, tous les employés du palais présentement en fonction ont leur position garantie.

Si les termes de cet accord sont si généreux, c'est parce que, en dépit du républicanisme de l'élite « évoluée » de la Chine, il existe toujours, parmi les paysans et agriculteurs, un respect considérable pour la notion de monarchie ; or ils représentent 80 % de la population. Pour eux, il est impensable de rompre radicalement avec le passé. Les gouvernements étrangers ayant des intérêts en Chine sont eux aussi en faveur d'un compromis : le Japon, lui-même pouvoir impérial, se refuse à voir maltraiter la famille impériale chinoise. Il en va de même pour la plupart des puissances occidentales qui tiennent à préserver la stabilité du pays, de façon que celui-ci puisse continuer à verser les « réparations » extorquées à Tz'u-hsi après l'effondrement de la révolte des Boxeurs.

C'est parce que cet arrangement entre la cour et les nouveaux dirigeants républicains est si favorable à la dynastie des Ch'ing que Pu Yi, âgé de cinq ans, n'a pas la moindre idée de ce qui s'est passé. Le protocole qui régit le déroulement de son existence reste inchangé. En fait, la vie à la cour devient plus factice et pirandellienne que jamais. N'étant plus sous-tendues par de réels pouvoirs gouvernementaux, les cérémonies, les traditions et les intrigues du palais sont désormais tout ce qui reste aux milliers d'employés qui s'y trouvent. La Cité interdite vit suffisamment repliée sur elle-même pour leur permettre de s'imaginer qu'il s'agit du monde réel.

Pour Pu Yi, ce n'est que la première de ses nombreuses prisons.

5.

Dans les premières photographies de Pu Yi, un petit garçon
grave contemple l'objectif, ruminant de secrètes pensées. Il a
l'air triste, mais maître de lui. Il y a dans sa pose une raideur
immobile et, dans son regard fixe, on décèle un soupçon de
mépris.

Les parents chinois sont d'une extrême indulgence envers
leur progéniture dans la toute petite enfance. Jusqu'à l'âge de
cinq ou six ans, les petits sont rarement punis, même s'ils se
montrent parfaitement insupportables. Cette patience excessive
est inséparable d'une grande tendresse et d'une profonde
sollicitude. La Révolution culturelle elle-même a été incapable
de modifier de façon durable cet état de choses, dont le résultat
le plus direct est que les enfants chinois se sentent extraordinairement protégés à l'intérieur du cercle de famille immédiat.

Du jour au lendemain, après son arrivée dans la Cité
interdite et son couronnement, le petit empereur de trois ans se
trouve brutalement privé de la sécurité qu'il a connue au sein de
sa famille. Son seul lien avec le passé est sa nourrice,
Mme Wang (Wan Chao). En dehors d'elle, personne avec qui il
puisse établir de véritables rapports humains. Tous les gens qui
l'entourent sont des étrangers, distants, adultes, qui passent leur
temps à s'incliner et à se prosterner dans sa direction.

Cette déférence même a quelque chose d'effrayant. Où
qu'il aille, à l'intérieur du palais, des hommes de tous âges
s'agenouillent pour frapper le sol de leur front, selon le salut

rituel, ou bien ils lui tournent le dos. Seuls les eunuques de « la Présence impériale » sont autorisés à porter les yeux sur le souverain. Tous les autres doivent se tourner vers le mur ou regarder par terre.

Du moment où Pu Yi se lève le matin jusqu'à celui où il s'endort, miséricordieusement bercé dans les bras de sa nourrice dont il suce le sein pour se réconforter, tout est fait pour lui par le groupe très sélect des « eunuques de la Présence impériale », d'étranges hommes imberbes, avec de longues nattes et des voix de fausset. Ils le lavent, vident son pot de chambre, lui essuient le derrière, l'habillent, jouent avec lui, le portent partout sur un palanquin de cérémonie. Ils sont à sa dévotion. Pu Yi n'a qu'à dire : « J'ai faim », et aussitôt, où qu'il soit, on dresse un gigantesque buffet. Il peut se soulager à tout moment : un eunuque portant le pot de chambre impérial ne le quitte pas d'une semelle.

La Cité interdite est presque exclusivement peuplée de mâles, dont la plupart sont des eunuques. Cette habitude a été prise sous la dynastie précédente, celle des Ming, dont les empereurs craignaient pour la vertu de leurs innombrables concubines. Du temps de Tz'u-hsi, celle-ci avait à son service plus d'un millier d'eunuques. Lorsque Pu Yi monte sur le trône, il en reste environ deux cents (y compris quelques adolescents), attachés à sa personne. Certains d'entre eux sont des hommes fort éduqués. Ils sont, comme il l'a noté plus tard, « mes premiers maîtres » et quasiment ses seuls compagnons, à partir de l'âge de trois ans.

Il est relativement facile de devenir eunuque ; l'opération est ridiculement bon marché (il faut compter à peu près six francs) et ceux qui la pratiquent sont si habiles qu'ils ne perdent que 4 à 5 % de leurs patients.

En revanche, il est utile d'avoir des parents qui travaillent déjà dans la Cité interdite, le recrutement se faisant principalement par cooptation : les eunuques se choisissent les uns les autres et, bien que la plupart de ceux qui travaillent dans la Cité interdite ne soient que du menu fretin fort méprisé — balayeurs, garçons de cuisine, éboueurs, jardiniers, hommes à tout faire —, il y a quand même des possibilités d'avancement considérables.

Les eunuques qui ont reçu une certaine éducation occupent des emplois de scribes et de secrétaires, ceux doués d'une agréable voix chantée ou d'un esprit vif montent des spectacles et ils deviennent souvent les confidents des fonctionnaires haut placés du palais.

Du fait que la tradition confucéenne veut qu'une dépouille mortelle soit enterrée tout entière pour pouvoir aller au ciel, les eunuques veillent à conserver leurs testicules sur eux, dans de la saumure, et comme, en théorie du moins, ils peuvent être soumis à tout instant à un contrôle, il existe un marché noir fort lucratif concernant ces étranges reliques. Quelques eunuques ont de somptueuses demeures dans Pékin où ils entretiennent une famille adoptée ou véritable (car certains ne subissent l'opération qu'à l'âge adulte, après avoir engendré des descendants). On pense même que quelques-uns d'entre eux ne sont pas des eunuques du tout, mais d'habiles charlatans qui se font passer pour tels, au nez et à la barbe des contrôleurs impériaux, afin de profiter des avantages matériels qu'ils peuvent en retirer à l'intérieur de la Cité interdite. L'un des eunuques de Tz'u-hsi était devenu aussi puissant qu'un vice-roi.

Les profits pécuniaires peuvent effectivement être énormes : étant donné que ce sont les eunuques qui dirigent en grande partie la Cité interdite, les occasions de toucher des pots-de-vin sont innombrables. Ils ne sont certes pas les seuls à détourner vers leurs propres poches les deniers du palais, mais la corruption se pratique sur une telle échelle que chacun, ou presque, des eunuques qui vaquent à l'intérieur de la Cité interdite parvient à accroître ses revenus d'une façon ou d'une autre ; certains vont même carrément jusqu'à mendier. Dès son plus jeune âge, Pu Yi prend l'habitude de jeter des pièces d'argent à ces hommes obséquieux et serviles qui considèrent sa générosité comme un dû.

Théoriquement, le châtiment réservé à un eunuque pris en flagrant délit de vol est la décapitation instantanée, mais, à l'époque où Pu Yi devient empereur, ces exécutions sont excessivement rares. On préfère désormais fesser les coupables, sur la peau nue, à la moindre provocation. Pu Yi s'accoutume très vite au spectacle d'eunuques en train de châtier un de leurs collègues à coups de verge ou de jonc. Tz'u-hsi faisait d'ordinaire fesser chaque jour des dizaines d'eunuques, allant jusqu'à affirmer qu'ils aimaient ça, et son successeur s'empresse de suivre cet exemple. Les registres indiquent qu'il n'est pas rare pour lui de faire battre plusieurs eunuques au cours d'une même journée, pour des offenses réelles ou imaginaires ; parfois tout simplement pour le plaisir pervers d'assister au châtiment. Dans le journal que tient un de ses précepteurs, on peut lire à la date du 21 février 1913 : « Sa Majesté bat fréquemment les eunuques. Il en a récemment fait fouetter dix-sept pour des délits mineurs. Son fidèle sujet (le rédacteur)... lui a fait des remontrances, mais Sa Majesté n'a pas voulu accepter ses conseils. » Et Pu Yi lui-même a noté qu'encore tout enfant « fouetter des eunuques faisait partie de ma routine quotidienne. Ma cruauté et mon amour du pouvoir étaient déjà trop fermement établis pour que la persuasion eût sur moi le moindre effet ».

Un petit groupe d'eunuques privilégiés deviennent les serviteurs attitrés du petit empereur. L'un d'eux, Chang Chienglo, est presque un père adoptif pour lui durant ces premières années au palais ; il lui apprend à lire et à écrire, et lui raconte des histoires enchanteresses. Pu Yi éprouve pour lui une véritable affection, mais même le petit clan qui partage quotidiennement les jeux du souverain n'est pas à l'abri des sévices. Quand il pique une colère, ou même qu'il a envie de s'amuser, il arrive à Pu Yi de faire fouetter ses compagnons adultes. Il fait aussi de façon puérile — et capricieuse — la preuve de son pouvoir et de son autorité, en tant que « Seigneur des Dix mille années », cherchant à voir jusqu'où il peut aller. Une fois, écrit-il, « j'eus une idée de génie. Je voulais voir si ces eunuques serviles étaient vraiment prêts à obéir au " Divin Fils du Ciel ". J'en choisis un et lui montrai une saleté par terre : " Mange ça pour moi ", lui ordonnai-je, et il s'agenouilla et la mangea ».

Sa nourrice est la seule personne capable de maîtriser le petit garçon. L'un des eunuques de « la Présence impériale » organise régulièrement un spectacle de marionnettes qui ravit le jeune Pu Yi. Pour le récompenser, ce dernier décide de lui offrir un gâteau, mais il ordonne à Mme Wang de mettre dedans de la limaille de fer. « Je veux voir sa tête quand il le mangera », explique-t-il. La nourrice a le plus grand mal a le persuader de remplacer la limaille par des haricots secs. Elle ne parviendra jamais, en revanche, à l'empêcher de prendre les malheureux pour cible lorsqu'il joue avec son fusil à air comprimé. En de rares occasions (et jusqu'à l'âge de quatre ans seulement), les eunuques enferment l'enfant à clef dans un petit cagibi lorsque ses crises de rage deviennent trop violentes. Mais, à partir de l'âge de cinq ans, personne — pas même sa nourrice — n'a plus la moindre autorité sur lui. L'empereur est un etre divin. Il ne saurait être question de lui faire des remontrances et encore moins de le punir. On peut, tout au plus, lui déconseiller, avec toute la déférence voulue, de maltraiter d'innocents eunuques et s'il décide de les cribler de plomb quand même, telle est sa prérogative.

Peut-être les accès de cruauté du jeune monarque sont-ils dus à l'impatience que provoque chez lui l'absence totale d'intimité. « A chaque fois que j'allais jusqu'à ma salle de classe pour étudier, ou que j'allais me promener dans le jardin, j'étais toujours accompagné d'une suite nombreuse », écrira plus tard l'ex-empereur.

« Même pour un simple petit tour dans le jardin, il fallait organiser une véritable procession. En tête marchait un eunuque dont la fonction était, à peu de chose près, celle d'un klaxon de voiture ; il devançait, d'une vingtaine ou d'une trentaine de mètres, le gros de la troupe en émettant la syllabe " tchir... tchir... " pour avertir quiconque se trouvait dans le voisinage d'avoir à disparaître incontinent. Venaient ensuite les deux eunuques en chef, qui avançaient en crabe de chaque côté du sentier ; dix pas derrière eux se trouvait le centre même du cortège. Si on me portait sur un palanquin, il y avait deux eunuques subalternes de part et d'autre de ma chaise, prêts à combler mes besoins à tout moment ; si j'allais à pied, ils me soutenaient. Derrière venait un eunuque porteur d'un vaste dais de soie, suivi d'un nombreux groupe d'eunuques dont certains avaient les mains vides et d'autres tenaient toutes sortes de choses : un siège, au cas où il me prendrait fantaisie de me reposer, des vêtements de rechange, des ombrelles et des parasols.

72

« A la suite de ces eunuques de la Présence impériale marchaient des eunuques du bureau impérial du thé, porteurs de boîtes de toutes sortes contenant des gâteaux et des friandises... ils étaient suivis d'eunuques du dispensaire impérial... En fin de cortège arrivaient les eunuques qui portaient des chaises percées et des pots de chambre. Si j'allais à pied, un palanquin, ouvert ou couvert selon la saison, fermait la marche. Cette procession bariolée forte de plusieurs dizaines de personnes se déplaçait dans le silence et l'ordre le plus parfaits. »

L'un des rites quotidiens imposés à Pu Yi est la visite aux cinq femmes qui habitent les palais de l'Est et qu'il appelle « mère », tout en n'éprouvant envers elles que de l'animosité.

Ce sont toutes les cinq des veuves ou anciennes concubines des deux empereurs précédents et elles ont vécu toute leur vie d'adulte à l'intérieur de la Cité interdite. Après la mort de Jung-shu, en 1911, l'impératrice douairière Lung Yu devient leur « chef » reconnu. Elle a été l'épouse « numéro un » de Kuang-hsu, l'empereur déchu, mais elle a surtout été la nièce du « Vieux Bouddha ». Lorsque Pu Yi monte sur le trône, elle est devenue presque aussi traditionaliste et autocrate que sa redoutable tante, et terrorise aussi bien les fonctionnaires du palais que les eunuques.

Trois des quatre autres vieilles dames sont des « épouses douairières », c'est-à-dire des concubines du prédécesseur de Kuang-hsu, T'ung-chih, le fils débauché de Tz'u-hsi. La quatrième, enfin, est la « Concubine Resplendissante », sœur de la Concubine de Perle, favorite de l'empereur prisonnier, assassinée sur l'ordre de Tz'u-hsi juste avant la rébellion des Boxeurs.

Celle que Pu Yi abomine tout spécialement, c'est Lung Yu, qui estime qu'il faut affamer les petits garçons pour les maintenir en bonne santé. Pourtant, il doit chaque jour se présenter devant chacune, pour s'entendre rituellement demander s'il se porte bien. « Bien que j'eusse plusieurs mères, a-t-il noté, je n'ai jamais connu l'amour maternel. »

Il aura par la suite une raison supplémentaire de détester ces femmes : en effet, lorsqu'il atteint l'âge de huit ans, elles complotent derrière son dos pour se débarrasser de sa nourrice. Mme Wang est obligée de faire ses valises et de partir sans même avoir le droit de dire au revoir au petit garçon qu'elle adore. Celui-ci n'est mis au courant de son départ qu'après coup. Privé de Mme Wang, il s'endort en sanglotant, soir après soir, tout seul dans son énorme lit vide.

Les épouses douairières se préoccupent avant tout autre chose de leur propre rang et restent aveugles aux changements qui surviennent hors de l'enceinte de la Cité interdite. Elles traitent la mère de Pu Yi, « épouse numéro un » du prince Tchun, avec un profond mépris et ne l'autoriseront à rendre visite au jeune empereur qu'au bout de cinq années.

Chacune des douairières entretient un nombre considérable de serviteurs et de parasites, qui, eux aussi, volent, chapardent, pillent. Les eunuques sont superstitieux : ils passent leur temps à offrir des sacrifices religieux, à consulter des diseurs de bonne aventure, à prier toute une ribambelle de dieux lares, mais leur mentalité est essentiellement un mélange de servilité et de roublardise. Ils ont un sens très aigu de la hiérarchie et savent, à coup sûr, reconnaître parmi les visiteurs ceux qui ont une importance véritable et ceux qu'ils peuvent « pressurer ». L'un de leurs coups favoris est d'attendre qu'un haut fonctionnaire arrive pour une audience avec une des douairières et de renverser un seau d'eau sur sa veste en zibeline. Il est évidemment impensable de faire attendre l'illustre interlocutrice, si bien que le malheureux en est réduit à louer une veste de cérémonie à l'eunuque, contre une somme exorbitante. « Les eunuques, note Pu Yi, ont toujours sous la main un vestiaire complet que les fonctionnaires peuvent leur louer au pied levé. »

Pour les eunuques, la « magouille » de loin la plus profitable est celle qui se rattache à la nourriture. Le même cérémonial absurde qui transforme chaque promenade en procession régit les repas. Du temps du « Vieux Bouddha », ceux-ci devaient être servis à chaque fois qu'elle en manifestait l'envie — sans heure fixe — et cette tradition se prolonge durant l'enfance de Pu Yi, de même que le choix des menus.

Du temps de Tz'u-hsi, a écrit Marina Warner, « ... déjeuner et dîner consistent toujours des mêmes centaines de plats parmi lesquels elle choisit ses mets favoris. Etant donné que ces derniers ne varient guère, les cuisiniers peuvent empocher une bonne partie du budget alloué à la table impériale en reservant, jour après jour, les plats auxquels elle ne touche jamais, jusqu'à ce qu'on y voie grouiller les asticots à l'œil nu ».

Pendant que Pu Yi est petit, cette routine se perpétue. Chaque repas mobilise des dizaines d'eunuques appartenant à diverses sections de la maison impériale. Ils dressent un gigantesque buffet, mais c'est uniquement pour la parade, et les mets présentés dans la porcelaine jaune impérial, ornée de motifs de dragon et des paroles « dix milliers de longues vies sans limite », ne sont jamais consommés par l'empereur ; les eunuques, en revanche, ne se gênent pas pour les manger ou pour les vendre. Quant à Pu Yi, il n'absorbe que des aliments spécialement préparés pour lui dans les cuisines des quatre « Nobles épouses ».

Il existe encore des comptes de la maison impériale pour la période en question et les frais de nourriture à l'intérieur de la Cité interdite sont phénoménaux. D'après les registres, en l'espace d'un seul mois, au cours de l'année 1909, le petit Pu Yi consomme à lui seul près de cent kilos de viande et deux cent quarante canards et poulets. Il est alors âgé de quatre ans. Ce chiffre est bien distinct de la liste globale de tous les aliments consommés à la cour, dont les chiffres sont eux aussi invraisemblablement élevés. C'est du vol organisé, sur une échelle inimaginable.

« De même que l'on cuisine des aliments en quantités énormes pour ne pas les manger, on confectionne des monceaux d'habits qui ne seront jamais mis », note Pu Yi. Tout ce que porte le jeune souverain doit être neuf. Dès qu'ils ont été utilisés, les vêtements sont mis au rebut et, presque certainement, vendus. Il existe des registres du nombre de tuniques de soie, vestes de zibeline, manteaux doublés de fourrure et gilets matelassés fabriqués pour Pu Yi au cours d'un mois. Leur nombre est astronomique. Les quatre « Nobles épouses » ont aussi leur train de vie, dont l'extravagance ne le cède qu'au gaspillage, ce qui permet encore aux eunuques de se remplir les poches.

L'éducation est un autre aspect de la vie de Pu Yi organisé en dépit du bon sens, du moins jusqu'à l'arrivée, en 1919, de

Reginald Johnston, son précepteur écossais. Outre l'apprentissage de la lecture et de l'écriture (processus ardu pour tous les Chinois qui doivent maîtriser des milliers d'idéogrammes et faire tous les jours des heures de calligraphie), les précepteurs de Pu Yi se concentrent sur les grands classiques de la littérature chinoise et sur les textes confucéens. Au cours de ses premières années d'étude, précise Pu Yi, « je n'ai rien appris des mathématiques et pas davantage des sciences ; et, pendant longtemps, je n'ai pas eu la moindre idée de l'endroit où se situait Pékin ».

En raison de la révérence qu'inspire l'enfant à ses maîtres et aux eunuques, jamais son savoir n'est mis à l'épreuve sous forme d'examens ou de devoirs. Théoriquement, tous les empereurs doivent parler et écrire couramment le mandchou — une langue fort différente du chinois —, mais Pu Yi ne le maîtrisera jamais. Quand il atteint l'âge de huit ans, cependant, ses précepteurs décident d'instaurer une petite école au palais, où Pu Yi pourra profiter de la compagnie et de l'émulation d'un nombre très réduit de jeunes aristocrates de son âge, parmi lesquels son cadet de trois ans, Pu Dchieh, qui restera dès lors un intime de la maison de l'empereur jusqu'à la mort de ce dernier.

Selon Pu Dchieh, l'empereur inspire à tous ses sujets une telle crainte respectueuse que, chez lui, jamais le prince Tchun ne parle de Pu Yi en disant « ton frère aîné ». C'est pourquoi le petit garçon est stupéfait de découvrir que cet « empereur » dont il entend parler est un jeune garçon qui n'a que trois ans de plus que lui. « Je m'imaginais un vénérable vieillard à barbiche, m'a-t-il expliqué. Je n'en ai pas cru mes yeux quand j'ai vu cet enfant en robe jaune, gravement assis sur le trône. »

On présente alors dans les formes à Pu Yi son nouveau condisciple, en présence des quatre « Nobles épouses » et des parents des deux garçons, qui se prosternent solennellement devant leur fils aîné. Au bout de cinq années de séparation, Pu Yi a oublié à quoi ressemblait sa mère et il ne la reconnaît pas. Selon les souvenirs de Pu Dchieh, l'une des épouses lui dit : « Voici ton frère aîné. Il est empereur, alors si vous jouez ensemble, ne te bats pas avec lui. » Les deux enfants commencent une partie de cache-cache, un jeu auquel Pu Yi n'a joué jusque-là qu'avec des eunuques, mais il pique une colère noire quand il s'aperçoit que les manches de son petit frère sont doublées de jaune, couleur réservée au seul souverain.

Après cette première rencontre peu prometteuse, Pu Dchieh n'en devient pas moins l'un des trois jeunes garçons que l'on amène tous les jours dans la Cité interdite pour y être les condisciples de Pu Yi. Il s'est rappelé que son frère et lui se rendaient parfois ensemble jusqu'à la salle de classe. « A chaque fois que nous arrivions devant une porte, un eunuque devait l'ouvrir, car elle était fermée à clef, et il fallait lui donner un pourboire. Il y a des centaines de portes à l'intérieur de la Cité interdite et chacune était gardée par un eunuque différent. » (Les traditions ont la vie dure en Chine : lorsqu'il a tourné *Le dernier empereur* dans l'enceinte de la Cité interdite, Bertolucci, lui aussi, a eu affaire à d'innombrables gardiens de porte — pas des eunuques, évidemment — et chacun se faisait prier pour ouvrir la sienne.)

Cependant, même avec ses camarades de classe triés sur le volet, Pu Yi continue à mener une existence totalement artificielle. Un empereur ne saurait être réprimandé pour quoi que ce soit, même s'il s'est montré paresseux ou indiscipliné durant les cours. Ses précepteurs trouvent donc une échappatoire : ils choisissent parmi ses compagnons un bouc émissaire commode et c'est lui qui est puni à la place de Pu Yi. Vue avec le recul que nous donnent les années écoulées, on comprend bien que l'enfance tout entière du jeune souverain garantit, pour ainsi dire, qu'il va devenir un adulte accablé de problèmes psychologiques. Faut-il s'étonner si les premières années de cet enfant privé d'amour et d'affection, forcé de considérer les vieilles douairières impériales comme des « mères », traité avec un respect démentiel, servi par un régiment d'eunuques à sa dévotion, qu'il peut faire bastonner pour la moindre peccadille, constituent un cocktail explosif et quasi fatal, une recette infaillible pour la névrose ? Lorsque sa mère meurt, peu de temps après leurs retrouvailles, l'isolement de Pu Yi sur le plan émotionnel est total.

6.

Dès l'âge de sept ans, Pu Yi sait déjà faire la différence entre ses deux univers familiers : celui, enfantin, des jeux avec ses eunuques — notamment les spectacles de marionnettes et les distractions qu'ils inventent pour l'empêcher de s'ennuyer (il y a même des combats de chiens) — et des nuits qu'il passe blotti contre sa nourrice, Mme Wang ; et celui, bien différent, de sa vie officielle, où l'accent est mis sur les corvées et la pompe inhérentes à ses fonctions d'empereur, qui commencent à accaparer une partie de plus en plus importante de son temps.

Le prince Tchun, son père, est l'un des régents les plus incapables et indécis de toute l'histoire de la Chine. C'est pour cela qu'il n'a jamais su expliquer à Pu Yi la nature exacte de la révolution survenue en Chine en 1911. Le petit empereur a vaguement conscience que quelque chose a changé à l'extérieur des murs de la Cité interdite, mais nul ne songe à lui préciser que, même s'il peut continuer à jouer au souverain dans l'enceinte de son palais, la Chine est devenue une république et rien n'est tenté pour lui faire saisir tout ce qu'implique un tel changement.

Pour son septième anniversaire, l'un des eunuques de « la Présence impériale » lui offre une panoplie de général, avec une petite épée et un képi à plume. Le petit Pu Yi arpente glorieusement les salles du palais, fier comme Artaban. Il a, hélas, la mauvaise idée d'aller faire admirer son cadeau aux vieilles épouses douairières, lesquelles repèrent du premier coup d'œil qu'il s'agit de l'uniforme honni d'un « général républicain ». Aussitôt, elles se mettent à glapir, lui ordonnant de l'enlever sans tarder et de courir remettre ses robes impériales traditionnelles. Une enquête est menée ; l'eunuque coupable d'avoir offert la panoplie est puni par deux cents coups de verge et chassé à jamais de « la Présence impériale ».

Car, dans l'atmosphère complètement artificielle de la Cité interdite, Pu Yi est obligé de continuer à se comporter en monarque régnant. Ses précepteurs et les chambellans du palais lui font apposer son sceau impérial à tous les documents qui lui sont soumis lors des longues et assommantes cérémonies de la cour, durant lesquelles il reste perché sur son trône démesuré et doit écouter pendant des heures des voix monocordes parler d'affaires auxquelles il ne comprend rien. Peu importe à ses précepteurs que les documents qu'on lui présente à signer n'aient rien à voir avec les affaires d'Etat, mais soient des bulletins de la cour ou des directives de la maison impériale concernant les promotions du personnel ou encore les dates auxquelles il faut transplanter les arbres et ordonner aux eunuques de troquer leur uniforme d'hiver contre celui d'été. Ce qui les intéresse, ce n'est pas tant le contenu de ces décrets impériaux, mais le rituel concerné.

Il y a aussi des cérémonies religieuses, car l'empereur joue un rôle important dans le culte de ses ancêtres mandchous. Là non plus, Pu Yi ne saisit pas pleinement la signification de ces rites, mais il comprend très vite qu'à l'intérieur de la Cité interdite, qui est le seul monde qu'il connaît, il demeure un monarque absolu. Et du fait que ses précepteurs se cramponnent eux aussi à cet univers fictif, qu'ils s'ingénient à perpétuer, et se refusent à accepter la réalité d'un monde en pleine transformation au-delà des murailles de la Cité interdite, non seulement ils encouragent leur jeune élève à se considérer comme un empereur régnant, mais ils le mêlent à leurs intrigues et à leurs complots en faveur d'une restauration.

Le principal précepteur de Pu Yi est Chen Pao-shen, un confucéen érudit et traditionaliste, à la floconneuse barbe blanche, qui se gonfle du titre de « directeur politique ». Chen est un conservateur réactionnaire, fervent royaliste, qui croit sincèrement que cette république qu'il exècre ne durera pas. Il profite de toutes les occasions possibles et imaginables pour imposer ses vues au petit monarque de sept ans.

Pour marquer la rupture entre la monarchie et la république, le gouvernement chinois, dont le président est toujours le « traître » Yuan Shi-kai, a décidé d'abandonner l'ancien calendrier chinois et de célébrer non seulement le nouvel an chinois, mais aussi celui des « occidentaux ». Le 31 décembre 1911, un représentant du président Yuan Shi-kai rend visite à Pu Yi afin de lui présenter ses meilleurs vœux pour l'année à venir. Vêtu du « costume impérial de cérémonie avec un manteau et une robe ornés d'un dragon d'or, un chapeau surmonté d'une perle, un collier de perles... je me tenais solennellement assis sur le trône du palais du Ciel sans nuages, a rapporté Pu Yi, entouré de ministres et de Compagnons de la Présence, sans compter la garde impériale munie d'épées ». L'envoyé de Yuan s'incline, fait quelques pas en avant et s'incline à nouveau, se rapproche encore et s'incline une troisième fois — presque jusqu'à se prosterner —, puis il présente ses félicitations et ses bons vœux.

Chen Pao-shen expliquera ensuite à son élève à quel point cette cérémonie est importante et lui précise que, les « Articles du traitement bienveillant » étant désormais classés dans les Archives nationales de la Chine, « leur président lui-même n'a pas le droit de les bafouer ».

Peu après survient l'anniversaire de Pu Yi (le 14 février) et Yuan lui adresse une nouvelle fois ses félicitations officielles. Le reste de la capitale modèle son attitude sur celle du président, et il devient brusquement très bien porté d'afficher ouvertement ses relations avec la cour de la dynastie des Ch'ing. Pu Yi a noté que « d'anciens hauts fonctionnaires Ch'ing qui s'étaient fait oublier tout au long des premières années de la république se mirent dès lors à arborer ostensiblement leurs habits de cour si distinctifs : chapeau rouge et plumes de paon. Certains allèrent même jusqu'à ressusciter l'ancienne habitude de se faire précéder de cavaliers chargés de leur ouvrir la voie et escorter par toute une suite qui se pressait autour d'eux, lorsqu'ils passaient dans les rues ». Jusque-là, afin d'éviter d'attirer l'attention, ils n'endossaient leurs habits de cour qu'après avoir pénétré dans la

Cité interdite. Désormais, a noté Pu Yi, « ils osaient se montrer dans la rue en costume impérial ».

Cette même année, 1912, voit disparaître l'impératrice douairière, Lung Yu, et Chen explique une nouvelle fois à Pu Yi qu'il est très important que le président ait ordonné un deuil de vingt-sept jours, avec tous les drapeaux en berne. Yuan Shi-kai arbore même un brassard noir et vient personnellement présenter ses condoléances au jeune empereur. Les précepteurs de ce dernier lui assurent que tout cela indique indéniablement que de grands bouleversements se préparent. A l'intérieur de la Cité interdite, les lamentations retentissent, tandis que les eunuques entonnent des chants funèbres et se préparent aux longues cérémonies des obsèques, mais il s'agit d'un chagrin de pure forme : un air de jubilation gagne la cour entière, et Pu Yi lui-même prend conscience du nouveau climat d'impatiente anticipation qui règne parmi ses proches.

Pékin n'a jamais été un bastion de la république, car c'est une ville qui doit la plus grande partie de sa prospérité aux extravagantes dépenses de la cour impériale. Beaucoup d'Occidentaux ont l'impression qu'il existe, vers cette époque, un fort courant souterrain en faveur d'une restauration du régime impérial et que ce mouvement est encouragé par le président Yuan Shi-kai en personne.

C'est vrai, mais le « traître » Yuan voit surtout dans ce courant une occasion rêvée pour lui-même, et non pour le petit Pu Yi. Son palais présidentiel est situé juste en face de la Cité interdite. Le premier aperçu qu'a la cour des ambitions impériales de son voisin survient lorsque le rusé président commence à dépenser des fortunes pour embellir sa résidence. Il inaugure aussi une coutume étrange, qui inquiète fort les fonctionnaires de la Cité interdite : des fanfares militaires viennent lui donner la sérénade pendant ses repas. Pu Yi surveille, des heures durant, le bâtiment présidentiel depuis une des fenêtres les plus élevées de son propre palais et il écoute cette musique martiale. Ses précepteurs n'ont qu'un sujet de conversation à la bouche : les rumeurs selon lesquelles le président rêve d'être souverain. Pu Yi s'est rappelé que sa cour entière espionne quotidiennement la progression des travaux. « Nous avions le sentiment, précise-t-il, que notre propre sort en dépendait. » Le petit empereur avance alors ce qu'il considère comme un argument irréfutable : « Il ne peut pas devenir empereur, fait-il valoir à ses précepteurs, puisque les sceaux impériaux m'appartiennent. Nous n'avons qu'à les cacher. » Avec toute la déférence voulue, ses maîtres lui répondent que le « traître » Yuan en fera probablement fabriquer de nouveaux.

Les ambitions de Yuan Shi-kai affectent même la façon dont les précepteurs de Pu Yi se comportent envers lui dans la salle de classe. L'un des condisciples privilégiés de Pu Yi est un jeune garçon du nom de Yu Chung, fils du prince Pu Lun, en qui la rumeur publique a vu — brièvement — par deux fois (en 1876 et 1908) l'héritier du trône. Le prince Pu Lun n'a jamais vraiment accepté d'être évincé au profit de Pu Yi et il devient l'un des plus proches partisans de Yuan qu'il incite vivement à établir sa propre dynastie.

Yu Chung est le bouc émissaire de la classe : c'est lui que les précepteurs s'empressent de punir à chaque fois que Pu Yi commet la moindre faute, mais « brusquement, note Pu Yi, ils commencèrent à manifester envers lui la plus grande courtoisie ». C'est qu'ils ne veulent pas se mettre à dos une famille qui va peut-être jouer bientôt un rôle très important auprès du nouvel empereur.

Yuan, en effet, ne faillit pas à sa réputation : après avoir caressé le projet de remettre Pu Yi sur le trône, il préfère finalement (en 1915) organiser un plébiscite qui lui permet de se proclamer empereur.

C'est le règne le plus court de toute l'histoire chinoise, puisqu'il ne dure que quelques semaines. Le « traître » a de puissants ennemis, y compris certains de ses collègues officiers. Après une série de brèves échauffourées, il doit « différer » les cérémonies de son couronnement, pour lesquelles il a déjà fait battre monnaie et dont il a prévu le déroulement jusque dans ses moindres détails. Faisant volte-face, avec une mauvaise foi sidérante, Yuan reprend son titre de président de la République et annonce que son unique désir est d'« obéir à la loi du peuple » et qu'il se réjouit d'avance à l'idée de « consacrer le reste de

mon existence au maintien de la république ». Six mois plus tard
— en juin 1916 —, il rend l'âme.

Comme on le devinera aisément, la mort du « traître »
Yuan provoque une vive allégresse à l'intérieur de la Cité
interdite. Pour Pu Yi, qui voit encore ces intrigues de cour à
travers les yeux de l'enfance, la conséquence la plus importante
de ce décès est de lui rendre la déférence de ses précepteurs et
de rabaisser Yu Chung à son ancien et abject rôle de bouc
émissaire.

En 1917, à l'apogée de la Première Guerre mondiale,
survient un nouveau « coup d'Etat », qui cette fois engendre à
long terme des conséquences plus graves pour Pu Yi. A
plusieurs décennies de là, alors qu'il est prisonnier du régime
communiste en place dans son pays, on continuera à lui
demander des comptes pour le rôle qu'il a joué dans la tentative
de restauration de 1917.

A l'époque, Pu Yi a onze ans. Il comprend mieux à présent
sa situation ambiguë. Ses précepteurs l'autorisent à lire certains
journaux pékinois soigneusement choisis, et les eunuques lui
procurent en contrebande les magazines illustrés plus vulgaires,
où l'on peut souvent lire des articles sur la cour... et sur les
possibilités d'une restauration de l'Empire.

L'instigateur de cette tentative manquée de 1917, pour
rendre aux Mandchous leur puissance et leur splendeur passées,
est un général, Chang Hsun, connu dans la presse sous le
sobriquet du « général à la natte », parce que, par loyauté
envers la dynastie des Ch'ing, il a toujours refusé de faire couper
sa longue natte de cheveux, coiffure traditionnelle que les
Mandchous ont introduite en Chine au XVIIᵉ siècle. Les courtisans et Pu Yi lui-même la portent toujours, eux aussi. Le
« général à la natte » met un point d'honneur à ce que les
hommes qui servent sous ses ordres adoptent la même coiffure,
et « l'armée aux nattes » a la réputation d'être la force de
combat la plus disciplinée et la plus efficace de toute la Chine.
Chang Hsun, qui a remporté bien des victoires pour le compte
du « traître » Yuan, se distingue par ses convictions à la fois pro-
Yuan et promonarchiques. Il semble avoir été un de ces soldats
bourrus et directs, défenseur de la loi et de l'ordre, mais son

intelligence politique ne va guère plus loin. A l'époque du « coup » manqué, il est « vice-roi » de la province de Chiang-su et contrôle la région cruciale de la Chine sur le plan stratégique : Tientsin et la voie ferrée Tientsin-Pékin. En sa qualité de bon militaire, il s'inquiète bien sûr de la vague de mouvements de dissidence qui sévissent dans le Nord-Est et de la situation encore plus alarmante qui existe dans le Sud où les mouvements radicaux défient ouvertement l'autorité centrale de Pékin.

Selon Pu Yi, c'est son précepteur Chen (désormais bombardé « Grand tuteur ») qui organise l'audience spéciale accordée par son royal élève au « général à la natte » dans le « palais de la Nourriture de l'Esprit », qui abrite à l'époque les appartements personnels de Pu Yi.

Manifestement, le scénario a été réglé d'avance entre le général et la cour, mais le petit Pu Yi, qui sait seulement que Chang Hsun est un « loyal sujet », reçoit tout simplement le conseil de « montrer de façon très claire que je m'intéressais à lui ». « Chang Hsun va sûrement chanter les louanges de Votre Majesté, lui explique son précepteur. Rappelez-vous que vous devez lui répondre avec modestie, afin de bien montrer la divine vertu de Votre Majesté. »

La tradition veut que Pu Yi soit seul pour recevoir les visiteurs de l'extérieur. Le « général à la natte » se prosterne et Pu Yi lui dit de s'asseoir. « Je fus quelque peu déçu par l'aspect de mon " loyal sujet ", s'est rappelé Pu Yi par la suite. Son visage était rougeaud, avec deux énormes sourcils, et il était gros. En contemplant son cou trop court, je me suis dit que, n'eussent été ses favoris, il aurait ressemblé à un des eunuques cuisiniers... J'ai soigneusement regardé pour voir s'il avait une natte et, effectivement, il en avait une, poivre et sel. »

L'entrevue est des plus brèves et l'on n'échange que des banalités. Une quinzaine de jours plus tard, les précepteurs de Pu Yi annoncent : « Chang Hsun vient d'arriver.

— Vient-il me présenter ses respects ? demande le petit empereur.

— Non. Tous les préparatifs ont été faits et tout est décidé. Il est venu remettre Votre Majesté sur le trône et restaurer la grande dynastie des Ch'ing. »

Si l'on en croit Pu Yi lui-même : « J'ai été abasourdi par cette bonne nouvelle totalement inattendue. »

Une fois de plus, c'est son précepteur Chen qui lui explique comment se comporter.

« Il est inutile de vous étendre en paroles. Il vous suffit d'accepter, mais pas tout de suite. Vous devez commencer par refuser, puis vous direz finalement : S'il en est ainsi, je devrai m'y contraindre. »

Le « général à la natte » paraît alors, fait l'habituel plongeon et se met à lire un discours préparé d'avance. C'est, explique-t-il, un mandat que lui a confié la population. « Le régime républicain ne convient pas à notre pays. Seule la restauration de Votre Majesté pourra sauver le peuple. »

Pendant que le général « débite » son message, Pu Yi se demande brusquement ce qu'il va advenir du président de la République, Li Yuang-hung, qui a succédé au « traître » Yuan.

« Il a déjà mémorialisé (c'est-à-dire présenté à l'empereur une requête formelle) pour demander à être autorisé à démissionner », répond le général.

Sur ces mots, un eunuque paraît avec une pile d'« Edits impériaux » déjà préparés par les précepteurs. Pu Yi y appose ses sceaux. L'un des édits nomme un Conseil de régence, dans lequel figurent, ce qui n'a rien pour surprendre, aussi bien le précepteur Chen Pao-shen que le « général à la natte ». Le prince Tchun, père de Pu Yi, est ulcéré de constater qu'il n'en fait pas partie.

La nouvelle est rapidement transmise au monde extérieur et le président Li Yuang-hung se réfugie aussitôt au quartier des légations, où les soldats du « général à la natte » n'iront pas le chercher.

Selon les souvenirs de Pu Yi :

« ... Des costumes Ch'ing que l'on n'avait pas vus depuis plusieurs années reparaissaient dans les rues... Les magasins faisaient des affaires d'or... Les tailleurs vendaient des drapeaux ornés du dragon des Ch'ing aussi vite qu'ils parvenaient à les confectionner... Les costumiers de théâtre étaient sollicités de toutes parts par des gens qui les suppliaient de leur fabriquer des fausses nattes en crin de cheval. Je revois encore la Cité interdite bondée d'hommes portant leur costume de cour avec les boutons de mandarin et les plumes de paon à leur chapeau... »

Dans quelle mesure cette ferveur pour la restauration est-elle réelle ? A Pékin, en tout cas, le « général à la natte » dispose d'un soutien considérable parmi les commerçants qui pavoisent leurs boutiques de drapeaux portant le dragon impérial, pour bien montrer où se situent leurs préférences. Toutefois, les Chinois, comme le signalent les diplomates, sont toujours prêts à brandir des drapeaux — pour éviter les amendes ou la destruction de leurs biens — et leur soutien ne compte guère.

L'euphorie de la cour ne durera que deux semaines. Le « général à la natte » a grossièrement sous-estimé les convictions républicaines de plusieurs autres puissants chefs militaires, ainsi que leur méfiance envers lui personnellement. Le sentiment que Chang Hsun a pris ses collègues de vitesse est fort répandu dans l'armée. De ce fait, le mouvement échoue non pas faute de sympathisants, mais parce que certains des principaux participants sont égoïstes, ambitieux et jaloux les uns des autres, et parce que Chang Hsun n'a aucune des qualités essentielles d'un homme d'Etat.

Les douze jours de « folie estivale », comme le corps diplomatique en poste à Pékin baptise cette tentative (que l'on appelle aussi la « comédie de la restauration »), prennent fin de façon très brutale lorsqu'un petit avion piloté par un officier républicain lâche trois minibombes sur la Cité interdite, blessant un porteur de palanquin et dispersant une foule d'eunuques paniqués et babillards, occupés à jouer dans l'une des allées. Les « Nobles épouses » se cachent sous les tables et les lits. Les eunuques entraînent Pu Yi dans un abri improvisé dans sa chambre à coucher. Le « général à la natte » se réfugie à la légation des Pays-Bas et bientôt les rues de la capitale sont jonchées de fausses nattes abandonnées à la hâte.

Dans de telles conditions, les autorités républicaines se comportent avec une admirable retenue. Non seulement les « Articles du traitement bienveillant » ne sont pas révoqués, ni même amendés, mais le « général à la natte » reste relativement impuni, puisqu'il est autorisé à prendre sa retraite avec les honneurs. Les précepteurs de Pu Yi demeurent en place. La seule authentique victime, en dehors de l'infortuné porteur de palanquin, est le président Li Yuang-hung. Il a « perdu la face » en abandonnant son poste et en dissolvant le Parlement à la demande du général. Il est immédiatement remplacé par un modéré, Feng Kuo-chang, issu des rangs de l'aristocratie conservatrice. Un nouveau Parlement est convoqué, qui déclare la guerre à l'Allemagne : c'est une courbette aux monarchistes, favorables à la guerre, et une rebuffade envers le Dr Sun Yat-sen violemment hostile à l'engagement chinois. C'est aussi une manœuvre très habile sur le plan financier : pour rejoindre le camp des Alliés, la Chine pose la condition que les réparations datant de la Rébellion des Boxeurs seront définitivement abandonnées.

Toutefois, la « folie estivale » va avoir à long terme de funestes conséquences pour Pu Yi. Non seulement il est personnellement critiqué pour avoir encouragé ce « coup d'Etat », mais l'hostilité croissante des radicaux envers le gouvernement centriste va se cristalliser sur son attitude d'une mansuétude presque inexplicable envers la cour. Les républicains purs et durs font valoir qu'elle montre à quel point certains hommes politiques républicains peuvent être favorables à la monarchie.

Les précepteurs de Pu Yi ne tirent aucune utile leçon de leur fiasco. Ils encouragent leur élève à croire qu'il existe à travers tout le pays un puissant courant d'opinion favorable à la restauration. La cour commence à entrer dans le grand jeu politique, en finançant de ses propres deniers des politiciens en faveur du rétablissement de l'empereur, en distribuant des titres, des honneurs et d'autres privilèges, par exemple le droit de porter des vestes de couleur « jaune impérial » ou de se déplacer à cheval à l'intérieur de la Cité interdite. A partir de 1917, la conviction grandit parmi les jeunes intellectuels chinois qui commencent à jouer un rôle de plus en plus important, aussi bien dans le gouvernement que dans les divers mouvements « révolutionnaires » qui surgissent à travers le pays entier, qu'on ne peut se fier ni à Pu Yi ni à sa cour quand il s'agit de respecter leur partie de l'accord concernant les « Articles du traitement bienveillant ».

C'est une conviction que Pu Yi lui-même, tandis qu'il passe de l'enfance à l'adolescence, ne fait rien pour dissiper.

7.

C'est le 3 mars 1919 que Reginald Johnston pénètre pour la première fois à l'intérieur de la Cité interdite. Il doit son nouvel emploi — de professeur d'anglais de Pu Yi — à l'un des précepteurs de la cour, Chen Pao-shen, qui a le plus grand respect pour ses remarquables dons de linguiste chinois, et au gouvernement de la République chinoise. Né en 1874, ancien « Hongkong cadet » (élève officier) dans le *British Colonial Service*, Johnston a été fonctionnaire à Hongkong et à Wei Hai-wai, qui est à l'époque l'une des plus anciennes colonies britanniques en Chine après Hongkong. Il a voyagé à travers toute la Chine et il est considéré comme un excellent poète et calligraphe de langue chinoise. A quarante-cinq ans, c'est un homme corpulent, de haute taille, avec des yeux bleus, un teint rougeaud et une crinière de cheveux gris. Aux yeux de son jeune élève, ce célibataire endurci passe déjà pour un « vieux monsieur ». C'est le palais qui le rémunère et lui fournit gracieusement une demeure qu'il meuble dans le style chinois traditionnel.

Le livre de Johnston, *Twilight in the Forbidden City*, écrit une fois qu'il a quitté Pékin pour aller prendre ses nouvelles fonctions de Gouverneur de la concession britannique de Wei Hai-wai et publié en 1934, seulement, alors qu'il est sur le point de devenir « sir Reginald » et de se voir octroyer la chaire de chinois à l'université de Londres, est une véritable mine d'informations sur Pu Yi au cours de la période 1919-1924, mais, tout comme la propre autobiographie de l'empereur, il est extrêmement sélectif dans les faits qu'il choisit de rapporter. Le ton de l'ouvrage n'est pas sans rappeler la prose pesante et ornée du XIXe siècle, chère à Thackeray et à l'*Edinburgh Review,* et il déborde de respect pour la monarchie... pour toutes les monarchies.

Ce conservateur, qui nourrit un vif respect pour les Japonais archidisciplinés et une foi aveugle en la supériorité de l'Empire britannique sur toute autre forme de gouvernement, éprouve une sympathie immédiate pour son auguste élève qu'il décrit d'un bout à l'autre de son livre comme un parfait petit *gentleman.* Il manifeste, cependant, une nette répulsion envers la cour mandchoue, étroite d'esprit et vénale, qu'il va apprendre à si bien connaître de l'intérieur. Son ouvrage corrobore la majeure partie des souvenirs qu'en a gardés Pu Yi : un endroit d'une folle extravagance, où sévissent un gaspillage ridicule et d'interminables et futiles intrigues, en complet décalage par rapport au reste de la Chine et au monde extérieur. Signalons, pour le plus grand mérite de Johnston, qu'il s'est efforcé de réformer le système, mais qu'en dernier ressort la corruption l'a emporté et que sa tentative s'est soldée par un échec.

A partir de 1919, jusqu'au mariage de Pu Yi en 1922, Johnston se rend quotidiennement au palais, où il passe au moins deux heures par jour avec l'ex-empereur. Officiellement, il a été engagé uniquement comme professeur d'anglais, mais la tâche qu'il s'est lui-même fixée est de faire prendre conscience à son élève du monde extérieur, de lui présenter les valeurs européennes et de lui enseigner les rudiments d'un comportement « civilisé » et « occidental ». Même après le mariage du jeune souverain, qui marque la fin officielle de ses études, Johnston continue à le voir presque tous les jours. Il redevient, brièvement, fonctionnaire de la cour en 1924, lorsque Pu Yi le nomme « commissaire impérial responsable du palais d'Eté ».

Johnston n'est ni un pète-sec ni un « impérialiste » raciste, malgré son optique de bâtisseur d'empire, mais il est convaincu que la Chine n'est pas « mûre » pour la république et qu'il est dans son intérêt d'adopter une monarchie constitutionnelle sur le modèle britannique. A l'encontre de la plupart des diplomates britanniques à Pékin, il n'éprouve aucune admiration pour le « traître » Yuan Shi-kai. En ceci, il se montre beaucoup plus perspicace que le correspondant du *Times*, George Morrison, qui manifeste un tel parti pris en faveur du général que ses dépêches en provenance de Pékin cessent d'être fiables et justifieraient un rappel immédiat à Londres.

Tout en étant intimement persuadé que la plupart des Chinois sont favorables à une restauration, Johnston ne laisse jamais son parti pris pro-monarchique déteindre sur les événements dont il est le témoin de 1919 à 1924. C'est un reporter aussi excellent que précis. Certes, par moments, son confucianisme lui fait adopter un ton assommant de vieux raseur moralisateur, mais jamais il ne manifeste envers Pu Yi la moindre condescendance. Si on peut lui reprocher quelque chose, c'est d'être — et son livre le laisse entrevoir — outrageusement snob. Son nouvel emploi le comble de joie. On peut voir chez lui, trônant à la place d'honneur, toutes les marques de respect et de faveur que lui accorde la cour : ses promotions dans la hiérarchie du mandarinat, les lettres que lui adresse de temps à autre Pu Yi. Dans *Twilight,* il s'étend de façon interminable — et fort ennuyeuse — sur les diverses cérémonies auxquelles il assiste à la cour, d'abord en qualité de « mandarin subalterne », autorisé à pénétrer dans la Cité interdite en palanquin, puis en tant que « mandarin de deuxième classe », ayant droit à une robe de zibeline, et enfin à titre de « mandarin chinois de l'ordre suprême », ayant tout loisir de parcourir la Cité interdite à cheval, droit qu'il exerce à tout instant avec une évidente jubilation.

Johnston est également très fier des nombreux cadeaux et autres gages d'estime qu'il reçoit de la famille impériale : des porcelaines, des manuscrits anciens, des peintures, des jades, du ginseng, ainsi que des fruits et des gâteaux de la part des douairières. Bien qu'il ne porte que rarement ses habits de cour, préférant se présenter aux cérémonies officielles en jaquette, et soit dispensé de se prosterner, il précise qu'il se serait volontiers conformé à cette coutume, mais que « se prosterner avec l'aisance et la grâce qui semblent venir naturellement aux Chinois et aux Mandchous serait une quasi-impossibilité pour les Européens qui n'ont jamais appris à le faire ».

Les intérêts de Johnston sont de nature exclusivement littéraire, historique et politique. A l'encontre de son contemporain, Morrison, il ne s'adonne pas aux aventures amoureuses et ne fréquente même pas les innombrables bordels de Pékin. On ne décèle chez lui rien d'efféminé, mais il semble que ses appétits sexuels aient été totalement sublimés.

Sans exprimer de désapprobation marquée, il note que tous les grands événements régissant la vie à la cour sont déterminés par des astrologues, y compris la date de sa propre nomination en qualité de précepteur. En bon traditionaliste, il est clairement enchanté de pénétrer par la « Porte de la Pureté céleste » au sein d'un « nouvel univers dans l'espace et dans le temps... déjà vieux avant la fondation de Rome », où l'on calcule toujours la date selon les années du « règne » de Pu Yi et où tous les événements de la cour, depuis les Audiences royales jusqu'au passage du chapeau d'hiver à celui d'été pour la garde du palais et les fonctionnaires de la cour, sont signalés dans un « Bulletin de la cour » qui paraît quotidiennement, distribué seulement à quelques privilégiés et écrit à la plume par un calligraphe du palais.

Il est certain que Johnston garde toujours présents à l'esprit les intérêts britanniques, lors de ses entretiens avec son royal élève. Il le reconnaît, d'ailleurs, non sans naïveté, dans son livre. Il ne fait guère de doute non plus qu'il sert bien son pays, en maintenant en toutes occasions d'étroites relations avec la légation britannique à Pékin.

Cela a donné naissance à la légende de Johnston « agent de l'*Intelligence Service* », certains croyant voir en lui un de ces aventuriers légendaires qui cherchent à implanter l'Empire britannique dans des lieux reculés. C'est une idée séduisante, mais presque certainement fausse, car il n'y a rien de secret chez Johnston : tout ce qu'il apprend, tout ce qu'il voit, il le communique aussitôt à ses amis de la légation britannique, y compris sa première impression de Pu Yi.

Tout le monde, à l'intérieur de la Cité interdite, est au courant de cet état de choses : les précepteurs, les courtisans — et plus tard l'empereur lui-même — se servent de Johnston comme d'une courroie de transmission pour faire parvenir des informations au gouvernement britannique. De son côté, Johnston, avec loyauté et, d'une façon générale, avec exactitude, fait savoir à la cour ce qu'il croit être les intentions de son gouvernement envers la Chine. Les rapports d'ancien condisciple qu'il entretient avec les diplomates anglais, d'une part, et ceux qui l'unissent à Pu Yi et à sa cour, de l'autre, sont privilégiés, mais jamais ils ne détermineront la politique britannique, ni même n'influeront sur elle. Au contraire, même, aux yeux de nombreux diplomates en poste à Pékin, Johnston est trop profondément imprégné de savoir confucéen, trop « chinois » pour être complètement sûr. Comme l'a noté dans son livre, *Laughing Diplomat,* Daniele Varè, écrivain et diplomate à Pékin à cette époque, le corps diplomatique alors en poste dans la capitale chinoise « menait une existence totalement distincte de celle des Chinois, dans une sorte de camp retranché ».

Twilight in the Forbidden City est un document remarquable, mais, de même que la propre autobiographie de Pu Yi, c'est un ouvrage qui fascine presque autant par ses omissions que par ses révélations.

Dans son tableau de la vie quotidienne à la cour, l'ex-empereur, encore adolescent, est toujours présenté sous les traits d'un parfait petit modèle ; on n'y trouve pas la moindre allusion aux fameuses colères de Pu Yi, non plus qu'à ses sautes d'humeur, à ses résultats scolaires médiocres et à la sauvagerie avec laquelle il corrige ses eunuques. Rien non plus sur la vie privée du jeune monarque. Johnston est si désireux de le peindre sous le jour le plus favorable qu'il porte à son crédit des initiatives proposées par lui-même. Ainsi, c'est Johnston qui suggère à l'empereur, lors de son mariage, de donner une réception à l'intention des étrangers de Pékin pour leur présenter son épouse, ou plutôt ses épouses ; or, avec sa discrétion coutumière, il décrit l'événement comme si l'idée était venue de Pu Yi.

Il garde aussi le silence le plus complet sur la sexualité de son élève. D'ailleurs, comme pour la plupart des Britanniques conventionnels de l'époque, il s'agit pour lui d'un sujet absolument tabou. On trouve dans *Twilight* quelques références à la jeune épouse de Pu Yi, Elizabeth, que l'Ecossais aura l'occasion de connaître et d'apprécier, mais rien qui laisse supposer que les rapports entre les deux conjoints sont autres qu'idéaux.

Aussitôt après sa première rencontre avec Pu Yi, Johnston prend la plume pour rédiger un « mémorandum » aux « autorités britanniques », c'est-à-dire fort probablement au ministre britannique à Pékin, sir John Jones.

Le jeune empereur, écrit-il, « n'a pas la moindre connaissance de l'anglais ni d'aucune autre langue européenne, mais il paraît désireux d'apprendre et semble fort actif sur le plan mental. Il a le droit de lire des journaux chinois et s'intéresse, manifestement, avec intelligence aux nouvelles du jour, surtout dans le domaine de la politique, aussi bien intérieure qu'étrangère. Il a de solides connaissances géographiques et se passionne pour les voyages et les explorations. Il se fait une assez bonne idée de l'état actuel de l'Europe et des conséquences de la Grande Guerre et il ne semble pas nourrir de notions erronées ou exagérées concernant la position politique et l'importance relative de la Chine.

« Il paraît physiquement robuste et bien formé pour son âge.

« C'est un jeune garçon très " humain ", doué de vivacité, d'intelligence et d'un sens aigu de l'humour. Il possède en outre d'excellentes manières et semble totalement dépourvu d'arrogance... Il n'a aucune possibilité de fréquenter d'autres jeunes gens de son âge, en dehors des rares occasions où son frère cadet et deux ou trois autres jeunes membres du clan impérial sont autorisés à lui rendre de brèves visites... Il n'y a pas jusqu'à ses déplacements quotidiens qui ne donnent lieu à des sortes de cortèges officiels. On l'y transporte à bras d'homme dans un vaste fauteuil tendu de jaune impérial et il est accompagné par une suite innombrable ».

Johnston ajoute que, « quoiqu'il ne semble pas avoir été atteint, jusqu'à présent, par la sottise et la futilité de son entourage », il n'y a « guère d'espoir pour qu'il s'en sorte indemne », à moins d'être rapidement soustrait aux « hordes d'eunuques et d'autres fonctionnaires inutiles qui, à l'heure actuelle, sont quasiment ses seuls compagnons ».

Johnston recommande que Pu Yi soit immédiatement transféré au palais d'Eté, « moins débilitant », où il pourra « mener une existence nettement moins artificielle et beaucoup plus heureuse », avec « toute la place voulue pour prendre de l'exercice physique »... sans eunuques.

Bien qu'il omette de le mentionner dans son rapport, sa présentation au jeune empereur a pour premier résultat de l'exposer à la sollicitude empressée des eunuques de la cour qui viennent aussitôt le féliciter de sa nomination... et lui réclamer quelque obole en souvenir d'une occasion si prometteuse. Johnston, en sagace Ecossais, leur réclame un reçu en contre-partie, ce qui a le don de mettre immédiatement fin à leurs importunités, mais il s'en fait des ennemis à vie.

Pour Pu Yi, cette rencontre avec Johnston va avoir un effet durable. Avant le 3 mars 1919, il n'a vu des étrangers que de loin, lors d'une réception donnée du vivant de l'impératrice douairière Lung Yu. Il a écrit que « leurs curieux vêtements ainsi que leurs cheveux et leurs yeux de couleurs étranges étaient à la fois hideux et effrayants ». Il a aussi vu des portraits d'étrangers dans les magazines illustrés qu'on lui procure en contrebande. « Ils portaient des moustaches sur la lèvre supé-rieure ; il y avait toujours un pli à leur pantalon ; ils brandissaient invariablement des cannes. » Les eunuques lui ont inculqué des idées aussi fausses que risibles sur ces « démons étrangers » : leurs moustaches sont tellement rigides qu'on peut y suspendre des lampions. Ils ne peuvent pas plier les jambes. Ils se servent de leurs cannes pour frapper les gens.

L'ex-empereur s'est rappelé que le perçant regard bleu de Johnston et sa chevelure argentée « me mettaient mal à l'aise ». « Je le trouvais très intimidant et j'étais un élève modèle durant mes leçons d'anglais, n'osant même pas changer de sujet lorsque je trouvais le temps long... comme je le faisais avec mes précepteurs chinois. » Très vite, ces derniers commencent à demander à leur nouveau collègue de faire jouer l'influence qu'il exerce sur leur auguste élève pour lui faire faire des choses qu'eux-mêmes ne parviennent pas à obtenir.

Dans son rapport initial, Johnston se trompe en affirmant que Pu Yi n'a pas de condisciples, mais ce qu'il inaugure, en revanche, c'est une série d'entretiens détendus sur « l'actualité », durant lesquels il reste généralement en tête à tête avec son élève, à moins qu'un des compagnons d'études de Pu Yi ne se joigne à eux. Lorsque Johnston commence à enseigner l'anglais à Pu Yi, il découvre dans la salle de classe un exemplaire en très mauvais état d'*Alice au pays des merveilles,* mais ni le jeune empereur ni aucun des autres garçons n'en comprennent un traître mot. Johnston n'apprend pas seulement à son élève les rudiments de l'histoire mondiale (y compris l'histoire d'Angleterre) ; il se sert en outre de journaux et de magazines britanniques pour illustrer ses cours de langue. A l'intérieur figurent divers articles sur la Première Guerre mondiale et Johnston estime, à juste titre, que Pu Yi sera fasciné par les photographies de chars, de canons et de tranchées. Comme l'a noté Pu Yi, non sans perspicacité, « aux yeux de Johnston, il était moins important de m'enseigner l'anglais que de m'apprendre à devenir comme les *gentlemen* anglais dont il me rebattait les oreilles ».

Suit alors un épisode tragi-comique et quelque peu puéril, ayant pour cadre la salle de classe. A cette époque, Pu Yi n'a encore jamais quitté la Cité interdite, en dehors de très rares visites officielles au palais d'Eté. Jamais il n'a déambulé dans les rues de Pékin, n'a fait de courses, ni même pu voir la circulation ordinaire dans les artères de la capitale. Mais il n'a jamais non plus exprimé le désir de combler ces lacunes. D'après son frère cadet, Pu Dchieh, « il avait le sentiment qu'en sa qualité d'empereur, l'espèce de cérémonial routinier qui accompagnait ses moindres gestes était inévitable et voulu par le ciel. Il y était étrangement résigné, en tout cas jusqu'à l'âge de treize ans ».

Le fait est que Pu Yi vit par procuration, à travers ses eunuques. A chaque fois qu'il a envie de quelque chose, ils le lui procurent… moyennant finances. A l'âge de quatorze ans, Pu Yi décide de devenir, extérieurement du moins, le petit *gentleman* anglais que Johnston souhaite si clairement avoir pour élève. Il envoie ses eunuques lui acheter des « monceaux de vêtements occidentaux ». « Lorsque je suis arrivé dans la salle de classe, Johnston a frémi de fureur et m'a ordonné de retourner immédiatement me changer dans mes appartements. » Les vêtements en question, achetés à un costumier de théâtre pékinois, sont criards, mal taillés, ridicules. Le lendemain, Johnston arrive au palais avec l'un des tailleurs occidentaux les plus cotés de la capitale. « Si vous portez ces nippes achetées d'occasion, vous n'aurez rien d'un *gentleman,* vous serez un... » Arrivé là, note Pu Yi, l'Ecossais crachote d'indignation et les mots lui manquent.

Johnston instruit aussi Pu Yi dans l'art et la manière de se bien tenir à table ; comment, par exemple, boire le thé à l'occidentale (les Chinois le boivent bruyamment pour montrer qu'ils l'apprécient, de même que le fait de roter après le repas est pour eux la meilleure façon de féliciter leur hôte de l'excellence de sa table), comment grignoter délicatement des biscuits, comment se servir d'une fourchette et d'un couteau, comment échanger de menus propos. Selon le propre récit que fait Pu Yi de ces premières années sous la férule de Johnston, il est évident que le jeune empereur traverse une phase pro-occidentale, puérile certes, mais bien compréhensible. Il commande des quantités de vêtements occidentaux, ainsi que des bagues, des épingles de cravate, des boutons de manchette. Il se fait acheter des meubles de style européen par ses eunuques. Il prend l'habitude de se faire appeler Henry (car Henry VIII d'Angleterre lui semble l'incarnation même de la royauté). Pu Dchieh, quant à lui, devient William et, plus tard, l'empereur baptisera son épouse Elizabeth. Il commence même à parler, dans ses conversations de tous les jours, une espèce de mélange d'anglais et de chinois, bien que ses progrès linguistiques soient plutôt lents.

A sa façon discrète et réservée, Pu Yi idolâtre Johnston : « Je trouvais que tout ce qui le concernait était sublime... Il me donnait l'impression que les Occidentaux étaient les gens les plus intelligents et les plus civilisés du monde et que lui-même était le plus savant des Occidentaux. » Quand vient le moment où ses études prennent officiellement fin — avec son mariage —, « Johnston, écrit-il, était devenu la majeure partie de mon âme ».

C'est parce que Johnston désapprouve les nattes que Pu Yi décide de couper la sienne, geste aussi sacrilège que pourrait l'être celui d'un brahmane tranchant son fil sacré. Le fait que Johnston ne soit pas aussitôt congédié pour avoir encouragé son élève à faire une chose pareille prouve assez le prestige extraordinaire dont il jouit à la cour et son extrême utilité pour elle. Les épouses douairières glapissent de honte et de déplaisir, et les eunuques sont si terrifiés que nul n'accepte de procéder à la fatale amputation : Pu Yi est obligé de se couper les cheveux tout seul. La natte est davantage qu'un simple symbole politique ; c'est la seule et unique coutume mandchoue qui ait acquis une importance quasi religieuse et les traditionalistes considèrent que sa disparition sonne le glas des chances de survie de la dynastie mandchoue. Voici des années qu'ils militent en faveur de son maintien et leur argument massue, c'est que la natte est un emblème mandchou, un véritable laissez-passer pour la Cité interdite. Après le geste audacieux de Pu Yi, des milliers de courtisans suivent son exemple et sacrifient leur tresse. Seuls ses précepteurs chinois et quelques-uns des plus conservateurs parmi les fonctionnaires de la cour s'y cramponnent.

Le frère cadet du souverain est l'un des membres de son entourage déchiré entre le fervent désir d'imiter Pu Yi et la crainte d'encourir le courroux de sa famille. Trois quarts de siècle plus tard, assis dans sa minuscule salle de séjour, silhouette ratatinée et pourtant imposante, doué d'une solide poignée de main et d'une voix étonnamment jeune, Pu Dchieh m'a expliqué qu'il s'était précipité chez lui après la classe pour annoncer à sa grand-mère qu'il voulait couper sa natte. « Elle a dit : " J'imagine que je ne peux rien faire pour t'en empêcher, à présent que l'empereur a coupé la sienne. " Mais elle était bouleversée et, à dater de ce jour, elle m'a obligé à porter un chapeau à l'intérieur de la maison. " Je t'interdis de l'ôter en ma présence ", a-t-elle dit. Et j'ai obéi. »

On peut mettre à l'actif de Johnston plusieurs autres changements draconiens dans le mode de vie du jeune monarque. Scandalisé par la façon dont il est porté partout, sur ses palanquins de cérémonie, il l'encourage à marcher et introduit la première bicyclette à l'intérieur de la Cité interdite. Pu Yi affectionne tant ce nouveau mode de transport qu'il ordonne de mettre à niveau tous les seuils des portes et des portails, de façon à pouvoir les franchir sans mettre pied à terre. Les eunuques secoués par le fou rire, apprennent eux aussi à faire du vélo, pour le plus grand dommage des parterres et des roseraies de la Cité interdite, sillonnés en tous sens par des engins zigzaguant et hors de contrôle.

Une autre des révolutions fomentées par Johnston est l'installation du téléphone à l'intérieur de la Cité interdite. En 1919, le prince Tchun, père de Pu Yi, le fait mettre chez lui, dans la « Demeure du nord », où habite Pu Dchieh, et ce dernier s'empresse de parler à son frère de ce nouveau jouet magique. Aussitôt, Pu Yi en veut un. Le personnel de sa maison impériale est horrifié. « Il n'existe aucun précédent concernant ces inventions étrangères dans notre code ancestral », font valoir les courtisans. L'empereur rétorque que la Cité interdite est déjà bourrée d'« inventions étrangères » : les pianos, l'électricité, les carillons. Alors pourquoi pas le téléphone ? Les précepteurs impériaux se rabattent sur une autre ligne de défense. « Si les gens du dehors sont en mesure de vous téléphoner, ne vont-ils pas offenser la Contenance céleste ? »

Leur véritable crainte, bien sûr, c'est que le téléphone devienne pour Pu Yi un contact vital avec le monde extérieur, qui lui permettra d'échapper à leur contrôle. Le prince Tchun, dont le principal souci est de continuer à toucher la liste civile que lui a garantie le gouvernement républicain, se range aux côtés des adversaires du téléphone, mais finit par céder à contrecœur.

Dès que le premier appareil est installé, Pu Yi, « dans un état de grande surexcitation », passe ses premiers appels. « Je téléphonai à un chanteur de l'opéra de Pékin et à un acrobate, mais je raccrochai sans dire qui j'étais. J'appelai ensuite un restaurant et leur demandai de livrer un repas à une fausse adresse. » Une fois passé l'attrait de la nouveauté, Pu Yi reste un véritable maniaque du téléphone et ses conversations avec Johnston se prolongent interminablement.

Enhardi par sa victoire, Pu Yi décide que la Cité interdite doit posséder son propre parc automobile. Il monte en voiture pour la première fois pour aller présenter ses respects à la dépouille de sa mère, le 30 septembre 1921. Il s'agit de sa première sortie — hormis un ou deux trajets jusqu'au palais d'Eté — et la porte de la Cité impériale s'ouvre à double battant devant le cortège de l'ex-empereur. C'est une nouvelle preuve, comme le notent les courtisans, que les « Articles du traitement bienveillant » sont observés à la lettre. Pendant des mois, Pu Yi a harcelé ses précepteurs et sa cour pour être autorisé à se promener en voiture dans les rues de la capitale. Johnston est tout à fait en faveur de cette idée, mais la réponse a été un non catégorique, pour des raisons de sécurité. Ce jour-là, des cordons de soldats et de policiers bordent les rues, noires de passants qui manifestent une intense curiosité, mais aucune hostilité, envers leur ancien monarque.

En privé, les fonctionnaires de la cour expliquent à Johnston qu'une seule sortie de Pu Yi dans les rues de Pékin entraîne des frais prohibitifs : il faut soudoyer l'armée et la police pour que leurs membres soient fidèles au poste ; il faut distribuer des « aumônes sur une échelle démesurée ». Johnston propose d'aller tout simplement arpenter les rues incognito, avec le jeune empereur. « Cette suggestion, note-t-il, a été considérée comme indigne d'être sérieusement discutée. »

Une ou deux fois, Pu Yi obtient gain de cause : il quitte la Cité interdite dans une des voitures du palais, pour aller rendre visite à un précepteur souffrant, mais toujours escorté par un « cortège » voyant et inutile, où figurent des officiers de la police et de l'armée en uniforme, chargés de veiller à ce qu'il se rende directement à destination et revienne de même, sans s'arrêter en chemin dans la « Cité tartare » — le quartier des légations — pour y rencontrer des diplomates.

La lutte la plus absurde que doit livrer Johnston pour le compte de son auguste élève est sans doute celle qui concerne les lunettes impériales. Le Britannique, en effet, s'est aperçu que Pu Yi est de toute évidence fort myope et que cet état explique ses fréquents maux de tête, ses accès de mauvaise humeur et ses périodes d'inattention. L'empereur a besoin, grand besoin, de lunettes.

Hors de question, clament les épouses douairières. Les yeux de l'empereur sont bien trop précieux pour qu'on aille les confier à des médecins étrangers et, de toute façon, « les empereurs ne portent pas de lunettes ». Le prince Tchun lui-même estime que la dignité de la fonction impériale risquerait de souffrir sérieusement d'une telle initiative. Johnston en est réduit à menacer de démissionner. En dernier ressort, c'est Pu Yi lui-même qui exige des lunettes, mais Tuan Kang, l'une des épouses douairières, n'est avertie de la chose que lorsque Pu Yi commence effectivement à les porter ; un fonctionnaire éperdu explique à Johnston que, si elle avait été prévenue à l'avance, elle aurait pu se suicider.

Johnston fait également de son mieux pour stimuler la curiosité intellectuelle de son élève en organisant des rencontres avec des chefs de file de la littérature et de la poésie chinoises, mais il n'y parvient qu'imparfaitement : en effet, accepter une invitation à se rendre dans la Cité interdite revient à se commettre politiquement, car un tel geste semble automatiquement cautionner l'« establishment » favorable à la monarchie.

En dernier lieu, mais ce n'est pas le moins important, Pu Yi découvre le cinéma : c'est le gouvernement chinois lui-même qui, en guise de cadeau de mariage, va installer à son intention une salle de projection dans la Cité interdite. Des séances hebdomadaires sont très vite organisées, ce qui scandalise, encore une fois, les fonctionnaires rétrogrades de la cour et les douairières. Etre invité le soir à une séance de cinéma impériale devient un honneur presque aussi convoité qu'un titre de prince ou que d'être autorisé à se promener à cheval dans la Cité interdite.

Cependant, malgré les progrès de son illustre élève et sa nouvelle liberté, Johnston n'est pas entièrement satisfait. Pu Yi, écrit-il, a un côté « frivole ». « Au début, je l'ai attribué à l'irresponsabilité de la jeunesse, dit-il, mais en certaines occasions, j'ai cru discerner dans sa nature des signes d'un phénomène ressemblant fort à un clivage permanent, laissant presque supposer en lui l'existence de deux personnalités en conflit. » Pu Dchieh a évoqué ces sautes d'humeur : « Quand il était de bonne humeur, tout allait pour le mieux et c'était un délicieux compagnon. Si quelque chose le perturbait, on voyait resurgir son côté sinistre. »

Peut-être est-ce de famille ou bien, ce qui est plus probable, c'est dû au fait que le jeune homme est entouré en permanence de courtisans serviles et obséquieux, prêts à exaucer ses moindres désirs.

« A l'époque, il s'ennuyait épouvantablement, s'est souvenu Pu Dchieh, bien des années plus tard, et il se sentait pris au piège. » Pu Yi veut s'évader et les téléphones, les voitures, les vêtements occidentaux et les magazines sont devenus des ersatz inacceptables.

Avec la complicité de Pu Dchieh, le jeune empereur se met à projeter son évasion hors de sa prison dorée. Sentant instinctivement que leurs moyens de subsistance sont en danger, les vieilles douairières, d'habitude si mal ensemble qu'elles se parlent à peine, unissent subrepticement leurs efforts pour réduire l'influence croissante de Johnston et maintenir Pu Yi en leur pouvoir, condamné à vivre à jamais la vie d'un empereur fantoche au sein d'une cour illusoire mais fort rémunératrice.

Elles décident de le marier au plus tôt.

8.

L'autobiographie de Pu Yi trace un tableau épouvantable, et presque certainement fidèle, de l'état de sa cour durant son adolescence, mais elle ne révèle pratiquement rien sur sa vie privée et affective.

Cela pour une bonne raison : son livre vise un objectif précis qui est d'établir un contraste entre le « passé infâme » et la « nouvelle société » de Mao. Pour mieux souligner son propos, Pu Yi met en relief chez lui-même des caractéristiques dont il sait qu'elles serviront à la fois à l'excuser auprès de ses lecteurs et à les divertir, et n'hésite pas à se peindre sous les traits d'une espèce de bouffon immature, puéril et gâté. Peut-être ne s'est-il pas exagérément noirci, mais il omet en tout cas de mentionner ce que Johnston a pris le soin de révéler : il s'intéresse de façon intelligente à l'état de crise quasi permanent qui sévit en Chine au cours de son adolescence et il devient très vite un témoin perspicace et subtil, quoique passif, de l'effondrement presque total de son pays durant cette période.

Pu Yi n'apprendra jamais à parler l'anglais aussi couramment que le voudrait son précepteur, mais il dévore les journaux, tant anglais que chinois. En raison de l'importance des « concessions » britanniques en Chine, il existe alors une presse anglophone très prospère. Les journaux chinois représentent tout l'éventail des opinions possibles, depuis le conservatisme le plus réactionnaire jusqu'aux tendances révolutionnaires les plus extrêmes. Hors de la capitale, de nombreux correspon-

103

dants des journaux de langue étrangère sont des missionnaires, dont beaucoup sont républicains de cœur. Johnston reproche souvent à son élève de consacrer trop de temps à la lecture des journaux, mais, quand on lit ses mémoires, il est clair que l'Ecossais moraliste et confucéen et l'empereur adolescent passent des heures à parler politique, et que Pu Yi en sait nettement plus long sur ce sujet qu'il ne veut bien le dire dans son livre.

Pu Yi a treize ans lors du « Mouvement du 4 mai », la gigantesque manifestation estudiantine qui a lieu en 1919 sur la place Tien An Men, tout près de la Cité interdite. Les participants veulent protester contre la clause du traité de Versailles qui donne au Japon la concession allemande de Tiengtsao, pour le récompenser de s'être rangé aux côtés des Alliés durant la Première Guerre mondiale.

C'est une clause immorale, injuste et arrogante, et l'on comprend fort bien qu'elle ait brouillé la Chine avec les nations occidentales pendant plusieurs années. Le « Mouvement du 4 mai » va devenir le fondement mythique de tous les mouvements « révolutionnaires » ultérieurs.

Dans l'autobiographie de Pu Yi, on ne trouve que deux allusions au « 4 mai », dont il prétend avoir appris l'existence par ses entretiens avec Johnston (pourtant, depuis la Cité interdite, il n'a pas pu ne pas entendre les clameurs des étudiants). Selon Johnston, au contraire, le « Mouvement du 4 mai » et d'autres mouvements révolutionnaires « ont été suivis par l'empereur avec le plus vif intérêt ». Mais ce qui retient l'attention des deux hommes beaucoup plus que les retombées de ce mouvement, ce sont les rumeurs de coups d'Etat favorables à une restauration de l'empire et les interminables controverses qu'entretient la presse quant à leurs chances de réussir.

Même après son échec ignominieux de 1917, le « général à la natte », Chang Hsun, continue à comploter. Il a pour rival un célèbre seigneur de la guerre mandchou, Chang Tso-lin, un paysan qui s'est élevé au rang de seigneur tout-puissant et qui exerce un contrôle quasi total sur la Mandchourie et la Mongolie. Dans son livre, Johnston cite longuement des éditoriaux en langue anglaise datant des années 1919 à 1924, que Pu Yi lit avec une attention considérable et, même si sa sélection est arbitraire, il n'en demeure pas moins évident que l'éventualité d'une restauration est ouvertement débattue et même considérée comme probable. Johnston se réfère au *Peking and Tientsin Times* du 19 mars 1921, lequel affirme que « c'est sans doute faire preuve de modération que de suggérer que quatre-vingt-dix pour cent de la population seraient en faveur du retour de l'empereur ». (« Je suis convaincu que ce n'était pas une exagération », note Johnston.) Pour étayer cette thèse, il cite aussi un journal républicain chinois, *Shu Kuang,* qui, toujours en 1921, déplore le fait qu'à la campagne « [la population] illettrée... obtuse n'a pas la moindre conception de ce que signifient les mots libertés, droits politiques et gouvernement... On tombe sur des gens qui vous demandent : " Comment va l'empereur ? " ou " Qui gouverne à présent au palais impérial ? " »

« Nul projet monarchiste n'était discuté au palais et l'empereur lui-même ne participait à aucun des complots, a affirmé Johnston. C'était un sujet que nous évitions scrupuleusement, ses précepteurs chinois et moi-même, car nous tenions tous beaucoup à ce qu'il ne fût pas mêlé personnellement à la moindre affaire susceptible d'être interprétée comme une conspiration contre la république. »

Johnston, cependant, est tout à fait prêt à répondre à toutes les questions de Pu Yi concernant ses chances de remonter sur le trône et son élève ne se gêne pas pour en poser. A chaque fois que cela se produit, « je n'hésitais pas à exprimer mon opinion personnelle avec toute la force dont j'étais capable », cette opinion étant qu'il fallait « soigneusement éviter tout complot dans le style de celui de 1917... et que l'empereur devait refuser de prêter l'oreille à toute invitation de remonter sur le trône, à moins qu'elle ne lui parvînt sous la forme d'une requête authentique et spontanée de la part des représentants librement élus du peuple ». Et Johnston d'ajouter qu'à son avis, compte tenu de la situation du pays, cette éventualité est « très improbable », même s'il est convaincu que « la majorité en faveur de la monarchie serait énorme », si les Chinois pouvaient ainsi voter librement.

Ce qui découle de tout cela, selon Johnston, c'est que Pu Yi est condamné à rester pour ainsi dire prisonnier à l'intérieur de la Cité interdite, jusqu'au moment où la république s'écroulera d'elle-même. En outre, à supposer qu'il en soit ainsi, la restauration de Pu Yi n'est nullement assurée pour autant : il y a, en effet, toute une pléthore de mouvements rivaux fort occupés à s'entre-déchirer, et les nobles parents et alliés du jeune empereur sont loin d'être unanimes quant à son retour sur le trône. En d'autres termes, malgré le luxe qui l'environne, l'avenir de Pu Yi s'annonce sous un jour bien sombre. D'ailleurs, les extravagances ne sont plus tellement de mise : la république rogne sur les sommes allouées à la liste civile, la famille royale dépense des fortunes et l'incompétent prince Tchun brade les trésors du palais, afin de conserver à la cour le train de vie auquel elle est accoutumée.

Tel est le climat qui règne à l'intérieur de la Cité interdite lorsque les épouses douairières se mettent en devoir de chercher une femme à l'empereur. Inutile de dire que ce dernier n'est même pas consulté. Après maintes perçantes altercations, elles parviennent à se mettre d'accord sur une liste de quatre candidates et, au début de 1922, elles présentent au jeune homme quatre photographies et le somment de faire son choix.

Comme l'a noté Pu Yi, de façon quelque peu pathétique :

« A mes yeux, toutes ces jeunes filles se ressemblaient et, dans leur costume, leurs corps étaient aussi informes que des tubes. Sur les photographies, leurs visages étaient minuscules et je ne parvenais pas à discerner si elles étaient ou non des beautés... Sur le moment, l'idée ne me vint pas qu'il s'agissait d'un des principaux événements de ma vie et que je n'avais aucun critère sur lequel me fonder. Sans grand intérêt, je fis une croix sur un visage qui me paraissait joli. »

La jeune personne en question s'appelle Wen Hsiu ; elle a treize ans, un visage plat, une silhouette trapue, et elle est membre d'une famille mandchoue noble mais désargentée. On imagine sans peine qu'elle n'a été ajoutée à la liste que pour l'étoffer un peu. Le choix de Pu Yi sème la consternation parmi les douairières.

Celles-ci décident aussitôt qu'il peut prendre Wen Hsiu

comme « épouse secondaire » (c'est-à-dire comme concubine), mais qu'elle n'est absolument pas apte à devenir « impératrice » ; puis elles le pressent de faire un autre choix.

Moins résolu dans cette affaire que lorsqu'il s'agissait d'obtenir sa bicyclette, son téléphone ou ses lunettes, Pu Yi obtempère docilement. Cette fois-ci, il choisit Wan Jung (« Visage rayonnant »), âgée de seize ans, membre de l'une des familles les plus éminentes et les plus riches de Mandchourie, qui vit pour l'heure à Tientsin où elle a été élevée dans une école tenue par des missionnaires américains. Les douairières jubilent. Elles s'efforcent ensuite de persuader le jeune homme de choisir d'autres « épouses secondaires » (puisque, traditionnellement, l'empereur doit avoir au moins quatre concubines), mais Pu Yi refuse catégoriquement et les douairières n'insistent pas.

Les photographies de Wan Jung nous permettent d'admirer une beauté opulente et sensuelle, une sorte de Claudia Cardinale orientale, plutôt grande, avec des lèvres charnues, d'immenses yeux et un air mélancolique. Elle a reçu une éducation très poussée (elle a même eu, comme son époux, un précepteur de langue anglaise) et elle a l'habitude de n'en faire qu'à sa tête.

Selon la coutume impériale, Pu Yi ne la verra en chair et en os que le jour des noces, lequel marque l'apogée d'une série de processions et de cérémonies fort compliquées que Johnston décrit en détail dans son livre, avec une complaisance certaine. Le 15 mars 1922, les fiançailles sont annoncées dans ce fameux Bulletin de la cour dont l'Ecossais raffole. Le 17 mars, « Visage rayonnant » débarque à Pékin en train spécial pour y être accueillie en grande pompe par les dignitaires de la cour, les hauts fonctionnaires de la république et une garde d'honneur appartenant à l'armée ; on l'installe dans la « Demeure de l'impératrice », spécialement réservée à cet usage (hors de l'enceinte de la Cité interdite), pour y être « instruite sur l'étiquette en vigueur à la cour ». Le 6 avril, Pu Yi, escorté par ses courtisans, se rend sur les tombes de ses ancêtres pour leur faire part de son mariage imminent.

Et le 4 juin, sans que quiconque soit au courant, en dehors de son frère Pu Dchieh et de Johnston, l'empereur s'efforce désespérément de se sortir de ce guêpier et de fuir le pays.

Pourquoi cette tentative ? Parce que Pu Yi a pris au sérieux des propos en l'air de Johnston, imaginant qu'il pourrait peut-être, un jour, aller faire des études à Oxford. Pu Dchieh se rappelle fort bien cet épisode. « Pu Yi parlait constamment de partir pour l'Angleterre et d'aller étudier à Oxford, comme l'avait fait Johnston, m'a-t-il dit. Ça a duré pendant des mois. Nous ne voulions pas mettre qui que ce soit au courant, surtout pas notre père. A chaque fois que c'était possible, nous volions des objets de valeur du palais : une peinture, ou une porcelaine ancienne, tout ce que l'on pouvait garder sur soi sans que ça se voie. J'avais des amis en mesure de nous obtenir un bon prix pour de tels objets et, petit à petit, nous avons accumulé une véritable petite fortune et ces mêmes amis ont mis l'argent de côté pour nous à Tientsin. »

Est-ce à dire, ai-je demandé, que Pu Yi reculait devant la perspective de son mariage ?

« La décision de Pu Yi n'avait rien à voir avec le mariage qui approchait, a déclaré Pu Dchieh. Il se sentait claquemuré et il voulait déguerpir. »

De toute évidence, le jeune empereur espère que Johnston, qui lui a décrit avec lyrisme la vie à Oxford, va l'encourager dans son projet, mais, lorsque arrive le moment crucial, l'Ecossais bat en retraite. Il a lui-même rapporté l'incident de façon détaillée, révélant non seulement l'insistance désespérée de Pu Yi, mais aussi l'attitude des plus ambiguës qu'adopte alors le gouvernement britannique envers le malheureux ex-empereur.

Selon le récit de Johnston, il reçoit un billet confidentiel de Pu Yi, lui demandant de se présenter au palais à 15 heures, le 3 juin 1922, avec deux automobiles. Johnston loue donc un véhicule avec chauffeur dans un garage et, au volant de sa propre voiture, il introduit le miniconvoi dans la Cité interdite. A son arrivée au palais, Pu Yi l'entraîne dans son bureau, s'assure qu'aucun eunuque ne les épie et lui dévoile son plan : l'après-midi même, Johnston doit le conduire, avec ses bagages et son serviteur personnel, jusqu'à la légation britannique. Une fois en sûreté à l'intérieur, il a l'intention de rédiger une lettre ouverte au « peuple de Chine », renonçant à son titre impérial, à sa liste civile et à tous ses autres privilèges. Aussitôt après, il compte quitter la Chine et il espère que l'université d'Oxford l'acceptera comme étudiant.

Johnston, quelque peu estomaqué, s'empresse de donner à son élève trois bonnes raisons de ne pas mettre un tel projet à exécution ; aucune des trois n'est bien convaincante. D'abord, il lui objecte que le président promonarchiste de la République chinoise, Hsu Shi-tchang, a présenté sa démission la veille et que, de ce fait, l'opinion publique et la presse risquent fort d'en déduire qu'« ils étaient mêlés ensemble à des intrigues politiques ». Ensuite, il fait valoir qu'en renonçant à ses subsides Pu Yi s'expose à s'entendre dire qu'on allait de toute façon les lui retirer (ce qui n'est pas le cas) et à être accusé de tenter de « sauver la face » en « renonçant volontairement à quelque chose qu'on va de toute façon lui enlever par la force ».

Troisième raison, enfin, la plus simple : Johnston doute fort que Pu Yi soit le bienvenu, même à titre provisoire, à l'intérieur de la légation britannique.

« Mais vous me l'aviez promis ! » proteste l'empereur éperdu.

Johnston a réponse à tout. La légation britannique a certes, par son truchement, fait savoir à Pu Yi qu'il serait le bienvenu dans ses murs si sa vie était menacée, mais, pour le moment, « nul danger ne pèse effectivement sur la personne de l'empereur ». En outre, poursuit Johnston, la Chine se trouve à l'heure qu'il est privée de président et de parlement, alors qui donc sera habilité à accepter sa renonciation ?

A contrecœur, Pu Yi, presque en larmes, congédie son précepteur, défait ses bagages et annonce à son frère que leur plan a échoué, que, mis au pied du mur, les Britanniques l'ont lâché.

Dans son récit, Johnston prétend que le jeune souverain a été poussé à ce geste par « un dégoût croissant de la corruption qui sévit à travers tout le palais ». Pu Dchieh, lui, sait bien qu'il n'en est rien, puisqu'il m'a assuré au contraire que son frère souhaitait désespérément s'enfuir de son palais pour tenter de mener une existence normale.

Il est évident que les motifs pour lesquels Johnston décline d'aider Pu Yi sont nettement moins nobles qu'il ne le laisse entendre. Sa principale raison de refuser aussi catégoriquement d'accompagner son élève jusqu'à la légation britannique, c'est que le gouvernement de son pays — et c'est loin d'être la première fois dans le cours de sa peu glorieuse histoire diplomatique — « ne veut pas être mêlé à cette affaire ». Johnston l'avoue d'ailleurs à Pu Yi, en faisant valoir que, s'il se réfugie à l'intérieur de la légation, certains « pourront aisément y voir, pour injuste que soit une telle supposition... une ingérence inexcusable dans les affaires intérieures de la Chine ». Selon l'Ecossais, si le ministre britannique avait accepté d'accueillir l'empereur, « toutes ses activités ultérieures auraient été imputées aux intrigues des Britanniques. J'aurais moi-même, immanquablement, été victime de calomnies et d'accusations ».

Or, tous ces scrupules ne riment à rien : à cette époque, et même plus tard, les légations étrangères à Pékin ressemblent fort au « perchoir » sacro-saint des enfants qui jouent à chat perché. Dès qu'ils sont aux abois, les présidents, seigneurs de la guerre et autres ministres chinois utilisent les diverses légations comme autant de sanctuaires. Or, à cette époque, la Grande-Bretagne est l'une des principales puissances — pour ne pas dire *la* grande puissance — d'Asie et elle n'aurait aucun mal à surmonter toutes les difficultés imaginées par Johnston, si tant est qu'elles risquent de surgir.

L'un de ses arguments annexes est que le jeune empereur doit commencer par régulariser sa situation financière avant de prendre une mesure aussi définitive et aussi désespérée. Toutefois, la conclusion la moins charitable que l'on peut tirer de tous ses beaux raisonnements, c'est que le refus instinctif du précepteur est dû à des considérations beaucoup plus terre à terre : on peut en effet supposer que Johnston apprécie bien trop son double rôle de précepteur impérial et de mandarin haut placé pour le risquer ainsi, sur un coup de tête. D'ailleurs, le plaisir que lui procurent les rites antiques en vogue à la cour de Chine imprègne sa description du mariage de Pu Yi, qui a lieu sept mois plus tard ; Johnston y est l'envoyé exclusif de *Country Life* et du *Times,* « aucun étranger n'y assistant en dehors de moi », note-t-il fièrement.

La cérémonie proprement dite du mariage est précédée par

de nombreux autres rites, tous déterminés par les astrologues, et tout se passe comme si la pathétique tentative d'évasion du jeune empereur, loin de cette routine étouffante — et de ces unions arrangées — n'avait jamais eu lieu.

Le 21 octobre, les « cadeaux de fiançailles » sont rassemblés et envoyés chez la princesse : deux chevaux sellés, dix-huit moutons, quarante pièces de satin et quatre-vingts rouleaux de drap. L'étrange procession se fraye un chemin à travers les rues de Pékin, escortée par des gardes du palais, des musiciens de la cour et un détachement de cavalerie prêté par la République chinoise.

Il s'agit d'une dot symbolique, selon la tradition mandchoue. Les véritables cadeaux vont suivre : de vastes quantités d'or et d'argent, de la vaisselle précieuse, des pièces de satin, d'autres chevaux sellés. Les parents et les frères de la mariée reçoivent des cadeaux analogues, et Johnston note que les serviteurs de la jeune femme touchent chacun deux mille quatre cents francs.

Le jour des noces — ou plutôt la nuit des noces, car, selon la tradition mandchoue, tout doit se dérouler au clair de lune —, un immense cortège, où figurent des gardes du palais, des soldats républicains et des fanfares à la chinoise et à l'européenne, défile une fois de plus dans les rues de Pékin, pour escorter cette fois la future impératrice de sa demeure temporaire jusqu'à la Cité interdite. La princesse se déplace dans un palanquin de cérémonie, spécialement préparé pour elle : c'est le « Siège aux phénix » (l'oiseau mythique qui symbolise le bonheur et la chance), orné d'oiseaux d'argent et porté par vingt-deux serviteurs.

Parvenu aux portes de la Cité interdite, le cortège s'immobilise, les porteurs du palanquin sont relayés par des eunuques et la princesse — et elle seule — pénètre à l'intérieur de la Cité interdite pour y commencer une nouvelle existence. Les musiciens de la cour, jouant sur des instruments rares qui ne servent que pour les grandes occasions, entonnent leurs étranges mélodies. A l'intérieur du « palais de la Tranquillité terrestre », tous les princes, les parents de la mariée (par ailleurs tous élevés au rang de prince ou de duc dans l'ordre impérial fantôme) et les principaux courtisans se prosternent interminablement devant Pu Yi, perché sur le trône du dragon. Puis, dans la nouvelle résidence de l'impératrice, cette dernière s'agenouille à son tour devant son fiancé et sa cour et se prosterne par six fois, tandis que l'on lit tout haut le décret impérial célébrant leur mariage.

Peu après, vers quatre heures du matin, une cérémonie un peu simplifiée a lieu pour l'arrivée de l'« épouse secondaire », Wen Hsiu. Deux jours plus tard se déroule une énorme réception officielle dans le « Palais du ciel sans nuages », à laquelle assistent des ministres et hauts fonctionnaires de la république, et, le soir même, Pu Yi et son épouse reçoivent de façon un peu moins protocolaire quelque deux cents étrangers de marque ; il s'agit là d'une discrète initiative de Johnston. Ce dernier note fièrement qu'il est l'un des quatre fonctionnaires de la cour spécialement choisis pour annoncer les noms des invités à l'empereur et à son épouse, à mesure qu'ils arrivent.

Pu Yi, que Johnston a fait soigneusement répéter, prononce une brève allocution en anglais : « C'est pour nous un grand plaisir que de voir ici aujourd'hui tant de visiteurs distingués venus des quatre coins du monde. Nous vous remercions de votre présence et vous souhaitons santé et prospérité. » S'inclinant alors devant l'assemblée, il lève sa coupe de champagne pour porter un toast. L'assistance applaudit à tout rompre. A son départ de la Cité interdite, chaque invité se voit remettre un petit souvenir : des cendriers en cloisonné pour les hommes, des bibelots d'argent pour les femmes.

Selon toute apparence, Pu Yi aborde ces diverses cérémonies avec l'assurance qui convient. Il a dix-sept ans, il est, de son propre aveu, totalement inexpérimenté sur le plan sexuel, et rien dans la vie qu'il a menée jusqu'à présent ne l'a préparé au mariage, ni même à la compagnie féminine de quelque ordre que ce soit. Brusquement, le voici affublé de deux épouses. Pour reprendre ses propres termes : « Je n'avais guère songé au mariage ni à la vie de famille. Ce ne fut que lorsque j'eus mon premier aperçu de l'impératrice dont la tête était couverte d'un voile de satin écarlate rebrodé d'un dragon et d'un phénix que j'éprouvai pour la première fois une certaine curiosité quant à son aspect physique. »

La nuit de noces, ou ce qui en reste après l'arrivée de l'« épouse secondaire », se déroule, selon la tradition mandchoue, dans la chambre nuptiale du « palais de la Tranquillité terrestre ». Il s'agit, s'est rappelé Pu Yi, d'une « chambre assez étrange, sans aucun meuble en dehors d'un immense lit à baldaquin, couvrant le quart de sa superficie. Tout, à l'exception du plancher, y est rouge ». Le lit, que l'on appelle la « couche du dragon-phénix », est masqué par des rideaux rouge et or, rebrodés eux aussi de dragons et de phénix. A en juger par les photographies, il n'est pas sans rappeler le lit de la « Chambre chinoise » du « One Two Two », le célèbre bordel parisien d'avant-guerre, dont le plus illustre client était le roi Edouard VII.

« Quand nous eûmes bu la coupe nuptiale et mangé les " gâteaux des fils et petits-fils ", a écrit Pu Yi, l'angoisse m'a saisi. La mariée était assise sur le lit, tête basse. J'ai regardé autour de moi et j'ai vu que tout était rouge : les rideaux du lit, rouges ; les coussins, rouges ; une robe rouge, une jupe rouge, des fleurs rouges et un visage rouge... On aurait dit que tout était recouvert de cire fondue. Je ne savais plus si je devais rester debout ou m'asseoir ; j'ai décidé que je préférais la Salle de la Nourriture de l'Esprit (ses appartements de jeune homme) et j'y suis retourné.

« Que ressentait Wan Jung, abandonnée dans la chambre nuptiale ? A quoi pouvait bien penser Wen Hsiu, qui n'avait pas encore quatorze ans ? Ce sont des questions que je ne me suis même pas posées. » Pu Yi voudrait nous faire croire qu'à ce moment précis ses pensées sont entièrement tournées vers son avenir en tant qu'empereur. « Je me disais : s'il n'y avait pas eu de révolution, je commencerais aujourd'hui à régner avec les pleins pouvoirs. Il faut que je rentre en possession de mon héritage ancestral. »

Ces sentiments sont en complet désaccord avec ceux qu'il exprimait sept mois à peine auparavant, durant sa poignante entrevue avec Johnston.

Ce qui paraît beaucoup plus vraisemblable, c'est qu'il soit obsédé, en ce petit matin traumatisant, par la honteuse preuve de son insuffisance sexuelle. Car il sait bien que sa fuite

113

prématurée hors du « palais de la Tranquillité terrestre » sera criée sur tous les toits par les eunuques omniprésents, malveillants, cancaniers, et qu'une telle déconfiture, selon toutes les vieilles traditions chinoises, est à la fois risible et profondément humiliante.

Peut-être est-ce trop demander à un adolescent environné d'eunuques en permanence que de manifester la même maturité sexuelle qu'un garçon « normal » de dix-sept ans. Ni les épouses douairières ni même Johnston ne lui ont donné le moindre conseil dans ce domaine. S'agissant d'un empereur, cela ne se fait pas. Ce serait une très grave entorse au protocole.

Il n'en reste pas moins qu'un adolescent normal, même totalement inexpérimenté, aurait été sensible à la beauté insolite et sensuelle de Wan Jung. On est donc tenté d'en inférer que Pu Yi est soit impuissant, soit incroyablement en retard sur le plan sexuel, soit déjà conscient de ses tendances homosexuelles.

Dans la Chine d'aujourd'hui, les tabous qui touchent à l'homosexualité sont si puissants que, malgré tous mes efforts, je n'ai pas trouvé, lors de mes conversations avec la famille de Pu Yi, le moyen de leur faire aborder le sujet, sauf dans les termes les plus vagues et les plus détournés. Nous nous en sommes le plus rapprochés lorsque Pu Dchieh — en réponse à ma question faussement innocente : « Pourquoi Pu Yi n'a-t-il jamais eu d'enfants ? » — m'a confié que, bien des années plus tard, « on s'est aperçu que l'empereur était biologiquement incapable d'engendrer une descendance ».

Cette description de sa nuit de noces est quasiment l'unique référence que se permet Pu Yi, dans son autobiographie, à ses rapports avec « Visage rayonnant » (alias Elizabeth, comme il va bientôt prendre l'habitude de l'appeler). Quant à ceux qu'il entretient avec Wen Hsiu, son « épouse secondaire », ils ne sont même pas mentionnés. Pu Dchieh, pour sa part, a gardé le souvenir de bons moments passés ensemble — avec son frère et sa belle-sœur — à rire et à faire du vélo dans le parc du palais, « en nous amusant à des jeux d'enfant ».

Wan Jung Elizabeth n'a rien d'une petite poupée inculte. A Tientsin, ville progressiste et tournée vers l'Occident, ses parents l'ont élevée de façon relativement « moderne ». Elle est

114

capable de lire et d'écrire couramment l'anglais. Elle aime le jazz et sait même danser le *two-step*. Son frère cadet, Rong Qi, se souvient d'elle comme d'une « jeune fille fougueuse, indépendante, volontaire, une vraie princesse ».

Lui aussi a évoqué des moments, peu après le mariage, où « tout le monde riait beaucoup... Pu Yi et elle semblaient très bien s'entendre. On aurait dit deux gosses ». A l'époque, Rong Qi n'a que dix ans, mais il a encore le souvenir de Pu Yi et Wan Jung en train de faire du vélo, à toute allure, dans les chemins de la Cité interdite, dispersant les eunuques sur leur passage, s'amusant à se coincer et à se battre pour rire, comme des enfants.

Cette joyeuse complicité ne durera pas. Au bout de quelques mois de mariage, Wan Jung passe de plus en plus de temps seule, dans ses appartements ; sa morosité et son ennui vont croissant.

San Tao, l'un des jeunes eunuques attachés à son service, est aujourd'hui un vieillard acariâtre de quatre-vingt-cinq ans et l'un des deux seuls eunuques survivants, mais il répugne à parler de cette période de son passé. C'est un vieil homme au visage brun et ridé, surmonté de cheveux blancs coupés en brosse, avec une voix geignarde — sans être particulièrement haut perchée — et une rancœur permanente envers son existence gâchée (il est devenu par la suite antiquaire à la petite semaine, contrebandier et petit délinquant, et vit désormais dans une maison de retraite) ; il se comporte comme s'il détenait des secrets bien trop importants pour les confier à des inconnus. Lorsque San Tao est entré, en qualité de jeune eunuque, au service de l'impératrice, il avait vingt et un ans et une peur bleue de Pu Yi qui, un jour, l'a poursuivi pour rire à travers le palais de sa femme avec un revolver. L'empereur s'amusait tout simplement à reconstituer une scène qui lui avait plu dans un western, mais San Tao, qui n'en savait rien, a vraiment cru que son maître, sans aucune raison, avait décidé de le tuer.

Après avoir longtemps tourné autour du pot, en faisant exprès d'éviter le sujet et en rabâchant d'anciens événements de la cour qui n'avaient rien à voir avec les questions qui lui étaient posées, il a fini par reconnaître, avec mauvaise grâce, que les rapports entre les deux époux étaient insolites. « L'empereur, a-t-il dit, se rendait dans les appartements nuptiaux environ une fois tous les trois mois et il y passait la nuit. » Et alors ? Nouveaux rabâchages, énièmes réminiscences concernant son existence ultérieure... Et alors ?

« Il repartait tôt le lendemain matin et, pendant tout le reste de la journée, il était d'une humeur massacrante. »

9.

L'une des habitudes les moins sympathiques du « Vieux Bouddha » avait été d'envoyer à ceux qu'elle désirait ruiner des cadeaux monstrueusement coûteux et parfaitement inutiles. Selon la coutume, les destinataires étaient tenus de lui retourner le compliment de façon encore plus dispendieuse, sous peine de perdre la face de façon inacceptable, voire fatale.

La cour de Pu Yi ne s'adonne pas à de telles pratiques : le prince Tchun, vénal et faible, trouverait sans doute l'idée assez séduisante, mais lorsqu'il devient maître des finances impériales, en sa qualité de régent, ce genre de caprice n'est déjà plus possible. Pour maintenir à flot « la Maison des Ch'ing », en dépit des quatre millions et demi de dollars (dollars chinois, soit environ six millions de francs de notre époque) de subvention qu'elle reçoit du gouvernement républicain, la cour impériale est obligée d'hypothéquer ou de vendre, au coup par coup, certains des inestimables trésors accumulés au fil des siècles par les dynasties des Ming et Ch'ing.

Tandis que Pu Yi parvient enfin à l'âge d'homme, la situation financière va de mal en pis. En théorie, il est l'un des personnages les plus riches de Chine. Dans la pratique, les finances impériales ressemblent à un énorme bloc de glace qui fond au soleil : pas moyen, semble-t-il, d'interrompre le processus.

Le mariage de l'empereur a coûté les yeux de la tête et les cadeaux qu'il a reçus — certains en espèces — sont loin de permettre d'éponger les frais encourus. Un grand nombre de cadeaux sont des statues, des porcelaines, des jades ou des manuscrits anciens, d'une grande valeur, certes, mais difficilement négociables et certains n'ont qu'une valeur symbolique. L'épouse de Pu Yi est issue d'une famille riche qui possède de vastes propriétés à Tientsin, mais l'empereur, à présent qu'il est marié, avec deux épouses à sa charge, s'aperçoit que les frais qu'entraîne l'entretien de deux nouveaux établissements impériaux sont très lourds.

Ce qui vide réellement les coffres de l'empereur, cependant, ce ne sont ni ses extravagances personnelles ni les soudaines exigences de ses deux épouses. Le « Bureau de la maison impériale », qui administre la fortune de Pu Yi et celle de sa famille, est corrompu et incompétent ; et l'un des plus grands coupables n'est autre que le prince Tchun en personne, qui se rend parfaitement compte que la famille impériale est « pressurée » jusqu'à l'étranglement, mais qui est tout disposé à laisser se prolonger cet état de choses, pourvu qu'il continue à toucher sa part. Reginald Johnston a tracé de lui un portrait accablant. « Il est bien intentionné, a-t-il écrit,... et il s'efforce à sa façon molle et inefficace de contenter tout le monde, sans réussir à contenter quiconque ; il refuse de faire face aux responsabilités, il n'a pas la moindre méthode, son manque d'énergie, de volonté, de caractère est désastreux, et il y a de fortes raisons de croire que son courage physique et moral laisse à désirer. Il est tout à fait dépassé en cas de crise, n'a jamais l'ombre d'une idée originale et se laissera fort probablement influencer par tous les beaux parleurs. »

Et Johnston d'ajouter qu'en ce qui concerne le prince Tchun une excellente règle empirique est de lui demander ce qu'il convient de faire et de faire exactement le contraire. Pour régler les dettes du palais, le prince fait vendre un nombre considérable d'objets entreposés dans la Cité interdite, mais il est si nul jusque dans ses transactions louches qu'il se fait systématiquement voler à chaque fois.

A l'époque où Pu Yi monte sur le trône, les trésors de la dynastie mandchoue sont incalculables : durant les années qu'il passe dans la Cité interdite, il découvre constamment des débarras bourrés d'antiquités, de manuscrits et d'objets d'art. Outre toutes ces merveilles, Pu Yi a hérité de vastes quantités d'antiquités qui meublent les palais des Ch'ing à Mukden et à Jehol, dont certaines ont été apportées jusqu'à la Cité interdite où elles gisent, oubliées ; sa famille possède aussi des terres, des fermes et de vastes demeures à Pékin et Tientsin et en Mandchourie. C'est Johnston qui s'aperçoit qu'il n'existe aucun inventaire des richesses de la famille impériale.

Le prudent Ecossais en est scandalisé et, dès qu'il a établi des relations détendues avec son royal élève, il le presse vivement de s'intéresser de plus près à ses biens et à son patrimoine. Avec tout le soin d'un loyal intendant, il prend même la peine de dresser une liste de tous les articles faisant partie des trésors de Mukden et de Jehol, qui, à son avis, appartiennent à la famille impériale et non à la république.

Malheureusement, il ne parviendra à éveiller l'intérêt de Pu Yi que lorsqu'il sera trop tard : l'arithmétique est une « science méprisée », réservée aux classes mercantiles. Comme le note Johnston : « Un érudit et *gentleman* est au-dessus des questions d'argent. » Parmi tous les princillons chinois que rencontre l'Ecossais, il n'y en a qu'un seul qui sait se servir d'un boulier ; en plus de quoi — et Johnston ne se fait pas faute de le signaler —, même si le boulier est capable de fournir des résultats avec beaucoup d'exactitude et de rapidité, il « présente l'inconvénient notoire de ne pas pouvoir travailler à rebours pour rechercher une erreur ». Pu Yi se heurte au même problème : le temps qu'il s'aperçoive enfin que sa cour est au bord de la faillite, il est trop tard pour découvrir quelles sont les erreurs qui ont précipité la ruine de la dynastie des Ch'ing.

L'explication, très simple, avancée par Johnston, c'est que le système en soi est mauvais. Dans le temps, les princes mandchous n'ont jamais eu à se préoccuper de leurs finances. Ils avaient des intendants qui prenaient soin de leurs intérêts, et, même si ceux-ci étaient corrompus ou en profitaient pour procurer des sinécures à leur famille, il y avait tant d'argent disponible et le coût de la vie était si peu élevé pour les nobles que personne n'avait de souci à se faire.

Après la « révolution » de 1911, les Mandchous ne sont plus

en mesure de lever directement des impôts, car c est devenu la prérogative du gouvernement républicain et, dans la pratique — en tout cas dans certaines parties de la Chine —, des seigneurs de la guerre qui se sont taillé des fiefs autonomes. La dynastie des Ch'ing doit se contenter de sa généreuse liste civile de six millions de francs d'aujourd'hui, ce qui représente quand même une somme considérable. Au cours des siècles, cependant, les Mandchous ont pris l'habitude de laisser les intendants de la maison impériale contrôler leurs finances à leur place et ces hommes, incompétents et corrompus, sont devenus d'habiles pratiquants de la comptabilité truquée.

Johnston en a un exemple lorsque Pu Yi fait don de quatre-vingt mille dollars destinés à l'entretien de la rue des Légations à Pékin. Une fois que le Bureau de la maison impériale et ses acolytes ont prélevé leur pourcentage, la somme disponible pour les travaux nécessaires se réduit à huit cents malheureux dollars.

Les frais d'entretien de la Cité interdite sont proprement scandaleux. Nul n'ignore que certains des eunuques les plus haut placés vivent de façon princière à Pékin et Tientsin. Du fait que les pots-de-vin « arrosent » tout le monde au passage, jusqu'au plus humble des eunuques, personne, et surtout pas les précepteurs chinois de Pu Yi, n'est disposé à vendre la mèche. C'est pourquoi, lorsque la république, elle-même au bord de la faillite tout au long de l'adolescence du jeune empereur, commence à réduire la liste civile, la situation se détériore de façon dramatique, car le chapardage ne représente qu'une petite partie des sommes colossales détournées par les fonctionnaires de la cour impériale.

Les gros bénéfices sont dans la vente des antiquités, ornements d'or et manuscrits anciens qu'écoulent les fonctionnaires (à commencer par le prince Tchun lui-même) pour faire face aux dépenses courantes. Tous ces trésors, écrit Johnston, « on en dispose de façon dispendieuse, sous le double signe de la corruption et du gaspillage » ; ils sont vendus avec la complicité des fonctionnaires du palais à une « équipe très fermée de trafiquants », qui touchent de très près, par les liens du sang, le Bureau de la maison impériale. « Les sommes versées, poursuit l'Ecossais, sont bien supérieures à celles qui sont notées dans les livres de comptes du palais, mais largement inférieures à la valeur véritable des objets ainsi monnayés. » Des ornements et des statues en or massif sont fréquemment vendus au poids. Nul ne s'étonnera d'apprendre que de luxueux magasins d'antiquités surgissent dans tout Pékin, dont beaucoup appartiennent à des amis ou des parents des fonctionnaires du Bureau de la maison impériale ou à des eunuques. Pu Yi ne s'en soucie guère, ajoute Johnston. « Jamais on ne lui a appris la valeur de l'argent. »

Le premier grand scandale qui retient enfin l'attention du jeune empereur survient avec la mort de Chuang-Ho, l'une des épouses douairières, en 1921. A peine a-t-elle rendu l'âme, note Johnston, que « ses eunuques se mettent en devoir de vider son palais de tous ses trésors ». Ce n'est même pas cela qui choque le plus — tant ce genre de pratique semble aller de soi à la cour — mais le comble, c'est que « les voleurs se battent entre eux pour s'approprier le butin et provoquent un tumulte inconvenant jusque dans la chambre mortuaire ». Personne n'est puni pour autant, ajoute-t-il, car un châtiment aurait fait « perdre la face » à l'âme de la défunte.

Dans la Cité interdite, les vols ont lieu dans des proportions telles que, après son mariage, Pu Yi lui-même commence à prendre conscience de ce qu'il appelle une « orgie de pillage ». « Les techniques variaient, écrit-il. Certains forçaient les serrures et dérobaient en secret, tandis que d'autres avaient recours à des méthodes légales et volaient au grand jour. » Une bague en diamants qu'il a achetée trente mille dollars disparaît sans laisser de trace ; les perles et le jade qui ornent la robe de cérémonie de l'impératrice sont volés et remplacés par des faux. Au début de juin 1923, sur les conseils de Johnston, l'empereur ordonne l'inventaire de la Salle de l'Harmonie suprême où sont entreposés des monceaux d'ornements d'or et d'antiquités. Dans la nuit du 26 juin, un mystérieux incendie ravage son palais et, en dépit de la rapide arrivée sur les lieux des pompiers de la légation italienne, le bâtiment est réduit en cendres, ainsi que son inestimable contenu.

Le matin du 27 juin, Johnston « trouve l'empereur et l'impératrice debout sur un tas de bois calciné, tristement occupés à contempler le spectacle ». Certains des fonctionnaires de la maison impériale, note-t-il, « essaient de se donner de l'importance en expliquant aux pompiers italiens parfaitement disciplinés l'art et la manière de ne pas éteindre un incendie ». L'endroit est bourré d'étrangers, dont certains sont encore en tenue de soirée ; ils ont appris la nouvelle dans le courant de la nuit et ont délaissé leurs dîners pour aller parcourir les débris à la recherche de souvenirs.

Les vampires de la maison impériale parviennent même à tourner cette calamité à leur avantage : comme l'a noté Pu Yi, « les marchands d'or furent invités par le Bureau de la maison impériale à présenter leur soumission et l'un d'entre eux acheta le droit de disposer des cendres pour la somme de cinq cent mille dollars ». Parmi les trésors perdus figurent 2 685 statues en or de Bouddha, 1 675 ornements d'autel en or massif, 435 porcelaines anciennes d'une valeur inestimable, des milliers de manuscrits anciens et 31 caisses contenant des zibelines et des robes impériales. On en déduit, bien sûr, qu'une grande partie de ces articles a déjà été vendue en secret et que les voleurs ont mis le feu pour brouiller les pistes. Certes, des eunuques et des serviteurs du palais sont arrêtés, mais aucun ne sera jugé. L'incendie a, cependant, le mérite de pousser Pu Yi à prendre les mesures que Johnston lui recommande depuis tant d'années : dix-huit jours plus tard, il expulse, *manu militari,* les eunuques de la Cité interdite, sans même leur laisser le temps de faire leurs bagages.

S'il prend le parti d'agir ainsi, expliquera-t-il plus tard, c'est parce qu'il s'est rendu compte — enfin ! — que la situation a l'intérieur de la Cité interdite échappe désormais totalement à son contrôle. Un jour où il écoute, en cachette, des eunuques qui bavardent sous sa fenêtre, il les entend parler de lui, en se plaignant que « j'ai de plus en plus mauvais caractère », et se concerter pour inventer une histoire selon laquelle « ce serait moi-même qui aurais mis le feu au Palais du Bonheur établi ». Un autre eunuque, puni pour une faute vénielle, jette de la chaux au visage d'un serviteur de Pu Yi et le frappe à coups de couteau : le coupable se trouve quelque part en liberté dans le parc du palais et personne ne peut — ou ne veut — le remettre entre les mains de la justice. Pu Yi s'est aussi rappelé qu'un jour où il a ordonné de fouetter des eunuques pour des fautes sans gravité, « je me suis demandé s'ils n'allaient pas m'attaquer moi aussi de la même manière ».

L'empereur décide alors de rendre une de ses rares visites à sa famille, dans la « Demeure du nord », pour annoncer à son père qu'il va chasser les eunuques sans sommation. Toujours prêt à temporiser, le prince Tchun le supplie soit de reconsidérer sa décision, soit de laisser à ses gens le temps de rassembler leurs affaires. Pu Yi rétorque que, dans ce dernier cas, les eunuques risquent fort de mettre toute la Cité interdite à sac, car ils sont absolument déchaînés. « A moins qu'ils ne soient expulsés sur-le-champ et sans avertissement préalable, confie l'empereur à son père, jamais je ne retournerai dans la Cité interdite. » Cette déclaration a pour résultat, écrira Johnston par la suite, de plonger le prince Tchun dans « un état voisin de l'hystérie ».

Pour se débarrasser des indésirables, Pu Yi s'assure l'aide de l'armée républicaine. Un général à la tête d'une unité de soldats d'élite pénètre dans la Cité interdite pendant que tous les eunuques assistent à une assemblée générale dans la cour principale où ils ont été convoqués. C'est alors qu'on leur ordonne de vider les lieux sans délai, sous la surveillance de l'armée. Pendant des jours et des jours, on verra des eunuques éplorés stationner à l'extérieur des murailles de la Cité interdite, cherchant à obtenir le droit de rentrer chercher leurs affaires et le solde de leur salaire.

Les épouses douairières sont aussi surprises que les eunuques eux-mêmes : les voilà brusquement presque privées de serviteurs. Elles tempêtent, sanglotent et pour finir supplient l'empereur de leur rendre leurs domestiques. Pu Yi cède et un groupe d'eunuques triés sur le volet — une cinquantaine en tout — est autorisé à regagner la Cité interdite.

Bien que Johnston ne soit pour rien dans la décision de Pu Yi, les eunuques sont persuadés que tout est de sa faute. Il commence à recevoir une avalanche de lettres. Certains eunuques le supplient d'intercéder en leur faveur, d'autres lui adressent des menaces de mort. La presse chinoise, en tout cas, applaudit la mesure prise par l'empereur, dans laquelle elle voit un signe de sa maturité croissante. Quant à Johnston, il fait transformer la vaste surface plane, où se dressait naguère le palais du Bonheur établi, en un court de tennis. Pu Yi et l'impératrice deviennent très vite des fervents de ce sport. Le court est inauguré par un « double » : Pu Yi et son épouse contre Johnston et Rong Qi, le frère cadet de l'impératrice. C'est cette dernière paire qui l'emporte.

En 1986, Rong Qi s'est rappelé que le couple impérial se servait aussi de ce lieu comme vélodrome et y organisait des courses et même des matches de hockey à vélo. « Mais après le départ des eunuques, a-t-il noté, de nombreux palais de la Cité interdite ont fermé leurs portes et l'endroit a pris un aspect désolé et abandonné. »

Peu à peu, Pu Yi découvre toute l'étendue des activités criminelles du Bureau de la maison impériale : de façon inexplicable, malgré le départ des eunuques et plusieurs autres mesures d'économie domestique, les frais annuels de la Cité interdite continuent à monter de façon vertigineuse. En 1923, ils s'élèvent à plus du double de ce qu'ils étaient sous la dépensière et extravagante Tz'u-hsi. L'empereur s'est enfin rendu compte que son père et son beau-père trafiquent tous les deux sur une grande échelle et que certains des princes mandchous de son entourage ont partie liée avec le Bureau de la maison impériale. Sa réaction habituelle dans ce cas, ont signalé les membres de sa famille bien des années plus tard, est de piquer de violentes crises de rage, mais il est incapable de fixer longtemps son attention. Par ailleurs, il doit assumer certains frais inéluctables, dans lesquels entre la nécessité de « sauver la face ».

Un exemple caractéristique de ceux-ci est la contribution de Pu Yi au « fonds de secours » organisé après le tremblement de terre de 1923, à Tokyo, qui a détruit la majeure partie de la ville. A l'époque, l'ex-empereur de Chine souffre déjà d'une pénurie chronique d'argent liquide, si bien qu'il fait don au fonds en question d'antiquités précieuses dont la valeur se monte à deux cent mille dollars. Afin d'éviter que celles-ci ne soient dispersées, le gouvernement nippon les achète et les place dans un musée.

Ce don est salué par une profusion de remerciements japonais et une délégation officielle se rend à Pékin pour exprimer personnellement à Pu Yi toute sa reconnaissance. C'est que, dès 1923, bien que l'empereur pour sa part ne se doute de rien, l'establishment politico-militaire japonais a déjà repéré en Pu Yi un pion possible dans le projet qu'il prépare avec tant de soin pour étendre ses zones d'influence dans le nord-est de la Chine.

Johnston, que son instinct pousse vers les Nippons, est en excellents termes avec la légation japonaise à Pékin. Pu Yi ayant mis à sa disposition une luxueuse villa à l'intérieur de la Cité interdite, pour lui servir de bureau, des diplomates japonais lui rendent souvent visite et à l'instigation de l'Ecossais, ils commencent à fréquenter Pu Yi.

Car Johnston, à l'époque, n'est plus seulement un ex-précepteur : de son propre chef, il est devenu officieusement le chargé des relations publiques de Pu Yi. Aux déjeuners intimes qu'il donne dans sa villa assistent non seulement l'empereur et son épouse, ainsi que certains Japonais triés sur le volet, mais aussi toutes sortes de visiteurs étrangers fort distingués : des amiraux britanniques, le gouverneur de Hongkong, quelques diplomates non japonais, choisis avec discernement, et des érudits de passage en Chine, comme Rabindranath Tagore, le poète indien, dont on sait qu'ils sont favorablement disposés envers Pu Yi. Johnston signalera plus tard qu'il est submergé de requêtes émanant de personnalités chinoises, désireuses de côtoyer l'empereur à l'occasion de réunions privées, et qu'il les transmet presque toutes au Bureau de la maison impériale.

Il s'occupe, toutefois, activement, des perspectives immédiates de son ancien élève. Ce dernier semble avoir désormais oublié la déception que lui a causée Johnston en réagissant de façon aussi négative à son appel au secours, quelques mois avant son mariage ; or, avec la Chine plongée dans le chaos, tandis que les monarchistes et les éléments de gauche empiètent de plus en plus sur l'autorité déclinante du gouvernement républicain discrédité, l'ancien précepteur se rend bien compte que l'avenir de Pu Yi est, sans conteste, extrêmement précaire.

Ostensiblement préoccupé par les intérêts financiers de l'empereur, il en revient au plan dont il avait exposé les grandes lignes au gouvernement britannique immédiatement après sa première rencontre avec son auguste élève, en 1919 : Pu Yi, explique-t-il à l'empereur et à ceux de ses conseillers auxquels il peut se fier, devrait immédiatement se préparer à évacuer définitivement la Cité interdite, pour aller s'installer au palais d'Eté, distant d'une dizaine de kilomètres, où il serait à la fois moins vulnérable dans sa personne et mieux à même de réduire de façon draconienne les dépenses de sa cour. Inutile de dire que les fonctionnaires de la maison impériale livrent, une fois de plus, une bataille d'arrière-garde prolongée, pour empêcher ce plan de s'accomplir... secondés avec zèle, on s'en doute, par le prince Tchun et le beau-père de Pu Yi.

Le conseil de Johnston est excellent : les « Articles de traitement bienveillant » n'ont jamais octroyé à l'ex-empereur une jouissance garantie de la Cité interdite. Il ne l'occupe qu'à titre « temporaire ». Théoriquement, la république peut l'obliger à vider les lieux sans préavis : selon les Articles, sa résidence permanente a toujours été le palais d'Eté, où Pu Yi lui-même ne s'est rendu qu'une ou deux fois et dont le Bureau de la maison impériale se désintéresse depuis des années, si bien qu'il est en fort mauvais état. Compte tenu de l'importance croissante des éléments de gauche en Chine, fait valoir Johnston, le moment approche où, fatalement, la république chancelante va devoir demander à l'ex-empereur de quitter la Cité interdite.

Le Bureau de la maison impériale objecte, de son côté, que le palais d'Eté est bien trop petit pour abriter Pu Yi et tout son personnel. Ce que n'osent pas dire les fonctionnaires, bien sûr, c'est qu'ils redoutent, au cas où le projet serait mis à exécution, que des centaines de parasites, actuellement occupés à saigner à blanc la liste civile de l'empereur, ne soient impitoyablement évincés... ce qui est, en effet, le résultat visé par Johnston.

Leur second argument — qui pèse beaucoup plus lourd dans l'esprit de Pu Yi —, c'est que, en cas de déménagement, la plupart des trésors qui restent encore dans la Cité interdite devront être abandonnés et tomberont, inéluctablement, aux mains du gouvernement républicain.

Certains des conseillers chinois les plus proches de l'empereur, y compris ses anciens précepteurs, confient en privé à Johnston que Pu Yi a besoin de toutes les richesses sur lesquelles il pourra faire main basse, afin de se constituer un « trésor de guerre » grâce auquel on pourra lancer, le moment venu, une campagne en faveur de la restauration. Ils expliquent à l'empereur (dans un rapport confidentiel que Johnston n'a peut-être pas eu l'occasion de voir) que « le plus important aujourd'hui est de prévoir la restauration. Pour mener à bien cette grande entreprise destinée à changer la face du monde... il faut songer à consolider les bases en protégeant la cour ; la tâche suivante, par ordre d'importance, est de mettre de l'ordre dans les biens impériaux de façon à nous assurer une sécurité financière. Car il est nécessaire d'avoir les moyens de nous soutenir et de nous protéger ; ce n'est qu'alors que nous pourrons projeter une restauration ».

De tels propos n'ont certes rien pour scandaliser Johnston qui ne fait pas mystère de son hostilité envers les républicains. Toutefois, en homme prudent, il ne veut surtout pas être mêlé à de flagrantes intrigues. Il se contente de faire remarquer aux « conspirateurs » qu'il serait nettement préférable de parvenir à un compromis avec les autorités républicaines, pendant qu'il en est encore temps, afin de déterminer ce que Pu Yi est habilité à garder pour lui et ce qui appartient de droit à la république.

Pu Yi se range à l'avis de l'Ecossais : il procède à deux nominations qui provoquent une vive appréhension parmi le personnel du Bureau de la maison impériale. Il confie à un non-Mandchou, connu pour son intégrité, Cheng Hsiao-hsu, la tâche herculéenne de « réformer » le Bureau et il fait de Johnston le commissaire responsable du palais d'Eté, chargé de préparer cette résidence pour son occupation permanente par l'empereur.

Johnston s'attelle à la tâche avec un sens pratique bien écossais : son intention est de faire du palais d'Eté un établissement rentable, selon la formule adoptée ultérieurement par les propriétaires des « grandes demeures » britanniques, en ouvrant une partie des bâtiments au public, en vendant non seulement des billets d'entrée, mais les poissons pêchés dans le lac et en installant dans le parc des hôtels et des magasins. Il constate que les lieux sont en meilleur état qu'il ne s'y attendait et doit essuyer un nouvel exemple de la vénalité des fonctionnaires du Bureau de la maison impériale : les entrepreneurs choisis par ces derniers soumettent des devis tellement scandaleux qu'il va trouver d'autres entreprises de la capitale et leur demande de faire des contre-propositions : leurs devis sont sept fois moins élevés que ceux présentés par les firmes « recommandées » par les fonctionnaires du palais.

Cependant, tandis que Johnston triomphe des mauvaises volontés, le malheureux « réformateur », Cheng Hsiao-hsu, connaît un échec presque total : il parvient, certes, à faire des coupes sombres dans le personnel du palais, en éliminant des centaines de sinécures dont jouissent les protégés des fonctionnaires, mais le Bureau, qui se sent menacé, lui rend coup pour coup, grâce à une arme meurtrière : l'absence totale de coopération. Comme l'a écrit Pu Yi : « S'il [Cheng] avait besoin d'argent, il n'y en avait pas et les comptes le prouvaient, noir sur blanc. S'il réclamait un objet quelconque, personne ne savait où il était entreposé. » Trois mois après avoir accepté de s'attaquer aux vautours de la maison impériale, Cheng démissionne, en alléguant des « raisons de santé » ; il est en fait complètement découragé et les intrigues tramées contre lui par le propre père de l'empereur n'ont pas peu contribué à cet état de choses.

Les réformes viennent trop tard, cependant : quelques mois à peine après cette tentative de coup de balai dans la Cité interdite, Pu Yi lui-même va s'en retrouver expulsé pour de bon. Son départ sera encore moins glorieux que celui qu'il avait imaginé — et auquel Johnston avait opposé son veto.

10.

En cette année 1924, le « Grand Hôtel des Wagons-lits »,
dans le quartier des Légations à Pékin, est un exemple d'archi-
tecture fin de siècle presque aussi célèbre que le restaurant de la
gare de Lyon à Paris. Ses chambres spacieuses et hautes de
plafond et ses immenses salles de bains, avec leur robinetterie en
cuivre, sont autant d'hommages aux notions françaises du
confort et à la solidité de la plomberie britannique. A une
époque où n'existent ni la télévision ni le transistor, l'hôtel et le
Peking Club, son proche voisin, auquel appartiennent presque
tous les diplomates et les étrangers fortunés, sont de véritables
mines de rumeurs, des endroits où se répandent des nouvelles de
toutes sortes... concernant la politique, les guerres civiles
endémiques, les frasques des hommes d'Etat chinois et des
diplomates occidentaux de premier plan et les dernières informations en provenance de l'étranger.

Le Grand Hôtel des Wagons-lits remplit en outre un autre
rôle essentiel. C'est là que vont loger les riches familles
chinoises, lorsqu'il risque d'y avoir du désordre dans le reste de
la ville. La sécurité du quartier des légations est assurée non pas
par des policiers chinois, mais par différentes forces internationales : les « Royal Marines » britanniques, les fusiliers marins
français, les compagnies de sécurité japonaises. Dans le jeu de
« chat perché » auquel se livrent les politiciens et les généraux
chinois, tout au long des années que Pu Yi passe dans la Cité
interdite, le Grand Hôtel des Wagons-lits est presque aussi

sacro-saint que les légations elles-mêmes. Toute ruée des autochtones sur ses chambres préfigure des troubles, tout comme l'arrivée en masse de correspondants de presse à l'Hôtel Commodore à Beyrouth dans les années 1980 annonce une aggravation de la crise libanaise. Bien souvent, c'est seulement lorsque le directeur français de l'établissement fait savoir que toutes ses chambres sont brusquement et inexplicablement retenues que les diplomates en poste à Pékin ont leur premier avant-goût d'une catastrophe imminente.

Le 23 avril 1924, le Grand Hôtel des Wagons-lits affiche complet et c'est à ce signe, auquel s'ajoute le fait que son téléphone est coupé, que Johnston subodore un début de crise. Au début, il s'imagine que ce sont des troupes locales qui se sont mutinées, « un événement en soi tout à fait banal », comme il l'écrit. Il se trompe.

A l'époque, la Chine est en guerre, mais cela aussi est banal : deux seigneurs de la guerre qui s'étripent par soldats interposés dans le Nord-Est, on a déjà vu ça. Seulement, cette fois-ci, l'un des deux seigneurs en question, le soi-disant « général chrétien », Feng Yu-hsiang (« énorme et bienveillante baleine », pour reprendre la description de l'écrivain anglais Christopher Isherwood), dont les troupes se sont unies à celles d'un autre seigneur de la guerre, Wu Pei-fu, pour donner une bonne leçon au général mandchou, Chang Tso-lin, vient de changer de camp, tout à fait à l'improviste. Plantant là son ancien allié, il quitte le champ de bataille avec ses hommes (la légende veut qu'il les baptise en masse à la lance à incendie) et, au lieu de se battre, marche sur Pékin, bien décidé à s'en rendre maître, tant militaire que politique.

Ses troupes pénètrent dans la capitale, ses partisans libèrent les détenus politiques de gauche et excitent jusqu'à la frénésie les étudiants et intellectuels pékinois, toujours portés au radicalisme. Comme nul n'ignore que Feng Yu-hsiang est favorable à une révision draconienne des « Articles du traitement bienveillant » et comme, en outre, leur abrogation serait un geste populaire et qui ne coûterait pas cher, Johnston comprend aussitôt que son protégé est dans de mauvais draps.

A l'intérieur de la Cité interdite, les derniers survivants de la maison de Ch'ing sont fort occupés à faire face à une crise d'un autre genre. La troisième des vieilles « épouses douairières » vient de mourir, ce qui nécessite l'organisation d'une longue succession de prières, cérémonies et veilles rituelles. Il ne reste plus d'eunuques, désormais, pour voler à la défunte ses nombreuses possessions, mais Pu Yi, en tant que chef de famille, doit présider aux rites célébrés à son chevet, dans la chambre mortuaire.

L'empereur se doute qu'il se passe quelque chose d'anormal, car il a déjà repéré des mouvements de troupes sur la colline de la Perspective, au-delà de la Cité interdite. Après avoir scruté le terrain à l'aide de jumelles, il fait calmement remarquer à Johnston que les uniformes ne lui sont pas familiers. L'intendant en chef de la maison impériale, l'infâme Shao Ying (qui a causé la perte du « réformateur », Cheng Hsiao-hsu, en déclenchant dans tout le palais un mouvement de non-coopération absolue), leur a déjà fait parvenir du thé et des gâteaux. Ils ont tout englouti, précise Pu Yi avec un large sourire, et ils ont poliment fait savoir qu'ils en reprendraient bien un peu.

Johnston déjeune alors avec l'empereur et rentre chez lui, après avoir promis de garder le contact.

Tandis que l'Ecossais fait ainsi la navette entre le palais et le Peking Club, puis les légations et l'Hôtel des Wagons-lits, en quête de nouvelles, le « général chrétien » laisse entrevoir une facette inattendue et très nettement cromwellienne de son personnage : il fait décapiter le trésorier présidentiel pour corruption et arrache au président Tsao Kun, terrifié, un décret par lequel il dissout le Parlement et démissionne de ses fonctions ; Tsao Kun est un politicien fort discrédité qui a dépensé une véritable fortune pour se faire élire. Toujours selon les règles du jeu de « chat perché », l'ex-président s'empresse de filer sans demander son reste vers la concession internationale de Tientsin, emportant avec lui les sceaux présidentiels grâce auxquels il compte bien abroger au plus tôt ce décret extorqué par la force.

Il commet, toutefois, l'imprudence de voyager par le rail et, au cours d'un intermède qui relève davantage de la farce que de la politique, son train est arrêté, afin que les hommes de Feng Yu-hsiang puissent le soulager de ses sceaux, avant de le laisser continuer son chemin. Ses ministres, conseillers et anciens partisans politiques disparaissent au plus vite dans les divers sanctuaires qui leur sont ouverts — légation accueillante ou lointaine concession étrangère — et dès le 5 novembre, il devient évident que le coup d'Etat du « général chrétien » a réussi au-delà de toute espérance.

Entre-temps, le 2 novembre, les troupes de Feng Yu-hsiang ont encerclé la Cité interdite, mais Johnston a toujours tout loisir d'y entrer et d'en sortir. Ce jour-là, il emporte avec lui des « articles de valeur » appartenant à Pu Yi, qu'il dépose à la Banque de Hongkong et Shanghai. Puis, il regagne le palais, où l'empereur lui montre les bijoux de la douairière défunte. « Tout aurait été volé si je les avais laissés dans son palais », explique-t-il, et il demande à Johnston d'en prendre un, « en souvenir d'elle ». L'Ecossais choisit « une bague exquise, en jade vert ». Le personnel et les serviteurs fuient la Cité interdite comme les rats quittent un navire en perdition. Johnston remarque « son aspect fantomatique et désolé ».

Le 4 novembre, Johnston retourne à la Cité interdite, où il a une entrevue avec le couple impérial. Il forme le projet de les en faire sortir subrepticement, dès le lendemain, dans sa propre voiture.

Mais il sera devancé par les troupes du « général chrétien » : tôt le matin du 5 novembre, Johnston reçoit un appel téléphonique affolé d'un des oncles de Pu Yi (les lignes ont été rétablies). Les soldats de Feng Yu-hsiang ne se bornent plus à encercler la Cité interdite ; à présent, ils empêchent quiconque d'entrer ou de sortir et toutes les liaisons téléphoniques avec le palais ont été interrompues. Johnston et l'oncle tentent de franchir les portes de la Cité interdite — Johnston brandissant le laissez-passer émis par le palais — mais ils sont refoulés.

A l'insu de l'Ecossais, Pu Yi a déjà quitté la Cité interdite sous bonne escorte et se trouve désormais quasiment prisonnier dans la « Demeure du nord », la maison de famille du prince Tchun, qui domine le « Lac des dix monastères postérieurs ». Un émissaire du « général chrétien » a pénétré dans la Cité au petit matin, brandissant un document que l'ex-empereur doit signer. Ce n'est autre que cette fameuse « révision des Articles de traitement bienveillant » que l'on attend depuis si longtemps ; elle fera de Pu Yi un citoyen ordinaire, réduisant sa liste civile de quatre millions et demi de dollars chinois à cinq cent mille dollars, lui ordonnant de quitter la Cité interdite et lui garantissant sa liberté de mouvement et la protection de l'Etat. « La maison des Ch'ing conservera ses biens personnels », ajoute le document, mais « tous les biens publics appartiennent à la république ».

« A franchement parler », notera l'empereur bien des années plus tard, les articles révisés « étaient loin d'être aussi calamiteux que je m'y attendais ». Tandis que Pu Yi parcourt le document, le prince Tchun arrive et, selon sa bonne habitude, s'effondre en piquant une crise de nerfs spectaculaire.

Ce qui bouleverse Pu Yi beaucoup plus que le contenu même de cet ultimatum, c'est que le nouveau chef de l'Etat insiste pour qu'il évacue la Cité interdite dans les trois heures. Or, une des épouses douairières gît, morte, dans son palais, sans qu'on ait eu le temps de célébrer jusqu'au bout les rites funèbres, et les deux autres vieilles altesses refusent opiniâtrement de bouger et menacent de se tuer par « overdose » d'opium si on les oblige à quitter leurs appartements. On comprend que le malheureux empereur ait le sentiment de se trouver devant un véritable dilemme. « Appelez Johnston », ordonne-t-il, mais il est impossible de joindre ce dernier, car les lignes sont de nouveau coupées.

Blanc comme un linge, l'intendant en chef de la maison impériale annonce à Pu Yi que s'ils n'ont pas vidé les lieux à l'heure stipulée par Feng, l'artillerie commencera à bombarder les palais. Cette menace ne fait qu'accroître la panique du prince Tchun ; quant au beau-père de l'empereur, il part à la recherche d'un endroit où se cacher.

A la dernière minute, on parvient quand même à conclure un compromis avec l'émissaire du « général chrétien » : les deux vieilles douairières sont autorisées à demeurer dans la Cité interdite « jusqu'à nouvel ordre » et les rites funèbres en l'honneur de la défunte continueront à se dérouler selon la coutume ancestrale. Pu Yi, en revanche, doit partir immédiatement et, moins de trois heures plus tard, l'impératrice et lui prennent place dans une voiture escortée par l'armée, qui fait partie d'un convoi de cinq véhicules à destination de la « Demeure du nord ». Au moment où Pu Yi va monter dans l'auto, l'émissaire du général s'approche de lui.

« Monsieur Pu Yi, avez-vous l'intention de rester empereur à l'avenir, ou bien deviendrez-vous un simple particulier ? demande-t-il.

— A dater d'aujourd'hui, je désire être considéré comme un simple particulier.

— Parfait. Dans ce cas, nous assurerons votre protection. En tant que citoyen chinois, vous avez le droit de vote et de vous présenter aux élections. Qui sait ? ajoute l'homme avec un sourire. Peut-être un jour serez-vous élu président. »

Pu Yi, qui n'a pas oublié sa tentative de fuite manquée, deux ans auparavant, répond : « Voici déjà longtemps que j'ai le sentiment de ne pas avoir besoin des " Articles du traitement bienveillant ". Je suis content de les voir abrogés. En tant qu'empereur, je n'étais pas libre. A présent, j'ai trouvé la liberté. »

Les soldats de Feng Yu-hsiang applaudissent à tout rompre.

Pu Yi a réussi sa sortie avec autant de brio que le « Vieux Bouddha » avait réussi sa « rentrée » après la rébellion des Boxeurs en 1902. A l'encontre de Tz'u-hsi, cependant, il ne va pas avoir le moindre répit : arrivé sous bonne escorte à la « Demeure du nord », il s'aperçoit qu'il est non seulement prisonnier des troupes du « général chrétien », mais en outre la cause de querelles intestines entre factions rivales de courtisans et de conseillers. Ses proches se disputent à son sujet, comme s'il n'était qu'un simple objet.

Son beau-père et son épouse, Elizabeth, envisagent à présent la situation sous un angle nouveau. Loin d'être une source de revenus, l'ex-empereur déchu au rang de simple particulier risque fort de se transformer en personne à charge. Les rapports de Pu Yi avec sa belle-famille, qui n'ont jamais été des plus cordiaux, tournent carrément à l'aigre. L'« épouse secondaire », Wen Hsiu, qui n'a encore que quinze ans et dont l'éducation a été plus négligée que celle de l'impératrice en titre, est totalement dépassée par les événements.

Quant à Pu Yi lui-même, habitué qu'il est à être servi par une horde de domestiques à sa dévotion, il a l'impression de se trouver soudain catapulté dans une espèce de taudis dont il espère pouvoir s'enfuir dans les plus brefs délais, d'autant plus que son père, terriblement secoué par cette expulsion hors de la Cité interdite, manifeste tous les symptômes d'une grave dépression nerveuse.

La nouvelle résidence de Pu Yi (qui abrite aujourd'hui le Bureau de la Santé publique de Pékin) est un vaste bâtiment, relativement dépourvu de charme, avec des toits pointus et de grandes cours devant et derrière. Il jouxte l'énorme propriété bordée de murs, cédée par la suite à Mme Sun Yat-sen, veuve du leader républicain, qui devait devenir sous Mao vice-présidente de la République populaire de Chine. De nos jours, la gigantesque cheminée d'une usine voisine, crachant des nuages de fumée noire, défigure la gracieuse perspective. A l'extérieur de la maison, aujourd'hui comme alors, des pêcheurs à la ligne guettent le menu fretin dans le lac. L'ex-empereur, habitué au splendide isolement de la Cité interdite et de ses innombrables palais, se trouve très nettement à l'étroit... d'autant plus que la « Demeure du nord » ne tarde pas à être bourrée, jour et nuit, d'une véritable armée de parents, partisans, conseillers et parasites, dont chacun propose son mode d'action, différent des autres et en totale contradiction avec eux.

Dans le cours du premier après-midi, Johnston parvient à se faufiler à l'intérieur de la « Demeure du nord », où il constate que son ancien élève est « le moins agité » de tous les gens qui s'y pressent, « plein de dignité et maître de lui », manifestant « un mépris amusé envers l'alarme et le désarroi qui percent chez les autres »... et tout spécialement chez son propre père, totalement incohérent. Johnston est porteur d'une bonne nouvelle : les chefs des légations britannique, hollandaise et japonaise ont officiellement protesté auprès du nouveau gouvernement chinois (réuni en tout hâte par Feng Yu-hsiang), contre la façon dont l'ex-empereur a été expulsé de la Cité interdite et ils ont exigé — et obtenu — des garanties concernant sa sécurité et sa liberté à venir.

Voilà qui redonne du courage aux partisans effrayés et bavards de Pu Yi, mais pas pour longtemps. Les vingt jours qui suivent donnent lieu à d'innombrables rumeurs contradictoires et à une confusion croissante ; à l'intérieur de la « Demeure du nord », tout le monde, y compris Pu Yi, commence à redouter ce qui va se passer. Loin de garantir la « liberté personnelle » de son ancien empereur, le nouveau — et éphémère — gouvernement le retient plus ou moins prisonnier dans la maison de son père. « On pouvait entrer chez nous, mais pas en sortir », a noté Pu Yi, à l'exception des étrangers qui sont refoulés. (Cette mesure a été prise par Feng pour empêcher Johnston d'avoir accès à Pu Yi.) Par conséquent, jusqu'au 25 novembre, Johnston qui, quels que soient ses défauts, est un homme bien informé, sagace, qui garde la tête froide et qui aurait donc pu mettre fin à certaines des rumeurs les plus exagérées qui courent en ville (notamment celle selon laquelle les communistes ont l'intention de faire passer Pu Yi devant une haute cour ou celle qui prétend que le « général chrétien » projette la proclamation d'un gouvernement du peuple » et l'occupation du quartier des légations) est interdit de séjour dans la « Demeure du nord », de même que tous les autres étrangers.

Pour reprendre les réflexions auxquelles s'est livré Pu Yi a posteriori, « la tempête... me déposa en plein carrefour. Trois voies m'étaient ouvertes. La première, c'était de faire ce que proposaient les Articles révisés : abandonner le titre impérial et mes ambitions d'antan pour devenir un " simple particulier " nanti d'une immense fortune et de vastes terres. La deuxième, c'était de tenter de m'assurer l'aide de mes sympathisants pour rétablir les anciens Articles, recouvrer mon titre et regagner le Palais où je pourrais continuer à mener la même existence que par le passé. La troisième voie possible, enfin, était la plus tortueuse : c'était, dans un premier temps, de partir à l'étranger, puis de revenir prendre possession de la Cité interdite telle que je l'avais connue avant 1911. Selon l'expression alors en vogue, cette troisième solution revenait à se servir d'une puissance étrangère pour préparer une restauration. »

Des dizaines d'années plus tard, Pu Dchieh, qui a été le témoin intéressé de tout cet épisode, et Rong Qi, le beau-frère de Pu Yi, m'ont tous les deux assuré qu'à ce moment précis l'ex-empereur avait sérieusement envisagé une quatrième possibilité : celle de s'éclipser le plus dignement possible et de s'efforcer d'atteindre enfin l'objectif naguère fixé par Johnston en devenant un authentique aristocrate anglo-chinois, éduqué à Oxford. Cependant, ses partisans divisés (Johnston étant momentanément sur la touche, puisqu'il n'a pas accès à la « Demeure du nord ») ne parviennent à s'entendre que sur un seul point : la première solution est hors de question. Pour le reste, chacun ne pense qu'à ce que Pu Yi va pouvoir faire pour lui et non à ce qu'il peut faire, lui, pour Pu Yi. Le résultat sera désastreux pour tous.

11.

Jusqu'au jour où le « général chrétien » l'expédie par la force dans la maison de son père, Pu Yi a vécu dans un vide absolu. La Cité interdite a joué le rôle d'un cocon protecteur : aucune des intrigues, aucun des complots tramés par le personnel de sa maison impériale, par ses précepteurs et par ses sympathisants n'a eu d'importance véritable. Brusquement, en dépit de son emprisonnement virtuel à l'intérieur de la « Demeure du nord », il prend conscience du monde qui l'entoure et des forces qui pèsent sur lui, toutes désireuses de faire de lui l'instrument de leur *real-politik*. Il est impossible d'excuser, voire de simplement comprendre, la moindre partie du comportement ultérieur de l'ex-empereur sans examiner brièvement ces différentes — et redoutables — entités qui se livrent des luttes sans merci.

En 1924, la Chine, plongée dans un état d'anarchie quasi permanent, est « le géant malade de l'Asie » : dans le Sud, l'alliance quelque peu bâtarde du Kuomintang et des communistes continue à fonctionner, bien que le Dr Sun Yat-sen soit sur le point de quitter son QG de Shanghai pour entrer en clinique à Pékin, souffrant d'un cancer généralisé. (Il y mourra l'année suivante.) Sur l'île de Whampoa, avant-port de Canton, Chiang Kai-shek, l'homme qui monte au sein du KMT, est toujours commandant de l'Académie militaire révolutionnaire, pépinière de futurs activistes et généraux du KMT, et il est sur le point de s'assurer les services, en tant que maître de conférences et commissaire politique, d'un jeune aristocrate chinois communiste qui rentre de France, Chou En-lai. A Canton, « berceau de la révolution », la puissance des communistes s'accroît et Mikhail Borodine, agent du Komintern de Staline et ex-meneur syndical en Amérique, est très occupé à organiser le parti communiste chinois en pleine expansion selon le modèle stalinien orthodoxe, ce qui lui permet de constater que les Chinois sont très, très différents des Soviétiques.

Dans le Nord-Est, Russes et Japonais coexistent tant bien que mal, les premiers étant installés dans le Nord et les seconds dans la partie méridionale de la Mandchourie. Après la défaite de la Russie, dans la guerre russo-japonaise de 1904-1905, les Nippons ont obtenu dans cette zone des concessions extrêmement avantageuses, y compris une part importante dans les chemins de fer de Mandchourie qui appartenaient préalablement aux Russes. Le réseau japonais couvrait le sud du pays et celui des Russes le nord et avec lui les Japonais obtiennent le droit d'ouvrir des hôtels et d'introduire des troupes chargées de garder leurs voies ferrées, selon le modèle mis au point par les Russes. Ils augmentent aussi la taille des enclaves qu'ils contrôlent et font main basse sur de nouvelles concessions à Mukden, qui est alors la capitale de la Mandchourie, et à Port-Arthur. Ils renforcent en outre leur garnison en Mandchourie, connue sous le nom d'« armée du Kwangtung ».

Cependant, ni les Japonais ni les Russes ne peuvent faire ce qu'ils veulent en Mandchourie, qui demeure partie intégrante de la Chine, car tous deux se méfient comme de la peste du général Chang Tso-lin, un seigneur de la guerre qui a flirté aussi bien avec les Japonais qu'avec Sun Yat-sen, mais qui est suffisamment coriace — et roublard — pour jouer son propre jeu.

Des concessions étrangères sont éparpillées tout le long des côtes chinoises et jamais leur influence et l'arrogance avec laquelle elles prennent leurs distances par rapport aux territoires administrés par les Chinois n'ont été aussi grandes. Les Britanniques, notamment, qui possèdent en Hongkong et Wei Hai-wai deux solides bases « coloniales » et qui ont mis sur pied tout un réseau de puissantes banques dans chaque concession, considèrent presque la Chine comme un de leurs protectorats ; officiellement, cependant, les Etats-Unis et l'Europe se donnent les gants de traiter la Chine en nation souveraine, membre à part entière de la Société des Nations et y voient — déjà — un gigantesque marché en puissance pour leurs marchandises. Malgré cela, dans toutes les capitales du monde, la Chine ne commande guère le respect : il faut dire que, depuis la « révolution » de 1911, les politiciens républicains à Pékin ont fait tout ce qu'il fallait pour consolider cet état d'esprit. Les gouvernements et les présidents se succèdent avec la même rapidité que sous la IVᵉ République française, suivent le même trépidant mouvement de va-et-vient que les démocrates-chrétiens dans l'Italie de l'après-guerre ; les députés (quand il y a un parlement, ce qui est relativement rare) achètent ouvertement leurs sièges ; sous le rapport de la corruption éhontée, les politiciens de tous bords n'ont rien à envier aux vautours de la « maison impériale » de Pu Yi. Plutôt que de se livrer de véritables batailles, les seigneurs de la guerre s'adonnent à des jeux guerriers, fort lucratifs pour eux, mais ruineux pour le pays. Leurs allégeances ne sont jamais que temporaires, leur loyauté étant à vendre au plus offrant. Des millions de drogués alimentent un gigantesque trafic de morphine, héroïne et opium, à peine clandestin. Durant les deux années immédiatement postérieures à l'expulsion de Pu Yi hors de la Cité interdite, l'instabilité politique du gouvernement central à Pékin est telle que le professeur James E. Sheridan, le plus grand expert sur l'histoire politique de la Chine dans les années 1920, écrira par la suite que « les cabinets ministériels n'avaient pas plus de substance qu'un souverain de cinéma ».

Pu Yi, le descendant légitime de la dynastie des Ch'ing, devient soudain, tout déposé qu'il est, un nouveau joker dans ce jeu compliqué et à peine compréhensible.

Seul, parmi les grandes puissances, un pays sait à merveille non seulement comment tirer parti de ce joker, mais aussi ce que doit être sa politique à long terme vis-à-vis de la Chine : le Japon qui, depuis la naissance de Pu Yi, voit en lui un éventuel atout fait à présent son entrée en scène. A partir du moment où l'ex-empereur s'installe contre son gré dans la « Demeure du nord », bien résolu à y rester le moins longtemps possible, les Japonais commencent à lui faire les yeux doux. Comme l'a bien montré David Bergamini, dans son magistral ouvrage, *Japan's Imperial Conspiracy,* Pu Yi n'est qu'un pion de moindre importance dans le « grand dessein » nippon, qui doit permettre la conquête de la Chine par le Japon, prolongée par une mainmise tentaculaire sur presque tout le Sud-Est asiatique, dans le cadre d'une politique à long terme, soigneusement pensée et totalement impitoyable, pour se rendre maître de la moitié du monde.

En 1924, tandis que Pu Yi se ronge les sangs sous la surveillance des soldats du « général chrétien », Hiro-hito n'est encore, sur le plan officiel, que prince héritier, mais, en réalité, il remplit les fonctions d'empereur régnant du Japon depuis quelques années, puisque, en novembre 1921, il a été déclaré régent pour suppléer à son père défaillant. Or, comme l'a révélé par la suite Bergamini, dans son ouvrage injustement oublié, c'est Hiro-hito qui — derrière l'écran de fumée que lui fournit l'élite politico-militaire du Japon — fait la loi et se débarrasse brutalement des généraux et hauts fonctionnaires nippons qui osent s'élever contre sa politique.

A l'époque, rares sont les gens qui évaluent à sa juste mesure la menace que fait peser le Japon tant sur l'ancien « Empire du Milieu » que sur le reste de l'Asie ; les adversaires qui se disputent la Chine ont plutôt tendance à le considérer comme un point de chute utile et favorable à leur cause. Chiang Kai-shek y a été partiellement formé, à la fois en tant que politicien et que soldat. Il y épousera un peu plus tard sa seconde femme et — avant qu'une guerre déclarée n'ait dressé les deux pays l'un contre l'autre — il y fait de fréquents séjours, durant lesquels il est sur un pied de grande intimité avec des politiciens, des financiers et les dirigeants de la société secrète du Dragon noir. Au début de sa carrière révolutionnaire, Sun Yat-sen a passé quelque temps à Kobe où on l'a traité avec beaucoup de gentillesse et de respect. Quant à la Grande-Bretagne, elle considère tout spécialement le Japon comme un allié potentiel en Asie, surtout après la révolution russe et la prise du pouvoir par les Soviétiques, en 1917.

Les sentiments projaponais de Johnston ne sont pas vraiment originaux ; ils reflètent aussi les conversations à bâtons rompus, qui ont lieu autour des tables de la légation britannique après le dîner, une fois que les dames se sont retirées, selon la coutume, et que le porto et le cognac circulent librement. Comme l'écrira plus tard Edgar Snow, dans son livre *Battle for Asia* (1941, Random House), « tant en Grande-Bretagne qu'en France, une importante portion de la classe gouvernante croyait sincèrement que le Japon avait un droit légitime à l'expansion... Certains des pairs anglais les plus influents avaient la conviction que la mainmise du Japon sur la Mandchourie... ne serait pas forcément néfaste aux intérêts de l'empire britannique. Peut-être avaient-ils, dans une certaine mesure, conscience de tout ce que leur position avait de contradictoire, lorsqu'ils refusaient au Japon un empire colonial. Une petite entorse à cette règle, au détriment de la Chine, ne pouvait réellement faire de mal à quiconque. Elle permettrait même d'édifier une barrière néces-saire contre l'extension du bolchevisme dans le Nord »... Snow ajoute que la plupart des dirigeants britanniques et français « croyaient sincèrement que les Japonais, une fois qu'ils auraient mis fin à la menace bolchevique aux frontières, s'emploieraient à restaurer la paix, l'ordre et la sécurité de l'investissement : or, il n'était pas impossible qu'une redistribu-tion des territoires fasse de la Chine et du Japon de meilleurs marchés pour le capital ».

Longtemps avant qu'Hiro-hito ne commence à jouer le moindre rôle, en qualité de tout jeune régent, le Japon a laissé entrevoir, de diverses façons, le vif intérêt qu'il accorde en priorité à la Chine et tout spécialement à la Mandchourie. Lorsqu'il déclare la guerre à l'Allemagne, en août 1914, et se range aux côtés de la Grande-Bretagne et de la France, son objectif n'est pas tant d'apporter son aide aux Alliés que de « réduire par avance au silence toute objection britannique quant aux manœuvres japonaises en Chine », pour reprendre la formule du ministre des Affaires étrangères de l'époque, Kanji Kato. En 1914, toujours, le baron Shimpei Goto, l'un des patrons de l'administration japonaise, ex-gouverneur de Tai-wan, a adressé aux membres du Saiwai Club, émanation de la Chambre des pairs japonaise, les propos que voici : « Notre politique d'émigration » devrait prendre la forme « d'une préparation militaire sous un masque pacifique... Une victoire permanente en Mandchourie dépend en grande partie d'un accroissement de la population des colonisateurs japonais. Durant la guerre franco-prussienne de 1870, les habitants allemands de l'Alsace-Lorraine ont contribué de façon non négligeable à gagner ces régions à la cause de l'Allemagne. Si le Japon comptait cinq cent mille immigrants [en Mandchourie], ceux-ci lui seraient fort utiles en cas de guerre... et si la situation ne se prêtait pas à une déclaration de guerre, on pourrait se servir d'eux pour s'assurer des points forts en cas de paix négociée ».

Goto déclare que tous les hôpitaux japonais construits en Mandchourie « devraient être conçus comme des hôpitaux militaires, avec de vastes vérandas ouvertes pour les soldats blessés ». Les employés des chemins de fer de Mandchourie « devraient être des officiers de l'armée et le chemin de fer devrait être prêt à répondre aux besoins militaires en cas d'urgence ». Les fonctionnaires portuaires (dans la concession japonaise de Port-Arthur) « devraient appartenir à la Marine ».

Au début de la Première Guerre mondiale, alors que Pu Yi n'est encore qu'un enfant, le Japon précise clairement les avantages qu'il entend retirer de sa tiède participation aux hostilités. Parmi ceux-ci figurent des droits ferroviaires et l'obtention de la concession allemande de Ch'ing-tao, des baux de quatre-vingt-dix-neuf ans dans diverses parties de la Mandchourie, accompagnés d'un droit de préemption dans toutes ces régions, en ce qui concerne le développement économique. Le « Mouvement du 4 mai » est le résultat direct du marché que les Japonais imposent aux autres nations à Versailles. Dans le sillage de la révolution de 1917, les Alliés font quelques brèves tentatives pour aider les Russes blancs qui résistent à l'Armée rouge des Soviétiques, et trente mille soldats nippons traversent la Mandchourie pour aller renforcer les « blancs ». Des troupes japonaises resteront stationnées en Sibérie jusqu'en 1922 et à aucun moment le Japon ne considérera la Mandchourie comme faisant partie intégrante de la Chine.

En dépit de tout cela, la modestie, la discrétion et l'extrême réserve des Japonais encouragent les illusions britanniques concernant la viabilité d'une association avec eux. Le prince héritier Hiro-hito passe, dès cette époque, pour un jeune homme studieux et réservé, avec un penchant pour l'histoire militaire et la biologie marine ; c'est, assure-t-on, un jeune aristocrate vertueux, monogame, heureux en ménage, dont la vie privée forme un contraste radical et flatteur avec celle, débauchée, des familles princières chinoises, avec leurs eunuques, leurs concubines à peine nubiles et leur moralité douteuse.

La vérité est quelque peu différente. La vie privée du prince héritier du Japon est, certes, irréprochable, mais, lorsqu'il veut se distraire, ce n'est pas la biologie marine qui lui fournit un violon d'Ingres, mais bien plutôt le genre de biologie qui permet de développer les techniques de la guerre bactériologique ; l'armée japonaise est dénigrée par les Occidentaux, adeptes des soldats bien astiqués, mais ils ne peuvent pas savoir que certains des principaux théoriciens militaires japonais ont délibérément ordonné à leurs hommes de se présenter mal tenus et mal rasés, afin de berner les experts en leur faisant croire qu'ils sont de ce fait des soldats incompétents.

Tout cela, cependant, n'est que secondaire en comparaison de la toute-puissante volonté de conquête des militaires japonais. L'année qui précède la somptueuse cérémonie nuptiale de Pu Yi a lieu un événement qui restera ignoré jusqu'à sa découverte inopinée par David Bergamini au cours de ses recherches : en 1921, un groupe d'attachés militaires japonais se réunit à Baden-Baden, presque certainement avec, dans la coulisse, un proche parent d'Hiro-hito, le prince Higashikuni, et là, les trois grands chefs de cette réunion ultra-secrète, connus plus tard sous le sobriquet des « trois corbeaux », mettent au point un projet qui leur permettra de faire des forces armées nippones les plus efficaces et les plus modernes du monde.

La mesure qu'ils prennent en priorité est de nommer un sous-comité composé d'un groupe de jeunes officiers qui montent, les « onze hommes de confiance », chargés de mettre le programme à exécution ; avec le temps, ces onze officiers deviendront des personnages clefs dans le plan d'ensemble des Japonais. Trois d'entre eux seront pendus en tant que criminels de guerre en 1948. Or, il se trouve que tous trois sont des spécialistes de la Mandchourie où ils seront par la suite très actifs, deux en tant qu'officiers très haut placés des services de renseignements de l'armée nippone et le troisième, Tojo, en tant que chef de la Gendarmerie japonaise, avant de devenir Premier ministre.

Au moment où Pu Yi entame sa vie conjugale, les services secrets japonais sont à l'œuvre en Europe. Avant même que l'ex-empereur de Chine n'ait déclenché son plan d'assainissement de la maison impériale, le prince héritier Hiro-hito a établi, en 1921, à l'ombre du palais impérial, sur le site de l'ancien observatoire météorologique, son « Institut de recherches sur les problèmes sociaux », dont le nom de code est « la maison meublée de l'Université ». C'est là qu'est installé, « sous un linceul de sécurité, un centre d'endoctrinement destiné aux jeunes officiers et fonctionnaires qui souhaitent jouer un rôle dans l'avenir dont il rêve pour le Japon. C'est là, dans l'enceinte du palais, que sont tracés les premiers brouillons des projets que fait le Japon pour la conquête d'une moitié du monde », écrit Bergamini.

Un bon nombre d'anciens pensionnaires de ce réservoir ultra-secret de jeunes têtes pensantes, où l'on ne peut entrer que sur « invitation », se retrouveront eux aussi, plus tard, en Mandchourie, lors de l'occupation japonaise ; en effet, que les stratèges nippons appartiennent à l'école de « la Ruée vers le nord » (contre les conquêtes sibériennes de l'Union soviétique) ou à celle de « la Ruée vers le sud » (contre la Chine et le Sud-Est asiatique), la Mandchourie est la clef de leur action ; or, c'est aussi le berceau de la dynastie des Ch'ing, la patrie de Pu Yi, même s'il n'y a jamais mis les pieds.

Le directeur ultra-nationaliste de la prétendue « maison meublée de l'Université », le Dr Shumei Okawa, que des liens étroits unissent à la « Société du Dragon noir », a passé dix années en Chine en tant qu'espion japonais. Il est habité par le dogme, quelque peu illuminé, de la « mission divine » du Japon, qui est de « libérer l'univers ». De nombreuses années plus tard, lors du procès des criminels de guerre asiatiques en 1946, il parviendra à simuler, avec succès, la folie, sera déclaré inapte à comparaître... et recouvrera miraculeusement la raison peu après, pour mourir dans son lit d'une attaque en 1957. Le nom même de la « Société du Dragon noir » est trompeur : ce n'est pas, en tout cas pas au début, un gang de malfaiteurs, mais un « club » patriotique qui regroupe des nationalistes bien résolus à résister aux envahisseurs non asiatiques. Son nom est la traduction de celui du fleuve Amour, qui sépare la Mandchourie de la Sibérie, et il symbolise l'extrême hostilité envers la Russie tout d'abord, puis envers l'Union soviétique. La Société a financé en partie la « révolution » de 1911 en Chine, qui, sous l'égide de Sun Yat-sen, a renversé la dynastie des Ch'ing.

Lorsque Pu Yi quitte la Cité interdite, devenu, en tout cas officiellement, un simple particulier, une portion de cette patrie mandchoue qu'il n'a encore jamais vue n'est ni plus ni moins qu'une colonie japonaise. En Mandchourie méridionale, la concession japonaise, ou « territoire à bail du Kwangtung », est, selon le professeur Albert Feuerwerker, « un îlot où prévalent la société et la culture japonaises sur le continent chinois ». Grâce à la Compagnie des chemins de fer de Mandchourie méridionale, dirigée par les Japonais, ces derniers contrôlent les communications, même si leur rayon d'action est très étroit, de part et d'autre de la voie ferrée. Bien que les émigrants nippons se voient offrir certains avantages financiers pour les inciter à aller s'installer en Mandchourie, ils le font, du point de vue japonais, en nombres décevants jusqu'en 1931.

C'est ainsi que se présente la situation, alors que Pu Yi, dans la « Demeure du nord », rumine toutes sortes de pensées sur les choix qui s'offrent à lui; or, bien qu'il ne soit certainement pas au courant des projets ultra-secrets que nourrit le Japon pour conquérir la Chine — dans le cadre de son plan d'ensemble pour dominer le monde —, il ne peut pas ne pas avoir conscience de l'étendue de l'influence japonaise dans sa patrie ancestrale et, depuis sa petite enfance, il a entendu les « fidèles de la bannière mandchoue » évoquer la possibilité d'une sécession de leur pays pour redevenir une monarchie souveraine.

Johnston s'est longuement — et complaisamment — étendu sur le chapitre de ces rêves monarchistes, qu'il rejette non parce qu'il estime que Pu Yi n'a pas moralement le droit de rompre son accord avec la République chinoise, une fois qu'il a accepté

146

les « Articles concernant le traitement bienveillant », mais parce qu'un tel projet n'aurait, à son avis, aucune chance de réussir. Comme il le dit (au sujet de complots mis en œuvre avant 1919), « il n'était plus possible de prétendre que, si l'empereur s'enfuyait en Mandchourie, il serait autorisé à y prendre possession de son trône de façon pacifique... un mouvement monarchiste en Mandchourie mènerait forcément à la guerre civile ».

« Cet état de choses est reconnu par la majorité du parti monarchiste », ajoute Johnston, qui incite vivement les membres de ce parti à se dire que rien ne doit être tenté « jusqu'à ce que la république périsse par la faute de son propre pourrissement intérieur... ou jusqu'à ce qu'il se passe quelque chose en Mandchourie, qui entraînera une intervention étrangère. Ce que sera ce " quelque chose ", nul ne le sait, mais ils sont nombreux à nourrir la conviction que le jour viendra, tôt ou tard, où le Japon se verra dans l'obligation de prendre des mesures actives pour protéger contre les empiétements chinois les vastes intérêts qu'il a acquis en Mandchourie à la suite des guerres qu'il a livrées sur le sol mandchou. Un conflit entre le Japon et la République chinoise... leur fournira, à ce que pensent ces monarchistes, l'occasion désirée ».

Après l'abrogation des « Articles du traitement bienveillant », en 1924, les « ultras » qui font partie de l'entourage de Pu Yi peuvent avancer un nouvel argument : les Mandchous, écrit Johnston, sont toujours, officiellement, des « étrangers », même si la Mandchourie fait nominalement partie de la République chinoise ; or, « une race ou famille étrangère ne doit aucune allégeance à la Chine ».

Telles sont certaines des questions débattues à l'intérieur de la « Demeure du nord » après l'expulsion de Pu Yi hors de la Cité interdite. La considération qui prime, dans l'esprit de l'empereur, et on le comprend, c'est sa propre sécurité. En effet, il ne faut guère se fier aux soldats du « général chrétien », les étudiants de gauche et les radicaux politiques sont déchaînés et toutes sortes de bruits courent selon lesquels le KMT quitterait sa base méridionale pour marcher sur Pékin.

Et puis, du jour au lendemain, à l'occasion d'une de ces

volte-face dont les Chinois ont fini par prendre leur parti et qui font de la Chine un pays si difficile à comprendre et à analyser, la situation se transforme de façon spectaculaire.

Quelques semaines après l'éviction de Pu Yi, Chang Tso-lin, le seigneur de la guerre mandchou, fait son entrée à Pékin, accompagné d'un simple détachement de gardes du corps pour en éjecter, sans tirer un seul coup de feu, son ci-devant allié, le « général chrétien », et porter au pouvoir, en qualité de « chef provisoire de l'exécutif », un « modéré », le maréchal Tuan Chi-jui. Les soldats qui montent la garde autour de la « Demeure du nord » disparaissent. Johnston retrouve soudain le droit de se rendre auprès de son ancien élève et Chang Tso-lin lui fait en outre savoir qu'il souhaite le rencontrer.

Chang, le tout-puissant seigneur de la guerre qui domine la majeure partie de la Mandchourie (à l'exception des enclaves et concessions japonaises) et de la Mongolie chinoise, est un des aventuriers les plus hauts en couleur et les plus redoutables de l'époque. Sa mère était couturière et la famille si pauvre que, jeune homme, il allait chasser des lièvres dans le désert de Mandchourie pour assurer aux siens une subsistance. Un jour où Chang est à la chasse, ayant remarqué un bandit blessé qui se traîne sur son cheval, il le tue et s'approprie sa monture pour devenir bandit à son tour, dans la plus pure tradition du Far West. Il met très vite sur pied sa propre petite armée et acquiert une réputation de Robin des Bois chinois. Durant la guerre russo-japonaise, il se fait grassement payer pour se battre aux côtés des Japonais et terrorise les Russes par l'audacieuse tactique de ses mouvements de cavalerie. Après quoi — toujours moyennant de fortes sommes —, il accepte de se laisser incorporer à l'armée chinoise régulière.

A partir de là, ses rapports avec la république, avec le mouvement du KMT, qui prend de l'ampleur dans le Sud, et avec les Japonais sont marqués par sa volonté farouche de conserver son armée mandchoue sous son contrôle personnel et de garder la Mandchourie libre de toute domination étrangère. Il flirte avec le Dr Sun Yat-sen, mais pas pour longtemps. En 1916, les Japonais tentent de le tuer, en engageant les services d'un homme de main pour lancer une bombe sur sa voiture à

148

cheval alors qu'il escorte quelques dignitaires japonais à un grand dîner d'apparat à Mukden (aujourd'hui Shen-yang). Chang Tso-lin en réchappe et s'empresse de chasser les Japonais de Mukden, en même temps que les Mongols qu'ils soutiennent et avec qui ils avaient espéré occuper la ville. C'est un homme plein de ressources, partisan d'une justice sommaire — les décapitations séance tenante sont sa spécialité — et, si tant est que ce terme puisse avoir la moindre signification dans la Chine des années vingt, c'est un patriote ; en dépit de méthodes plutôt expéditives, son administration mandchoue est la moins corrompue et la plus efficace de toute la Chine. On cite fréquemment son nom lorsqu'on évoque les divers prétendants au trône d'un nouveau royaume de Mandchourie et d'aucuns pensent même que, si Chang Tso-lin le désirait vraiment, il pourrait supplanter la « maison des Ch'ing » et devenir lui-même empereur de Chine. Cependant, ce soldat de fortune, autodidacte, qui aime sur le tard à se vêtir de manteaux doublés de loutre, qui a pris goût aux élégantes et toutes jeunes concubines et qui se compare volontiers à Napoléon, est un aventurier trop actif et trop agité pour se fixer où que ce soit.

De tout temps, son attitude envers Pu Yi s'est caractérisée par une cordialité teintée de respect. A l'occasion de ses noces, il lui a envoyé dix mille dollars d'argent liquide, un gage généreux de sa loyauté et de son estime. Lorsqu'il apprend l'outrage infligé à l'ex-empereur par le « général chrétien », il pique une colère noire, non seulement parce qu'il n'en a pas été averti à l'avance, mais aussi parce que, comme le dit Johnston, « il estime probablement que, si les trésors de la Cité interdite doivent être soustraits à la garde des Ch'ing, il fera lui-même un gardien tout aussi valable qu'un autre ».

Tel est l'homme qui, dès son arrivée à Pékin, le 23 novembre 1924, convoque Johnston, pour le compte de Pu Yi. L'Ecossais se présente, porteur de cadeaux de la part de l'ex-empereur : une photo dédicacée et une bague ornée de topazes et de brillants. Chang accepte la photographie, mais refuse la bague, et se met en devoir de haranguer brièvement son interlocuteur sur la situation telle qu'il la conçoit.

Il déplore la manœuvre maladroite du « général chrétien »,

tout en faisant valoir qu'il ne saurait intervenir directement pour permettre à Pu Yi de reprendre son ancienne et luxueuse existence à l'intérieur de la Cité interdite, sans s'exposer à s'entendre reprocher de favoriser la cause des séparatistes mandchous au détriment de la République chinoise à laquelle il reste loyal, du moins officiellement. Son principal objectif, en ce qui concerne cette entrevue avec Johnston, est d'avoir recours à son intermédiaire pour rassurer les légations étrangères, en leur garantissant que l'empereur ne court aucun danger et en leur expliquant qu'il serait personnellement favorable à un discret rétablissement des « Articles du traitement bienveillant », sans vouloir pour autant jouer les faiseurs d'empereur.

Johnston court annoncer ces excellentes nouvelles à Pu Yi et il en profite, comme l'a bien escompté Chang Tso-lin, pour porter la bonne parole auprès des diplomates des légations. L'ex-empereur, cependant, n'est pas totalement rassuré. L'un des traits de caractère les plus marquants de Chang, note Johnston, est une irrépressible confiance en soi, laquelle explique qu'il se soit rendu à Pékin accompagné d'une force armée réduite à sa plus simple expression, laissant derrière lui le gros de ses troupes. Or, les hommes du « général chrétien » sont toujours à Pékin, armés et en proie à une vive agitation. Johnston — qui se laisse déstabiliser à son tour par les rumeurs — redoute un coup d'Etat et conseille à son ancien élève de trouver une retraite plus sûre que la « Demeure du nord » qui se trouve distante d'au moins cinq kilomètres du havre qu'est le quartier des légations. Il déclare en confidence à Pu Yi qu'il doit absolument déménager, sans perdre un instant et sans en informer une seule personne de son entourage, fût-ce l'impératrice (qui le rejoindra plus tard) ou le prince Tchun toujours survolté.

Suit alors une sorte de poursuite à la Mack Sennett, à l'occasion de laquelle Johnston, Pu Yi et son serviteur de quatorze ans, Grand Li, sillonnent la ville en tous sens pour tenter de brouiller les pistes et d'empêcher d'hypothétiques membres des services secrets chinois, chargés de surveiller discrètement l'ex-empereur, de deviner quelle est leur destination. Cette manœuvre vise aussi, cependant, à berner les propres serviteurs du prince Tchun, qui mettraient immanquablement leur maître au courant de cette escapade.

Pu Yi et Grand Li montent dans la voiture de l'empereur, conduite par un chauffeur auquel Johnston est chargé d'indiquer le chemin. La propre automobile de ce dernier suit derrière, avec son chauffeur au volant d'un véhicule entièrement vide. Au moment où les deux voitures sont sur le point de se mettre en route pour le quartier des légations, l'un des aides de camp du prince Tchun sort en courant de la maison pour demander où ils vont. « Juste faire un petit tour », répond Pu Yi.

L'aide de camp a manifestement reçu du père de l'empereur l'ordre de ne jamais perdre ce dernier de vue. « Je vous accompagne », annonce-t-il et il monte dans l'auto de Pu Yi. Le miniconvoi quitte alors la « Demeure du nord », mais, au moment où il s'ébranle, deux policiers sautent sur les marche-pieds du véhicule impérial. Personne ne peut les empêcher d'y prendre place et Johnston doit chuchoter ses instructions au chauffeur qu'il pilote à travers un véritable dédale de petites rues, revenant souvent sur ses pas ; son terminus est l'hôpital allemand dans le quartier des légations, où il est sûr que Pu Yi sera le bienvenu, du moins à titre temporaire. Une violente tempête de sable est en cours, qui ne lui permet pas de voir à plus de un ou deux mètres devant lui.

Afin de renforcer la crédibilité de la thèse du « petit tour » allégué par Pu Yi, les fugitifs font la tournée des boutiques. Pu Yi achète une montre. Johnston fait ensuite arrêter la voiture devant chez Hartung, un magasin de photographie bien connu, dans le quartier des légations, qui appartient à un Allemand. Pu Yi et Johnston y pénètrent et font semblant d'examiner des clichés. Lorsqu'ils quittent la boutique, une petite foule s'est rassemblée et quelques personnes ont reconnu l'ex-empereur. Cependant, les deux véhicules peuvent repartir sans problème et, à présent, l'Ecossais ordonne au chauffeur de se diriger vers l'hôpital allemand. Une fois à l'intérieur, il fait demander un de ses amis, un certain Dr Dipper. Pu Yi et Johnston prennent place dans la salle d'attente de l'établissement, tandis que l'aide de camp du prince Tchun les attend dehors dans la voiture. Le médecin allemand accepte de fournir une chambre à Pu Yi et

Johnston les laisse ensemble, pour regagner son propre véhi-cule. A présent, le protégé du prince Tchun comprend, mais un peu tard, qu'on l'a mené sinon en bateau, du moins en auto et, furibond, il ordonne au chauffeur de Pu Yi de le reconduire jusqu'à la « Demeure du nord ». Quant à Johnston, il file droit sur l'ambassade nippone. Depuis le début, il a décidé que c'était là que son ancien élève devait se réfugier, « jusqu'à ce que la situation soit éclaircie ».

Johnston a rendez-vous avec K. Yoshiwara, le ministre japonais qui dirige la légation et avec qui Pu Yi a négocié naguère l'envoi d'un lot d'antiquités représentant sa participa-tion au fonds de secours constitué pour venir en aide aux victimes du tremblement de terre de Tokyo. Yoshiwara assure à son interlocuteur, non sans quelques hésitations, que Pu Yi sera le bienvenu à la légation japonaise et Johnston retourne à l'hôpital allemand d'où, pour sa plus grande surprise et sa brève inquiétude, il constate que son élève a disparu.

En effet, ne voulant surtout pas laisser échapper l'occasion de s'assurer de la personne de Pu Yi, le chef de la garde de la légation japonaise, le colonel Takemoto, a brûlé la politesse à son supérieur hiérarchique. Par l'entremise d'un proche de Pu Yi, qui a toute la confiance de ce dernier, il a organisé le transfert immédiat de l'ex-empereur jusqu'à la légation, dans une voiture à cheval, qui est passée le prendre à l'hôpital alors même que Johnston était occupé à parlementer avec le ministre japonais. Gêné par la tempête de sable, le conducteur s'égare brièvement hors du quartier des légations. Pu Yi est affolé à l'idée d'être encore une fois reconnu et, peut-être, arrêté, mais l'homme retrouve son chemin et son passager parvient à se glisser sans être vu dans l'enceinte de la légation japonaise.

Les malheureux policiers chinois qui ont sauté sur le marchepied de la voiture impériale à son départ de la « Demeure du nord » n'ont pas quitté Pu Yi d'une semelle. Comprenant quelle erreur ils ont commise en le laissant s'enfuir et craignant pour leur vie s'ils s'avisent de regagner sans lui leur point de départ, ils supplient l'ex-empereur de les accepter parmi sa suite. Ce dernier y consent et, à dater de ce jour, ils resteront à son service particulier.

152

C'est un exemple intéressant de la façon dont une décision prise par un militaire japonais l'emporte sur les scrupules d'un civil : officiellement, le commandant de la garde de la légation est le subordonné du ministre, mais en fait, c'est le corps des officiers, disposant de voies de communication privilégiées avec le palais impérial, qui mène la danse.

Cette escapade burlesque à travers les rues de Pékin, au bout de laquelle Pu Yi se réfugie à l'intérieur de la légation japonaise, constitue le dernier grand service que rendra Johnston à son ancien élève. Plusieurs années plus tard, en retraçant avec Pu Dchieh, le frère cadet de Pu Yi, les événements de ce jour fatidique, j'ai demandé si ce dernier avait eu, à l'époque, conscience des conséquences qu'allait avoir sa décision. « Il y avait un camp britannique et un camp japonais, m'a-t-il répondu. Ce sont les Japonais qui ont gagné. »

L'initiative de Johnston, cependant, était tout à fait personnelle, car les Britanniques eux aussi craignaient alors pour la vie de Pu Yi. Par conséquent, ils n'auraient élevé aucune objection si l'ex-empereur avait terminé sa course folle chez eux plutôt que chez les Japonais. Dans ce cas-là, sa vie aurait fort bien pu suivre un cours radicalement différent. Ou bien Johnston ne s'est pas rendu compte des effets incalculables qu'aurait sa décision, ou bien il a préféré ne pas s'en préoccuper.

Jamais son parti pris pro-japonais ne s'est affaibli. Dans sa préface à *Twilight in the Forbidden City,* il fait allusion au « crépuscule du matin, tout autant que celui du soir... il est fort possible que la nuit qui a englouti le crépuscule décrit dans les pages que voici soit suivie, à son heure, par un autre crépuscule qui s'éclaircira pour donner naissance à une nouvelle journée de soleil radieux ». Comme le note Pamela Atwell dans son introduction à la nouvelle édition de l'ouvrage parue en 1985, il y a là une évidente allusion au « Pays du soleil levant ». Johnston est mort en 1938, gardant intactes jusqu'au bout ses illusions japonaises.

12.

La légation japonaise — située presque en face de l'enceinte de la légation britannique, où Johnston va s'établir pour rester proche de Pu Yi — consiste en plusieurs petits bâtiments dont aucun ne saurait se comparer, par la taille, à la « Demeure du nord ». Au début de son séjour, Pu Yi se voit offrir l'appartement de trois pièces ordinairement occupé par le ministre, M. Yoshiwara, et son épouse. Mais il s'avère très vite que ce logement est beaucoup trop petit et on installe l'ex-empereur dans l'un des autres bâtiments de la légation japonaise, qui abrite à la fois des appartements privés pour lui-même et ses deux épouses, des bureaux et une cour improvisée.

Après la fuite de Pu Yi, la surveillance policière autour de la « Demeure du nord » est renforcée et lorsque l'impératrice tente d'en sortir, dans une voiture conduite par un attaché subalterne de la légation japonaise, elle est refoulée. Finalement, il faudra l'intervention personnelle de Yoshiwara pour obtenir qu'elle soit autorisée, ainsi que Wen Hsiu, la jeune concubine, à rejoindre l'empereur.

Plus tard, l'un des parents éloignés de Pu Yi dira, en évoquant ce séjour dans la petite maison de la légation japonaise, que l'atmosphère n'était « pas du tout royale ». Le fait est que la pagaille règne ; Pu Yi est entouré de valises, de caisses et de documents, et ses deux femmes se disputent pour savoir à qui revient le droit d'occuper la plus vaste des chambres disponibles. Les Yoshiwara, malgré leur sens de l'hospitalité,

154

sont secrètement atterrés par la façon dont leur paisible légation, meublée dans le style japonais traditionnel, est brusquement annexée par les courtisans de Pu Yi, bruyants, mal élevés
et querelleurs. Johnston lui-même, qui reste d'une discrétion
surprenante sur ce bref intermède dans la vie de Pu Yi, semble
être indisposé par leur comportement.

L'une des factions rivales de la « cour » de Pu Yi, à la tête
de laquelle se trouve son propre père, le presse de regagner la
« Demeure du nord ». Parmi ce groupe figurent ceux qui,
comme Cheng Hsiao-hsu, l'ancien « réformateur », estiment
que l'empereur commet une grave erreur en devenant l'obligé
des Japonais. Cheng, dont la loyauté envers Pu Yi découle de sa
conviction que la royauté est sacrée (il n'est même pas d'origine
mandchoue), observe les luttes qui opposent les courtisans de
l'empereur avec un détachement plein d'élévation. Il méprise les
monarchistes « ultra » pour la façon flagrante et dépourvue de
finesse dont ils entendent profiter des quelques richesses qui
restent encore à l'empereur. Il ne sait que trop, lui qui a tenté,
sans succès, de réformer les finances impériales, jusqu'à quel
degré de vénalité peuvent aller certains des sympathisants les
plus véhéments de Pu Yi. Le prince Tchun lui-même a perdu
toute crédibilité auprès de son fils : tout au long de l'épreuve
qu'ils viennent de subir, il a fait preuve d'une couardise
hystérique et il paraît n'avoir qu'une seule considération en
tête : l'argent. Pour cette seule raison, Pu Yi n'est guère enclin à
l'écouter, non plus que ceux qui veulent lui voir réintégrer la
« Demeure du nord ».

Parmi les autres courtisans, il y a ceux qui considèrent
d'ores et déjà la légation japonaise comme une espèce de cheval
de Troie qui permettra éventuellement de faire entrer Pu Yi en
Mandchourie pour le remettre sur le trône. Ils sont persuadés
qu'alors leurs titres princiers cesseront d'être des chiffons de
papier pour leur donner l'occasion de redevenir des petits
seigneurs féodaux, habilités à lever des impôts, ce qui les rendra
vite riches et puissants. Ceux-là sont les « fidèles de la bannière », mal dégrossis et forts en gueule, dont la grossièreté
choque les Japonais et dont les revendications financières, qui
manquent pour le moins de subtilité, hérissent Pu Yi.

Ces demandes ne pourraient d'ailleurs pas tomber plus mal, car, après l'éviction de l'ex-empereur de la Cité interdite, la presse, qu'elle soit de langue chinoise ou étrangère, est pleine d'articles concernant la façon dont les « trésors nationaux » qui s'y trouvaient entreposés ont mystérieusement disparu. C'est, bien sûr, le tristement célèbre Bureau de la maison impériale qui est responsable de cet état de choses et non Pu Yi, mais cela, l'opinion publique l'ignore. En attendant, le gouvernement chinois en place est des plus instables ; non seulement il n'a pas d'argent liquide pour avancer à l'ex-empereur les cinq cent mille dollars auxquels se réduit désormais son allocation, mais il est dangereusement à court de fonds pour administrer les parties du pays qui restent encore sous son autorité nominale.

Le contrôle exercé par le gouvernement central sur ses finances, écrit le professeur Albert Feuerwerker de l'université du Michigan (dans le volume XII de la *Cambridge History of China*), s'est « presque volatilisé ». Et, comme le note le professeur Sheridan, de la *Northwestern University* (dans le même volume), « le ministre des Finances n'a pas d'argent, le ministre des Communications n'a pas de chemins de fer à superviser parce qu'ils sont tous entre les mains des commandants militaires... et toutes les écoles publiques sont fermées parce que les notes d'eau et d'électricité n'ont pas été payées et que les enseignants ne reçoivent pas de salaire ». Ce n'est donc pas le moment pour Pu Yi de réclamer sa liste civile tronquée, surtout à présent qu'il s'est réfugié à la légation japonaise, rejetant implicitement l'autorité du gouvernement chinois.

Un personnage plus complexe et plus sinistre commence dès lors à jouer un rôle de plus en plus important dans la vie de l'ex-empereur : Lo Chen-yu était un « fidèle de la bannière mandchoue », sous « l'ancien régime », et il s'est signalé à l'attention de Pu Yi en 1922. Il possède certes un vernis d'érudition, mais ce qui l'intéresse vraiment, ce sont les antiquités. Familier de la cour à partir du mariage de l'empereur, il a été l'intermédiaire indispensable lorsque le bureau de la maison impériale a éprouvé le besoin de commencer à vendre les trésors de la maison des Ch'ing. Cet homme d'une extrême vénalité, à présent quinquagénaire, ne tarde pas à avoir maille à partir avec

Cheng Hsiao-hsu, qui l'a très vite percé à jour et a su reconnaître en lui un coquin corrompu et beau parleur, doué d'un œil suffisamment averti pour évaluer n'importe quelle antiquité et traînant derrière lui une réputation de faussaire de manuscrits anciens. Dégoûté, l'ex-réformateur fait ses bagages et se retire, momentanément, à Shanghai.

Au sein de cet ersatz de cour en miniature, Pu Yi commence à manifester des signes croissants de la faiblesse que ses précepteurs avaient notée chez lui dans son enfance : il s'entiche d'un sujet pour lequel il montre, pendant quelque temps, une passion débordante et puis il ne tarde pas à perdre tout semblant d'intérêt et finit par en revenir à la seule et unique discipline qui l'a toujours fasciné, l'entomologie et, tout spécialement, l'étude des fourmis à propos desquelles il est fort savant. A l'instar du « Vieux Bouddha », il fait du favori d'aujourd'hui l'ennemi de demain. Durant les trois mois que passe Pu Yi à l'intérieur de la légation japonaise, Lo Chen-yu parvient à s'insinuer dangereusement dans ses bonnes grâces et ce nouveau mentor de l'empereur, soit par goût, soit parce qu'il est secrètement payé par les Japonais, devient le premier d'une longue série de membres d'une « cinquième colonne » pro-nippone au sein de cette cour impériale sérieusement amputée. C'est lui qui, jour après jour, presse Pu Yi de quitter la Chine pour se rendre non pas à Oxford, comme l'aurait souhaité Johnston, mais au Japon. Ses conseils ne seront pas écoutés, mais c'est quand même lui qui est à l'origine du départ de l'empereur... pour Tientsin.

Juste avant de partir, Pu Yi donne, à l'occasion de son dix-neuvième anniversaire (qui, pour les Chinois, est le vingtième, puisque chez eux un nouveau-né a un an le jour de sa naissance), sa première réception officielle depuis son éviction de la Cité interdite. La salle de réception de la légation japonaise se transforme pour la journée en salle du trône ; des serviteurs japonais la garnissent de superbes tapis, d'un fauteuil jaune qui symbolise le trône impérial et d'innombrables coussins et ornements de papier jaunes. Les monarchistes y assistent en costume d'apparat : couvre-chefs impériaux avec des glands rouges, boutons de mandarin, robes de zibeline. Les diplomates viennent en habit. D'après Pu Yi, le nombre des invités se monte à environ cinq cents.

Le discours prononcé par l'empereur — reproduit ultérieurement dans la presse — est à la fois digne et mélancolique. Il rappelle à tous qu'il n'est qu'un invité « sous un toit étranger » et que, « comme je n'ai que vingt ans, il n'est pas normal que je sois occupé à célébrer une " longue existence " ». Sa jeunesse à l'intérieur de la Cité interdite (le « Grand au-dedans », comme il l'appelle) « a été celle d'un prisonnier » et il ne regrette nullement qu'elle ait pris fin. Ce qui l'a choqué, en revanche, c'est la façon dont elle s'est terminée : alors qu'il aurait été heureux d'être partie prenante dans l'abrogation des « Articles du traitement bienveillant », « l'envoi de soldats au palais a été un acte de violence... depuis longtemps je nourris le désir sincère de ne plus me servir de ce titre vide de sens, mais le fait d'être obligé d'y renoncer par la force m'a rendu très malheureux ». En outre, la soudaineté des événements a été source d'humiliation. « Même s'il [le général chrétien] avait raison de me chasser, pourquoi a-t-il fait confisquer tous les vêtements, la vaisselle, les documents calligraphiques et les livres qu'ont laissés mes ancêtres ? Pourquoi ne nous a-t-il pas autorisés à emporter les bols, les tasses et les ustensiles de cuisine dont nous nous servions tous les jours ? Etait-ce donc pour " préserver des antiquités " ? Je ne crois pas que je me serais montré si dur, même si j'avais eu affaire à des bandits. »

Pu Yi ne livre pas la moindre indication sur le genre de vie qui l'attend, si ce n'est qu'il s'engage à ne pas se mêler de politique : « Jamais je ne donnerai mon accord à une proposition de rechercher une aide étrangère pour m'aider : je ne pourrais pas me servir de forces étrangères pour intervenir dans la politique intérieure de la Chine. »

L'assistance lui fait une ovation. Dans le courant de la semaine, Pu Yi, accompagné de son jeune serviteur, Grand Li, sort à vélo de la légation japonaise pour aller faire un tour jusqu'à la Cité interdite. Là aussi, la mélancolie le gagne et il s'empresse de repartir.

Cette nouvelle escapade exaspère les diplomates nippons. Lorsqu'il tente de récidiver, quelques jours plus tard, les gardes de la légation refusent de lui ouvrir les grilles. Le ministre japonais lui explique qu'il s'agit de mesures de sécurité prises pour son bien : il craint pour la vie de son hôte dans le climat exacerbé qui s'est installé à la suite de la présence des troupes du « général chrétien ». Le sentiment d'être à nouveau prisonnier incite Pu Yi à prêter plus facilement l'oreille aux projets de Lo Chen-yu qui le presse de quitter la capitale pour aller s'installer à Tientsin où il sera plus en sécurité et où la vie est moins chère. Un proverbe chinois (et tchèque également) dit qu'au bout de trois jours un poisson et un invité commencent à sentir également mauvais. Or cela fait trois mois que Pu Yi est l'hôte de la légation japonaise.

Les Yoshiwara lui expriment leurs regrets officiels, avec l'habituel excès de politesse, et lui assurent qu'il est le bienvenu pour aussi longtemps qu'il le désirera. Secrètement, cependant, ils sont soulagés de le voir partir et l'on peut même penser que ce sont eux qui ont persuadé Lo Chen-yu de proposer ce déménagement qu'il supervise en personne. Il loue un train spécial aux chemins de fer Pékin-Tientsin et, le 23 février 1925, Pu Yi se rend, à la sauvette, jusqu'à la gare de Pékin. Pour cette occasion, il porte un costume chinois — robe et calotte noires – et ses lunettes préférées, les mêmes qu'Harold Lloyd.

Johnston aussi est du voyage. Ce sera l'occasion d'une de ses dernières conversations détendues avec Pu Yi, car l'épisode Ch'ing, qui laissera sur sa vie une marque indélébile, touche à sa fin ; il est sur le point de reprendre sa carrière dans le « Colonial Service », en tant que gouverneur du Wei Hai-wai, et le trajet en train fait partie d'une série d'adieux prolongés. De toute façon, à l'époque, Pu Yi n'occupe plus une place de premier plan dans les préoccupations britanniques (à présent, l'homme à suivre, c'est Chiang Kai-shek) et il n'a pas les moyens de prendre lui-même Johnston en charge.

Tientsin (ou Tianjin, comme on dit à présent) est, à l'époque, la ville la plus cosmopolite de Chine après Shanghai ; c'est le prototype des « concessions internationales » que la Chine a été obligée de céder sous la pression croissante des autres pays. Elle possède de vastes communautés britannique, française, allemande et japonaise et chacune des concessions est une colonie miniature. Il y a trois municipalités « anglaises », cinq églises étrangères, huit clubs de tennis, cinq loges maçonniques, sept clubs mondains (tous interdits aux Chinois), des clubs de hockey, de cricket et de golf, des piscines (pour les étrangers) et un énorme champ de courses, incendié lors de la rébellion des Boxeurs, mais reconstruit depuis, avec une tribune impressionnante. La ville peut se targuer d'avoir quatre quotidiens de langue étrangère : le *Peking and Tientsin Times, L'Echo de Tientsin,* un journal japonais qui s'intitule *Tenshin Nichi-Nichi Shimbun* et enfin le *Tientsin Tageblatt.* Il y a en outre de petites communautés belge et italienne et des milliers de Russes blancs, désormais apatrides. Comme l'a écrit Isherwood (dans *Journey to a war*) :

« On aperçoit deux ou trois d'entre eux derrière chaque bar ; ils forment une tribu d'hommes gras et vaincus, qui mènent, toujours entre quatre murs, une vie mélancolique faite de cancans, de mah-jong, de boisson et de bridge. Ils ont tous atterri ici Dieu sait comment... et ils y resteront ; personne d'autre n'en veut. Ils ont établi leur droit précaire à l'existence, à coups de passeports Nansen, de papiers chinois d'une validité douteuse, de certificats d'identité tsaristes désormais périmés, grands comme des nappes, ou tout simplement par la force de leur seule présence d'hommes ruinés. Leurs grandes figures pâles contemplent l'avenir par-dessus d'innombrables cigarettes et verres de thé, sans pitié, sans espoir. »

« Leurs pendules, déclare Auden, se sont arrêtées en 1917. Et depuis, c'est l'heure du thé. »

La « Salle Gordon » (ainsi nommée en l'honneur de Gordon « le Chinois », le général britannique tué à Khartoum) héberge le « British Civic Centre », qui regroupe les activités communales des expatriés britanniques, mais les véritables lieux de rencontre sont les nombreux restaurants, cafés et night-clubs étrangers de la ville. Il y a aussi des hôtels et des cinémas appartenant à des étrangers et enfin, dans Dublin Road, d'innombrables bordels florissants et des fumeries d'opium.

L'atmosphère est celle d'une petite colonie de deuxième ordre, passablement collet monté, tempérée par la proximité de la vaste ville chinoise, que l'on s'efforce toutefois d'oublier. Il y a le « Victoria Park », jardin public à l'anglaise, des cafés allemands avec des petits orchestres de bastringue, des restaurants russes miteux et des magasins britanniques bon chic, bon genre. Whiteway and Laidlaw, le Harrods de Tientsin, jouit d'une réputation internationale pour la qualité de ses costumes en tweed bien coupés et de ses lourds mais pratiques souliers de dame, chers aux « ladies » anglaises. Comme dans toutes ces petites colonies éloignées où l'on vit à l'étroit, la moralité bourgeoise, les jalousies mesquines et les ragots de club prennent une importance absurde et l'arrivée de Pu Yi est considérée comme un grand événement pour la bonne société.

Il s'agit, cependant, d'une atmosphère « coloniale » un peu spéciale : elle est non seulement plus cosmopolite que dans les communautés britanniques analogues établies aux Indes ou en Afrique, mais il y plane en outre un plus grand sentiment d'insécurité : les négociants, banquiers et fonctionnaires européens et leurs familles ont pleinement conscience du fait qu'ils vivent dans un tout petit refuge où règnent la loi et l'ordre, perdu au milieu d'un énorme pays en proie à l'anarchie. Cela signifie que les divergences d'ordre national ont moins d'importance que le facteur racial qui unit tous ces gens entre eux : au plus fort de la Première Guerre mondiale, en leur qualité de membres d'une civilisation « avancée » et supérieure, les communautés britannique, française et allemande de Tientsin se sont senties plus rapprochées par leur origine européenne que momentanément divisées par la guerre.

Henry Woodhead, rédacteur en chef du *Tientsin and Peking Times*, a décrit cette enclave coloniale terriblement artificielle dans *Adventures in Far Eastern Journalism* (publié à Tokyo par les Presses Hokuseido). Il va devenir le compagnon intermittent, mais privilégié de Pu Yi — son journal publie un « Bulletin de la cour » où sont rapportées les activités quotidiennes de l'empereur — et, du fait que l'actualité s'intéresse périodiquement à ce dernier, Woodhead devient un « correspondant » recherché par les autres publications. « J'étais sur un pied de grande intimité avec l'empereur », se vantera-t-il. Woodhead est un de ces bâtisseurs d'empire à la britannique, conventionnel, plutôt étroit d'esprit ; éduqué à Brighton College, il n'a pas

161

terminé ses études et il est loin d'avoir l'intellect de Johnston. C'est le type même de l'Anglais petit-bourgeois, parti en quête d'aventures au fin fond de l'empire non pas dans un but de lucre, mais pour échapper aux mesquines distinctions de classe qui sévissent alors en Grande-Bretagne ; le genre d'homme qu'a décrit Somerset Maugham dans ses livres, avec un mélange d'aversion et de fascination.

En sa qualité de reporter, Woodhead se trouve à la gare de Tientsin lorsque Pu Yi y débarque de son train spécial, flanqué de Johnston et d'une nombreuse phalange de policiers japonais en civil. La garde d'honneur de la concession japonaise présente les armes et l'empereur disparaît au plus vite vers la concession japonaise de Tientsin.

C'est Lo Chen-yu qui a choisi la demeure où il va séjourner, le « Jardin de Chang », un vaste domaine cerné par un mur, qui appartient à un « fidèle de la bannière » loyal à Pu Yi ; ce dernier a reçu du propriétaire la promesse qu'il pourra occuper les lieux à titre gracieux aussi longtemps qu'il le désirera. Du point de vue japonais, c'est un endroit merveilleusement situé : il se trouve non seulement en plein milieu de la concession nippone, dans Asahi Road, mais aussi juste en face du palais Kasuga, le quartier général des services secrets japonais à Tientsin. La maison n'est pas tout à fait prête, cependant, et Pu Yi passe la première nuit dans un hôtel appartenant à des Japonais.

Selon Woodhead, l'empereur possède lui-même une vaste demeure dans la concession britannique. S'il n'a même pas envisagé de s'y installer, c'est parce que, comme le journaliste l'apprendra par la suite, il a réclamé la protection d'un détachement de police et que la municipalité de la concession a refusé.

Dès que la maison du « Jardin de Chang » est convenablement meublée, les deux épouses de Pu Yi le rejoignent à Tientsin. Cela donne lieu à de nouvelles disputes pour des histoires de chambre et de préséance. Dans ses souvenirs sur la vie quotidienne à Tientsin, Woodhead se rappelle l'ambiance qui régnait chez les Pu Yi comme étant, avant tout, celle d'un paradis pour chiens. Il y a les nombreux pékinois de l'impératrice Wan Jung, dont aucun n'est véritablement « propre » et qui n'arrêtent pas de couiner ; il y a les deux dogues anglais de l'empereur, « M. et Mme Ponto », deux énormes molosses d'aspect rébarbatif, qui rôdent la nuit dans le parc du « Jardin de Chang ». Pu Yi promet un de leurs rejetons à Woodhead, si d'aventure il leur arrivait de procréer, mais l'Anglais refuse : il ne sait pas combien de temps il va rester à Tientsin et il redoute qu'un tel chien ne coûte une fortune à nourrir. Tous ces animaux sont tolérés dans les garden-parties en raison du rang de leurs maîtres, mais Pu Yi laisse à ses serviteurs le soin de s'occuper d'eux et ceux-ci — ainsi que l'impératrice — gâtent outrageusement les pékinois. Pour ne pas être en reste par rapport à sa rivale, Wen Hsiu réclame elle aussi des pékinois et les furieuses batailles qui éclatent parfois entre les chiens reflètent les querelles presque aussi hargneuses et bruyantes qui feront rage, plus tard, entre l'impératrice et la concubine. Pour le moment, cependant, aux premiers jours de leur arrivée à Tientsin, Woodhead note qu'Elizabeth (« une ravissante jeune femme qui fait penser à une délicate porcelaine ») et Wen Hsiu paraissent plutôt bien s'entendre, « comme deux sœurs ».

Pu Yi savoure, quant à lui, la relative liberté de ces premiers mois à Tientsin. Il est plus libre de ses mouvements qu'il ne l'a jamais été, même si, toujours pour des questions de sécurité, des gardes du corps japonais le suivent partout, et il ne tarde pas à devenir très mondain ; sa femme et lui assistent au bal annuel de l'Association écossaise, la « Saint Andrew's Society », ce qui pose aux organisateurs un léger problème lorsqu'ils s'aperçoivent que le « Jeune maréchal », c'est-à-dire le fils de Chang Tso-lin, qui ne porte pas Pu Yi dans son cœur, est lui aussi invité. (Finalement, ils y assisteront tous les deux, mais pas au même moment.) Woodhead précise que l'ex-empereur est toujours vêtu avec beaucoup d'élégance : les leçons de Johnston ont porté leurs fruits. Pu Yi fait l'acquisition de deux motos dont il ne se sert qu'à l'intérieur de son domaine ; Woodhead signale, cependant, un après-midi désopilant durant lequel l'empereur insiste pour que Johnston, qui est venu lui rendre visite, essaie un des deux engins ; l'Ecossais, peu à l'aise, finit par faire en zigzaguant le tour de la cour, tandis que Pu Yi rit aux éclats.

Certains des éditoriaux en langue anglaise dont Johnston s'est servi naguère, dans la Cité interdite, pour apprendre l'anglais à son élève ont été écrits par Woodhead et Pu Yi annonce un jour au journaliste qu'il souhaite visiter les locaux du *Tientsin and Peking Times,* sous son nom d'emprunt habituel, « M. Wang ».

Un après-midi, un secrétaire chinois fait irruption dans le bureau de Woodhead : « Voilà l'empereur ! — Mais non, mais non, corrige le Britannique, ce n'est que M. Wang. » Pu Yi passe un long moment dans les locaux du quotidien ravi d'apprendre comment il est fabriqué. Après son départ, un des typographes chinois déclare à Woodhead qu'il devrait faire mettre sous verre le fauteuil dans lequel a pris place « M. Wang ». « Vous comprenez, l'empereur s'y est assis ! » Il existe au moins un inconditionnel de la monarchie parmi le personnel du journal.

Woodhead fait également connaître à Pu Yi un petit club de bridge décontracté, le « Tripehundverein », dont les membres sont anglais et allemands. Personne ne sait à quoi le club doit son nom plutôt étrange (il signifie « association de vauriens ») et lorsque Pu Yi accepte d'en devenir membre, on lui remet, en grande cérémonie, un parchemin frappé d'impressionnantes armoiries.

Pendant que l'ex-empereur fraye ainsi avec les personna-lités du corps diplomatique et de l'élite professionnelle de Tientsin, qui n'ont rien de bien exaltant, allant boire du chocolat chaud au café de Herr Bader, écouter la fanfare du régiment des Royal Scots, après la parade du dimanche matin, commander toute une ribambelle de costumes chez Whiteway and Laidlaw, et, si l'on en croit Woodhead, s'adonner à ses sports de prédilection — tennis, patinage, automobile —, la Chine traverse une de ses crises périodiques : sous bien des rap-ports, le repli de Pu Yi jusqu'à Tientsin est parfaitement raisonnable, car, durant les dix-huit premiers mois de son séjour dans cette ville, Pékin est pratiquement privée de gouvernement et remplie d'étudiants et de soldats indiscipli-nés qui quadrillent la ville à leur guise. L'empereur, même s'il n'est plus en contact avec les bagarres quotidiennes du monde

164

politique, est du moins en sécurité... et à l'abri des ennuis.

Les seigneurs de la guerre rivaux dominent des gouvernements impuissants, composés en grande partie d'hommes qu'ils ont eux-mêmes mis en place, mais ces gouvernements vont et viennent à une vitesse confondante. Le « général chrétien » et Chang Tso-lin se livrent un nouvel assaut en 1925, avec pour enjeu Pékin. Pu Yi observe avec intérêt le flux et le reflux des combats indécis, car ses conseillers l'ont persuadé que les seigneurs de la guerre détiennent la clef de son avenir : celui qui l'emportera s'empressera — à ce qu'ils croient — de rétablir les « Articles du traitement bienveillant » et l'on verra de nouveau couler à flots cet argent liquide dont le besoin commence à se faire sérieusement sentir.

Parmi tous les combattants, le maréchal Chang Tso-lin paraît être celui sur lequel Pu Yi a intérêt à miser. Un jour de juin 1925, le beau-père de l'ex-empereur, qui est toujours responsable des finances de la maison impériale, en dépit de ses insuffisances notoires dans ce domaine, apporte à son gendre une grande nouvelle : Chang Tso-lin s'est engagé à verser cent mille dollars pour alimenter ce qui reste du « trésor de guerre » de la maison impériale. En contrepartie, le « generalissimo », comme il se fait désormais appeler, demande à rencontrer officieusement Pu Yi ; l'entretien aura lieu en tête à tête et à l'extérieur des concessions étrangères. Une nuit, sans informer les Japonais de sa démarche — mais un agent des services secrets nippons le suit à la trace —, l'empereur se glisse hors de la concession et va retrouver Chang Tso-lin dans une maison isolée de la ville chinoise. Elle est encerclée par les gardes du corps personnels de Chang, de grands gaillards qui portent un uniforme gris conçu par le « generalissimo » en personne.

L'homme qui accueille Pu Yi à l'intérieur de la demeure, en se prosternant rituellement, ne correspond pas du tout à l'idée que se fait ce dernier d'un seigneur de la guerre : c'est un individu de petite taille, frêle, en civil, avec une fine moustache qui, pour autant qu'on puisse en juger d'après les clichés de l'époque, lui donne un faux air de Clark Gable, que viennent renforcer un sourire éblouissant et un charme irrésistible. Woodhead, qui l'a bien connu, l'a dépeint sous les traits d'un

« homme mince et délicat d'aspect, avec des mains extraordinairement petites », fumant cigarette sur cigarette.

Assis côte à côte, les deux hommes font assaut de politesses : Pu Yi, comme il l'a écrit lui-même, est d' « excellente humeur », parce que les saluts rituels de son interlocuteur ont dissipé « le sentiment de malaise qu'avait fait naître chez moi l'idée que je m'étais abaissé en consentant à lui rendre visite ». L'empereur remercie Chang Tso-lin d'avoir veillé à ce que les palais que possède la « maison des Ch'ing » en Mandchourie et dans les autres régions qu'il contrôle restent en parfait état. Il n'y a pas eu de pillage, confirme Chang. Il maudit le « général chrétien » pour s'être conduit de façon aussi barbare l'année précédente. Pu Yi explique que c'est à cause du général et de ses hordes de pillards qu'il a préféré venir s'installer à Tientsin et il trace un tableau caustique de l'existence mondaine, vide et mesquine, qu'il mène dans cette ville, en compagnie d'Européens médiocres. Chang compatit : « Si vous avez besoin de quoi que ce soit, déclare-t-il, n'hésitez pas à me le demander. »

Un aide de camp subalterne, qui rôde dans l'antichambre, vient annoncer au « generalissimo » que son chef d'état-major souhaiterait lui parler. « Ce n'est pas pressé, répond Chang. Qu'il attende un instant. » Pu Yi se lève, mû par le sentiment que l'entretien est terminé. En sortant, il aperçoit brièvement une ravissante jeune Chinoise ; c'est de toute évidence la dernière concubine en date du « generalissimo », qui attend avec impatience qu'il veuille bien s'occuper d'elle.

Chang Tso-lin raccompagne son invité jusqu'à sa voiture. Lorsqu'il remarque l'agent secret japonais qui attend juste à côté du véhicule, il lance d'une voix forte, pour être certain d'être entendu : « Si ces Japonais osent porter la main sur vous, faites-le-moi savoir et je m'en occuperai. »

Le lendemain, le consul général du Japon fait des remontrances à Pu Yi. Si la chose devait se reproduire, précise-t-il, en termes ultra-polis ponctués d'innombrables saluts, le Japon « ne saurait, à l'avenir, garantir la sécurité de Votre Majesté ».

Les conseillers de Pu Yi jubilent, d'autant plus que, peu de temps après, Chang Tso-lin passe aux actes, met en déroute les troupes du « général chrétien » et, en juin 1927, contrôle officiellement Pékin où il proclame l'établissement d'un gouvernement militaire. Son adversaire vaincu s'enfuit en Union soviétique, où il est accueilli en « hôte de marque », mais les cinq mois qu'il y passe ne lui font pas bonne impression : lorsqu'il quitte enfin l'Union soviétique, c'est un sympathisant communiste beaucoup moins fervent qu'il ne l'était en arrivant. Il deviendra d'ailleurs par la suite un des alliés de Chiang Kai-shek.

Si Pu Yi — après sa rencontre ambiguë avec Chang Tso-lin, dont l'intention était clairement de le mettre en garde, de façon détournée, contre les Japonais — avait su exploiter cette amitié et agir avec audace, peut-être aurait-il pu regagner Pékin, sous la protection des soldats de Chang, et serait-il parvenu à obtenir que son sort soit réglé de façon durable. L'ennui, c'est que l'ex-empereur, soit parce que l'inaction lui pèse, à force de stagner à Tientsin, soit parce qu'il suit les conseils contradictoires des « mouches du coche » de sa « cour », noue toutes sortes d'intrigues et côtoie tout un tas de seigneurs de la guerre rivaux, dont certains sont de véritables escrocs. L'un d'entre eux, Chang Tsung-chang, que l'on appelle indifféremment « le général pâtée pour chiens » (en raison de ses peu reluisantes origines) ou « le général aux longues jambes » (allusion à l'habitude qu'il a d'éviter les risques personnels en cas de bataille), a été naguère un des collègues de Chang Tso-lin. Il possède à présent son propre petit fief et il fréquente assidûment le « Jardin de Chang » où Pu Yi, fasciné, l'écoute raconter ses exploits... sans doute prêt à accepter n'importe quoi pour tromper son ennui. Un autre seigneur de la guerre, encore plus louche, qui figure un temps parmi les salariés de Pu Yi, est un ancien général cosaque, du nom de Semenov, qu'il fréquente brièvement en 1925. Semenov est très occupé à mettre sur pied une « Ligue anti-bolchevique » avec l'aide de la communauté russe de Tientsin, mais ses chantages à la protection ne tardent pas à faire de lui une espèce de mafioso redouté et haï par la majorité de ses compatriotes. Les fonds qu'il parvient à réunir, il les garde pour lui et pour ses voyous cosaques.

Pu Yi est intéressé, car à l'époque le « général chrétien » contrôle toujours Pékin et nourrit de vives sympathies procommunistes. Semenov, menteur encore plus fieffé et persuasif que « le général aux longues jambes », prétend qu'il n'a pas vraiment besoin d'argent : ses partisans, se vante-t-il, se sont déjà engagés à verser trois cents millions de roubles et des banques américaines, britanniques et japonaises tiennent des sommes colossales à sa disposition. A la seule Hongkong and Shanghai Bank, prétend-il, quatre-vingts millions de dollars ont été déposés à son nom par les services secrets britanniques, dans le cadre d'un projet à long terme mis sur pied par la Grande-Bretagne pour déstabiliser l'Union soviétique. C'est uniquement parce qu'il se trouve à court de liquide qu'il est venu trouver Pu Yi. Une fois que ses armées de cosaques bien entraînées et extrêmement motivées entreront en action, la restauration de l'empereur sur le trône des Mandchous sera pour ainsi dire chose faite. Il serait vraiment dommage de laisser passer une aussi belle occasion. Pu Yi lui remet cinquante mille dollars.

Un autre spécialiste des relations publiques, ou qui se dit tel, Liu Feng-chih, assure qu'il est seul qualifié pour soudoyer les membres de l'entourage de Chang Tso-lin, afin d'assurer le retour de Pu Yi dans la Cité interdite, en tant qu'empereur de Chine. Celui-là fait savoir qu'il lui faut des perles, comme monnaie d'échange. On lui en confie. Depuis Pékin, Liu fait savoir qu'il a besoin d'un surcroît de fonds, de préférence sous forme de liquide. Pu Yi commence à nourrir quelques soupçons. « Je me suis rendu compte que quelque chose clochait, devait-il écrire plus tard, lorsqu'il est venu, en larmes, me parler de ses problèmes financiers : cette fois-là, il ne m'a demandé que dix dollars. »

Toutes ces demandes ont sérieusement écorné le « trésor de guerre » de Pu Yi... et le résultat de toutes ces manigances est quasiment nul. De toute façon, à supposer que l'une d'elles ait réussi, le répit n'aurait guère duré, car, brusquement, en 1928, les événements se précipitent. Chiang Kai-shek amorce son « grand dessein », qui est d'établir son autorité sur la Chine entière ; tandis qu'il se met en devoir de défier tous les autres seigneurs de la guerre, l'intérêt qu'éprouvent ces derniers pour la restauration de Pu Yi s'évanouit, et les espoirs de l'ex-

Pu Yi (Richard Wu) enfant, avec l'impératrice douairière Tzu-hsi, deux jours avant la mort de celle-ci. A côté d'elle, disait-on, Messaline et les Borgia faisaient figure d'enfants de chœur. Il avait trois ans quand elle le nomma empereur. *(Ph. extraite du film de Bertolucci : Le Dernier Empereur.)*

Le prince Tchun, père de Pu Yi et bientôt régent, tient Pu Dchieh (jeune frère de Pu Yi) sur ses genoux. Pu Yi *(à droite)*, ignore encore qu'il sera empereur dans quelques semaines. *(Ph. Roger-Viollet.)*

A son couronnement, Pu Yi (Richard Wu), face à sa cour et à ses eunuques,
à l'intérieur de la Cité interdite. Lui seul a le droit de porter le jaune impérial. *(Ph. film.)*

« Une existence régie par le protocole.
Ses courtisans le traitent avec la déférence due à un dieu vivant. » *(Ph. film.)*

« Un petit garçon grave, ruminant de secrètes pensées. Il a l'air triste mais maître de lui. Dans sa pose, une raideur immobile et dans son regard fixe, un soupçon de mépris. » *(Ph. film.)*

Pu Yi, enfant, aime les fleurs et passe des heures à étudier les fourmis. Sa solitude est totale. Déjà son palais est une prison. *(Ph. Roger-Viollet.)*

A onze ans, « dans l'atmosphère artificielle de la Cité interdite, Pu Yi se comporte toujours en monarque régnant et absolu ». *(Ph. extraite du livre :* From Emperor to Citizen *- D.R.) Ci-dessous :* dans la chambre nuptiale du *Phoenix,* tout est rouge. Pu Yi (Wu Tao) attend la mariée. *(Ph. film.)*

Pu Yi, le jour de ses noces (1922), en costume traditionnel, est peu sensible à la beauté de son épouse. Celle-ci, Wan Jung *(à droite)* mourra droguée, dans des circonstances atroces. *(Ph. extraite de :* From Emperor to Citizen - *D.R.)*

Wan Jung (Joan Chen) avec Pu Yi. Selon l'eunuque, les rapports entre le jeune couple sont, dès le premier soir, désastreux. *(Ph. film.)*

Reginald Johnston, précepteur écossais de Pu Yi, dans sa robe de « mandarin de première classe », *en haut* *(ph. extraite de :* From Emperor to Citizen) ; *en bas,* Johnston incarné par Peter O'Toole. Il voulait faire de Pu Yi un « petit gentleman ». *(Ph. film.)*

Jusqu'à l'arrivée de Johnston, qui bouleversera le protocole, l'empereur ne se déplaçait qu'en palanquin. *(Ph. film.)*

Le jeune Pu Yi (Tijger Tsou), avec sa nourrice, la seule femme qu'il aima véritablement. Il ne se consolera jamais de son départ. *(Ph. film.)*
Wan Jung (Joan Chen), le soir de ses noces. Pu Yi l'avait choisie sur photo. « Je fis une croix sur un visage qui me paraissait joli. » *(Ph. film.)*

De son expulsion de la Cité interdite en 1924,
Pu Yi (John Lone) gardera une profonde amertume. Il se tournera alors vers les Japonais. *(Ph. film.)*

Exilé à Tientsin, concession internationale, entouré de parents à sa charge,
Pu Yi vit modestement et broie du noir. *(Ph. extraite de :* From Emperor to Citizen - *D.R.)*

Peu après, adoptant le genre play-boy, il fréquente les boîtes de Tientsin avec Wan Jung, élégante et dépensière. *(Ph. film.)*

Devenu empereur du Mandchoukouo, Pu Yi, flanqué de généraux japonais, se rend vite compte qu'il a mal choisi son camp. *(Ph. Roger-Viollet.) Ci-dessous :* Il devient une caricature de l'empereur du Japon. *(Ph. : L'Illustration.)*

Ci-contre : déguisée en homme *(à gauche)* à un bal masqué à Shanghai, la Mata Hari chinoise, qui est aussi une princesse mandchoue, avec son officier traitant japonais, Tanaka. *(Ph. Mainichi Shimbun.)*

Pu Yi, empereur du Mandchoukouo, le jour de son couronnement, à Changchun. Les rites, l'assistance et le cérémonial sont japonais, mais il a revêtu la robe impériale chinoise. *(En haut : Ph. Keystone; en bas : ph. film.)*

Pu Yi (John Lone) devant les drapeaux japonais et impériaux *(en haut)*, et en commandant en chef des forces du Mandchoukouo. Son uniforme a été spécialement conçu pour lui, avec l'emblème national, l'orchidée. *(Ph. film.)*

Le vrai Pu Yi *(en haut)*, lors de sa visite officielle au Japon en 1935, passant en revue les troupes avec l'empereur Hiro-hito *(Ph. Keystone)*; et *(en bas)* l'arrivée de Pu Yi à Tokyo. *(Ph. film.)*

Pu Yi, quelques minutes après son arrestation par les Soviétiques à l'aéroport de Moukden (août 1945) alors qu'il essayait de fuir au Japon *(Ph. Keystone);* et *(cidessous)* un Pu Yi repenti, communiste bon teint, participant à une réunion en l'honneur de Mao. *(Ph. film.)*

Pendant neuf ans de rééducation dans une prison communiste chinoise, Pu Yi, matricule 981, a « confessé » ses crimes, s'est initié au jardinage *(Ph. Keystone)*, et a reprisé son linge. *(Ph. extraite de : From Emperor to Citizen - D.R.)*

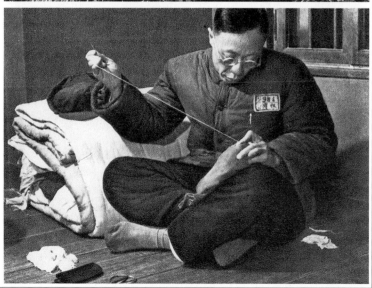

Pu Yi et Li Shu Hsieu, sa dernière épouse, à la sortie de leur logement à Pékin. Il exerce le métier d'archiviste, elle est infirmière. Ils se sont mariés en 1962. *(Ph. extraite de :* From Emperor to Citizen - *D.R.)*

Pu Dchieh, frère cadet de Pu Yi, réintégré comme lui dans la société communiste chinoise, est membre respecté de l'assemblée consultative. *(Ph. Basil Pao.)*

Li Wenda, éditeur et journaliste, a été le véritable artisan de l'autobiographie de Pu Yi, *From Emperor to Citizen*. *(Ph. Basil Pao.)*

empereur s'effondrent. « A mesure qu'ils voyaient leurs fronts militaires se désintégrer, note-t-il dans son autobiographie, les généraux du Nord n'éprouvaient plus aucune envie de se préoccuper des Articles du traitement bienveillant. »

13

13.

Chang Tso-lin, le fringant sosie de Clark Gable, s'est forgé jadis auprès des Japonais une solide réputation de chef de bande. C'est avec ses hommes, tous d'anciens bandits de grand chemin devenus par la suite soldats « irréguliers » de l'armée chinoise, qu'il les a aidés à écraser les Russes en Mandchourie lors de la guerre russo-japonaise de 1904-1905.

Depuis cette date, il a connu les Japonais à la fois en tant qu'alliés et en tant qu'adversaires : en 1916, ils ont tenté de le faire assassiner en Mongolie parce qu'il s'opposait à leurs desseins, mais, en 1924, ce sont eux qui le soutiennent. Parce qu'il estime, comme les Japonais, que le principal danger qui menace l'Asie n'est autre que le péril communiste en Chine méridionale, ce Chang Tso-lin est convaincu qu'il existe entre lui et eux une alliance « objective ». D'ailleurs le Premier ministre nippon, Tanaka, ne lui veut que du bien.

Ce dernier, cependant. n'est pas à la tête du gouvernement « réel » du Japon, car la politique japonaise est menée par un gouvernement à deux temps, parfois conflictuels. Il y a, certes, un gouvernement civil officiel, mais la véritable politique du pays et sa stratégie à long terme sont définies et façonnées tout à fait indépendamment par l'empereur Hiro-hito, agissant à travers une série de réseaux d'agents de renseignements et de militaires, qui travaillent dans le plus grand secret et disposent de fonds quasi illimités.

En 1927, tandis que Pu Yi se morfond à Tientsin et répond

170

aux avances de Chang Tso-lin, Hiro-hito a déjà prévu de neutraliser le seigneur de la guerre et d'annexer la Mandchourie. Pourtant, le Premier ministre qu'il vient de nommer, Gi-ichi Tanaka, n'est pas du tout au courant. En dépit de son passé militaire, il ne fait pas partie du cercle intime de conspirateurs proches de l'empereur : les « trois corbeaux » et les « onze hommes de confiance », qui ont commencé à planifier les conquêtes militaires du Japon dès 1921, à Baden-Baden.

Tout ce dont se doute Tanaka, en se fondant sur des rapports dénaturés et incomplets des services de renseignements, c'est que quelques têtes brûlées de l'« armée du Kwangtung », force japonaise stationnée dans les enclaves nippones en Mandchourie, ont peut-être l'intention de « déstabiliser » Chang Tso-lin. Le Premier ministre, pour sa part, est partisan de soutenir à la fois Chang et son rival du KMT, Chiang Kai-shek. « Nous négocions avec Chang Tso-lin tant qu'il l'emporte dans le Nord et avec Chiang Kai-shek tant qu'il contrôle le Sud », explique-t-il.

Tanaka conseille à Chang Tso-lin de se cantonner en Mandchourie et de retirer ses troupes en deçà de la Grande Muraille, mais le Chinois refuse. « J'ai marché sur Pékin et je suis en guerre contre les influences communistes », fait-il savoir à Tanaka. Chang poursuit son avancée vers le sud et livre aux hommes de Chiang Kai-shek quelques combats indécis, avant de regagner Pékin.

Ses conseillers japonais lui transmettent alors une information stupéfiante : l'ambassade soviétique à Pékin détiendrait, paraît-il, des documents capitaux qui, s'ils étaient publiés, modifieraient radicalement l'équilibre du pouvoir en Chine. Au mépris de toutes les conventions diplomatiques, Chang Tso-lin charge ses hommes de s'introduire à l'intérieur de l'ambassade et d'y saisir tous les documents qui s'y trouvent. Parmi ceux-ci figurent des directives du Komintern de Staline, traçant les grandes lignes d'un projet à long terme de l'Union soviétique pour noyauter le KMT et se servir du parti communiste chinois afin de provoquer une révolution marxiste chez leurs alliés, le tout accompagné de plans d'action détaillés concernant l'infiltration d'agents du Komintern au sein du KMT et sa prise de possession progressive par les communistes chinois.

Chang Tso-lin, farouche anticommuniste, qui a toujours été persuadé que Chiang Kai-shek était l'otage de ses alliés communistes, est enchanté de voir sa thèse confirmée... et de démasquer l'URSS en la faisant apparaître sous son véritable jour de sinistre puissance, désireuse de colporter la révolution dans le monde entier.

Toutefois, ce coup de main sensationnel (il fait la « une » mondiale des journaux) fait aussi l'affaire de Chiang Kai-shek, car il lui fournit le prétexte dont il a besoin à la fois pour obtenir l'approbation du Japon et pour rompre de façon éclatante avec les communistes, comme il a d'ailleurs déjà promis aux Japonais de le faire. Le 17 avril 1927, le « mardi noir » selon les annales du parti communiste chinois, Chiang se retourne contre ses alliés et les fait massacrer sans aucune sommation. Cinq mille d'entre eux sont décapités. Chou En-lai, qui vient tout juste d'être nommé maire de Shanghai, parvient à s'enfuir, mais les communistes sont momentanément rayés de la carte politique chinoise. Borodine regagne l'Union soviétique, et quelques anciens sympathisants communistes, notamment le « général chrétien », préfèrent se rallier au KMT.

Chiang Kai-shek entre ensuite en conflit avec ses propres compagnons au sein du KMT et annonce sa « démission », ce qu'il fait si fréquemment qu'on ne le prend plus au sérieux. Quelques semaines plus tard, il est au Japon, ostensiblement pour faire sa cour à Mei-ling Soong, fille d'un banquier milliardaire de Shanghai, dont l'autre fille, épouse, puis veuve respectée de Sun Yat-sen, est devenue pro-communiste... et a bien failli finir étranglée des mains mêmes de Chang Tso-lin, avant de racheter sa liberté moyennant une rançon de deux cent mille dollars.

Chiang Kai-shek va profiter de son séjour au Japon, durant ces trois mois fatidiques, non seulement pour gagner le cœur de Mei-ling, mais aussi pour conclure un marché secret avec les Japonais : après s'être frayé un chemin à travers le « réseau » officieux et serré mis en place par Hiro-hito, il met l'empereur au courant de sa stratégie future, par le truchement d'intermédiaires de confiance : il a l'intention d'éliminer ce qui reste de ses alliés communistes, puis, avec le soutien de tous les Chinois, à l'exception des irréductibles « généraux du Nord » qui ne veulent rien avoir à faire avec lui (ici, il songe clairement à Chang Tso-lin), il deviendra le dirigeant de la Chine tout entière, jusqu'à et y compris la Grande Muraille dans le Nord.

Chiang Kai-shek ajoute qu'il sait que cette « pacification » sera une opération longue et coûteuse. Pour le moment, les communistes sont en pleine débandade, mais ils vont sûrement se réorganiser. Il est donc prêt à laisser aux Japonais le contrôle de la Mandchourie et de la Mongolie, en échange de leur soutien — en l'occurrence leur non-interférence — dans la lutte prolongée qu'il va, selon ses prévisions, devoir livrer à ses anciens alliés. Il n'ignore pas qu'il aura déjà suffisamment de problèmes, sans aller s'encombrer de ces territoires traditionnellement réputés « difficiles ».

Hiro-hito envoie en Chine l'un de ses proches, le prince Higashikuni, à titre d'observateur chargé de surveiller attentivement la situation et de lui faire directement ses rapports, sans passer par les voies diplomatiques officielles. Le prince est l'homme qui, en 1921, a été le cerveau directeur de la réunion des « trois corbeaux » à Baden-Baden et de la cooptation des « onze hommes de confiance » qui ont juré de mener à bien les rêves de conquête de l'empereur Hiro-hito.

De retour en Chine, Chiang Kai-shek lance son « expédition vers le nord », afin de reprendre le contrôle du pays jusqu'à la Grande Muraille, au nord de Pékin. Pu Yi, toujours en sécurité à Tientsin, prend cette guerre civile extrêmement confuse pour une nouvelle lutte entre seigneurs de la guerre rivaux et s'apprête à conclure un accord avec celui qui l'emportera. Un événement surviendra, cependant, qui fera de lui l'ennemi juré de Chiang Kai-shek et le fera basculer irrémédiablement dans le camp japonais.

Dans la province de Hu-pei, au cours de leur avancée vers le Nord, les soldats de Chiang Kai-shek profanent les tombeaux sacrés des Ch'ing, où sont ensevelis les restes de l'empereur Chieng Lung, le plus glorieux de tous les souverains mandchous, ainsi que ceux du « Vieux Bouddha ». Les hommes s'introduisent par la force dans les mausolées et en tirent les squelettes pour les dépouiller de tous les bijoux inestimables enterrés avec eux.

C'est un affront que Pu Yi ne pourra jamais oublier, ni même pardonner, et qui aura un effet profond sur tout son comportement ultérieur : jamais les pillards ne seront punis et il y aura même des rumeurs, qui pour n'être pas fondées n'en seront pas moins persistantes, selon lesquelles certains des joyaux récupérés dans les mausolées ont fini sur les boucles des souliers de Mei-ling Soong, la nouvelle épouse de Chiang Kai-shek.

A mesure que les troupes de ce dernier progressent vers le nord, en 1927, les Japonais entreprennent de respecter les termes du marché conclu avec lui. Selon leur bonne habitude, ils ne laissent rien au hasard.

En décembre 1927 (c'est le mois où Chiang Kai-shek épouse enfin Mei-ling Soong, à Nagasaki), des bandits font sauter un petit pont de chemin de fer sur une voie ferrée de Mandchourie. Telle est du moins la version rapportée dans la presse. En fait, l'explosion est l'œuvre d'un colonel japonais, Komoto Daisaku, stationné en permanence dans l'enclave nippone de Port-Arthur. Ce n'est évidemment pas une coïncidence si Daisaku est l'un des « onze hommes de confiance » cooptés par les « trois corbeaux » à Baden-Baden en 1921.

C'est, comme le note Bergamini, « un coup d'essai... Au cours des mois qui vont suivre, il va répéter cette expérience plusieurs fois, sur plusieurs ponts différents. La réaction est toujours la même : ce sont les bandits ! ». Le décor est planté pour l'assassinat — non revendiqué — de Chang Tso-lin.

Pendant ce temps, au cours des six premiers mois de 1928, l'« expédition vers le nord » de Chiang Kai-shek réussit pleinement et tourne au désastre pour Chang Tso-lin, dont les armées sont obligées de battre péniblement en retraite. Chang décide que la chance a momentanément cessé de lui sourire et qu'il ne peut pas rester à Pékin. Malgré les rumeurs qui lui sont parvenues d'un complot japonais contre sa vie, il considère toujours les garnisons nippones, dans leurs enclaves mandchoues, comme des alliées potentielles et il se déplace, d'ailleurs, le plus souvent en compagnie de trois conseillers militaires japonais avec lesquels il est, selon toute apparence, sur un pied de grande amitié.

Près de Mukden, sur la voie ferrée Pékin-Mukden, à l'endroit où elle croise la voie surélevée Dairen-Mukden, qui appartient aux Japonais, Daisaku place ses explosifs et commence sa surveillance aux abords des rails. Trois soldats mandchous, hostiles à Chang Tso-lin, montent la garde devant ce nœud ferroviaire crucial.

Par mesure de sécurité, Chang Tso-lin envoie devant lui, en guise d'appât, un premier train, long de sept wagons, dans lequel a pris place sa concubine « numéro cinq », qui n'est autre que la ravissante jeune femme entrevue par Pu Yi à Tientsin.

Sept heures plus tard, dans la nuit du 2 juin 1928, son propre train blindé quitte la gare de Pékin. Daisaku est informé *in extremis* du fait que le premier train n'est qu'un leurre... et il attend.

Chang Tso-lin passe la majeure partie de la nuit à veiller dans son wagon, avec un de ses conseillers japonais, un certain commandant Giga, car il se sent en sécurité tant que ce dernier reste à ses côtés dans son compartiment. Ils passent leur temps à jouer au mah-jong en buvant de la bière. A quelques kilomètres de Mukden, cependant, Giga annonce qu'il doit aller rassembler ses bagages. A peine a-t-il quitté Chang qu'il se précipite jusqu'à la plate-forme arrière du wagon de queue et se pelotonne dans une couverture... en espérant que tout ira pour le mieux. Quelques instants plus tard, une épouvantable déflagration éventre la voie ferrée et fait dérailler le train, provoquant la mort de Chang Tso-lin et de seize autres passagers.

Le commandant Giga, quoique sérieusement secoué, s'en tire sans dommage. Partant du principe que les morts ne risquent pas de parler, les artificiers de Daisaku s'empressent de passer à la baïonnette les trois gardes mandchous, mais l'un d'eux parvient, quoique blessé, à s'échapper. C'est lui qui racontera ce qui s'est passé.

Les Japonais, évidemment, s'efforcent de répandre le bruit que ce sont des « bandits » hostiles à Chang Tso-lin qui ont fait sauter son train, mais le fils de la victime ne tarde pas à apprendre des lèvres mêmes du garde mandchou survivant que les Japonais ont tout manigancé. Or, depuis le début, les Japonais comptent faire du fils de Chang Tso-lin, Chang Hsueh-liang, leur docile pantin. Le jeune homme est en effet un opiomane, loin de posséder le charisme de son père, mais il s'avère, contre toute attente, beaucoup plus résolu qu'on n'aurait pu le croire : après être parvenu à se désintoxiquer, il va devenir le « Jeune maréchal », la conscience, l'âme damnée et finalement le prisonnier de Chiang Kai-shek. Sa réaction va déjouer tous les calculs des Japonais : la monstruosité de cet attentat le convainc que c'est le Japon — et non le parti communiste chinois — qui est le véritable ennemi de la Chine et, à quelque temps de là, il va entraîner ce qui reste de l'armée vaincue de son père dans la lutte contre ce nouvel adversaire, par le biais d'une alliance militaire provisoire entre le KMT et les communistes. Un certain nombre d'années plus tard, il parviendra même à se venger : en 1938, le commandant Giga est assassiné au Japon, presque certainement par un commando de tueurs mandchous envoyé à ses trousses par le « Jeune maréchal ».

Ce dernier fait d'ailleurs comprendre qu'il se refuse non seulement à collaborer avec les Japonais, mais aussi à tolérer que d'autres le fassent : apprenant, peu après la mort de son père, qu'un général mandchou, Yung Yu-tang, et le directeur civil des chemins de fer mandchous ont secrètement commencé à comploter avec les Japonais afin d'établir un Etat mandchou indépendant, télécommandé par les Nippons, il les invite à venir jouer au mah-jong dans sa demeure où il les fait abattre. A quelque temps de là, il part rejoindre les forces de Chiang Kai-shek, au sud de la Grande Muraille. La Mandchourie, comme le découvre l'empereur Hiro-hito, va être un morceau beaucoup plus dur à avaler qu'il ne se l'était imaginé.

Pu Yi est bien sûr outré par le meurtre de Chang Tso-lin, mais sur le moment il n'a pas conscience de la part qu'y ont prise les Japonais. Pour lui, Chang n'était malgré tout qu'un seigneur de la guerre parmi tant d'autres, dont il espérait pouvoir se servir. Sa mort est un coup dur, certes, mais non fatal.

A cette époque, Pu Yi est encore très favorablement impressionné par les Japonais. Ce sont eux qui le courtisent le plus assidûment. Dans les dîners officiels, tous les consuls l'appellent « Votre Majesté Impériale » et il est presque toujours invité aux réceptions, parades et autres fêtes nationales. Cependant, lorsqu'il va écouter les fanfares de l'armée britannique jouer, à Victoria Park, il le fait comme n'importe quel autre simple particulier qui cherche à tromper son ennui croissant.

Les Japonais sont les seuls à le prendre au sérieux : ils le promènent sur la rivière Hai he, à bord de leurs navires de guerre ; ils organisent pour lui des visites officielles dans les écoles de la concession japonaise ; et, le jour de l'anniversaire d'Hiro-hito, il est l'invité d'honneur du défilé de leur garnison et c'est lui qui reçoit les saluts comme un authentique chef d'Etat. Les officiers japonais lui expliquent quelle est la situation militaire en Chine. Ce ne sera que bien plus tard que Pu Yi découvrira qu'ils ont aussi des espions parmi son entourage et n'ignorent rien de ce qui se passe chez lui.

Il a vaguement conscience du fait que tous les Japonais ne pensent pas que du bien de lui. Les officiers japonais de la garnison de Tientsin l'incitent à de multiples reprises à se rendre au Japon, ou pour le moins dans les parties de la Mandchourie occupées par leur pays. Le consul général lui conseille de rester où il est.

On a recours, à présent, à la « désinformation » pour créer chez Pu Yi l'état d'esprit désiré. Lo Chen-yu, le peu recommandable antiquaire, vient le voir presque tous les jours pour lui donner des « preuves » des « complots républicains » qui se trament contre lui, y compris diverses tentatives d'assassinat. Peu après, en plein milieu de la nuit, un franc-tireur ouvre le feu sur la résidence de l'ex-empereur. Les gardes personnels de Pu Yi parviennent à s'emparer de lui... et ont la surprise de constater qu'il s'agit d'un agent provocateur japonais. Peu après, l'étoile de Lo Chen-yu commence à pâlir et il quitte la cour pour aller poursuivre ailleurs une carrière d'antiquaire plus lucrative.

En dépit de ces preuves de la scélératesse nippone, Pu Yi a suffisamment foi en l'intégrité japonaise pour inciter son frère cadet, Pu Dchieh, non seulement à apprendre le japonais, mais aussi à se rendre au Japon pour y terminer ses études. En mars 1929, le jeune homme entre à l'Ecole des pairs, à Tokyo, naguère fréquentée par Hiro-hito. Après avoir obtenu son diplôme de fin d'études, il sera admis à l'Académie des élèves officiers. C'est une belle victoire pour la propagande japonaise. Entre-temps, les proches de l'empereur Hiro-hito — et eux seuls — savent qu'un nouveau complot se trame, beaucoup plus complexe et important que le meurtre de Chang Tso-lin.

Peu après le départ de Pu Dchieh pour le Japon, en 1929, un groupe de « touristes » japonais sillonnent en train et en tous sens la Mandchourie, armés de carnets et de jumelles. C'est l'avant-garde de la « cinquième colonne » japonaise dans cette région, personnellement voulue par l'empereur. Elle a à sa tête l'un des officiers les plus brillants et les plus ambitieux de toute l'armée nippone, le lieutenant-colonel Kanji Ishiwara. Il se trouve en Mandchourie depuis 1928 et sa tâche consiste à préparer pour son souverain un plan d'action détaillé pour l'annexion de cette province chinoise.

Ishiwara ne fait pas partie des « onze hommes de confiance », mais il a obtenu d'excellents résultats lors de missions d'espionnage en Europe, vers le milieu des années vingt, et c'est l'un des agents les plus haut placés des services de renseignements japonais. A quarante ans, il fait partie de la poignée d'officiers promus aux plus hauts grades. Il est l'un des membres fondateurs d'un groupe d'étude secret, trié sur le volet, chargé de mener à bien l'opération japonaise en Mandchourie. Son père est un homme important, chef d'une secte bouddhiste, les Nichiren, qui compte de très nombreux adeptes au Japon. Ishiwara est en outre un idéologue légèrement illuminé, qui croit à une fusion, à long terme, du Japon, de la Chine et de la Mandchourie, au sein d'une superpuissance orientale, car, selon lui, c'est la condition sine qua non pour déclencher une guerre à mort entre les races « jaune » et « blanche ». Cette lutte, Ishiwara nourrit l'intime conviction qu'elle s'engagera de son vivant, de même qu'il est persuadé que l'Union soviétique doit être la première des « races blanches » à éprouver la toute-puissance des Orientaux, car, selon lui, en raison de leur haine envers le communisme, les nations occidentales capitalistes resteront neutres durant cette guerre préliminaire.

Tout au long de sa mission en Mandchourie, Ishiwara est occupé à écrire un livre à ce sujet ; il sait que de nombreux officiers d'état-major japonais, et même quelques-uns des propres conseillers d'Hiro-hito, le considèrent comme une espèce de fou, mais il y a dans son plan une sorte de génie prouvant qu'il est bien un officier débordant d'intelligence, de ressource et d'imagination.

Le rapport qui arrive finalement sur le bureau de l'empereur du Japon est un modèle du genre ; c'est la recette idéale pour annexer un pays étranger de l'intérieur, par la tromperie, la désinformation, la terreur et un minimum de force. Cette technique devait être utilisée à si bon escient par la suite que, lorsque les historiens ont commencé à s'interroger, quelques générations plus tard, sur les origines de la Seconde Guerre mondiale, certains ont pu soutenir la thèse selon laquelle le conflit datait non pas de l'invasion de la Pologne par Hitler en 1939, ou de l'occupation des territoires sudètes par les Nazis en 1938, mais du « plan Ishiwara » mis au point par le Japon en 1931 pour s'approprier la Mandchourie.

14.

Lorsque le « Jeune maréchal », fils de Chang Tso-lin, décide de faire la paix avec son vieil ennemi Chiang Kai-shek, et se rallie à son mouvement avec son armée mandchoue vaincue, mais encore impressionnante, les Japonais ne sont pas les seuls à être stupéfaits : Pu Yi aussi se sent brusquement débordé. Certes, il se sait relativement en sécurité à Tientsin, dans son « Jardin de Chang », à l'intérieur de la concession nippone solidement gardée : compte tenu des troupes britanniques, françaises et japonaises qui stationnent en permanence dans la ville pour protéger leurs compatriotes, il est peu probable que des maraudeurs du KMT aillent s'aventurer à l'intérieur de cette zone étrangère privilégiée. Ce qui l'attriste, cependant, c'est de voir disparaître comme par magie ses partisans locaux, fidèles à la monarchie mandchoue, ainsi que les seigneurs de la guerre qui le saignaient à blanc.

A présent qu'il bénéficie du soutien du « Jeune maréchal », Chiang Kai-shek n'est plus obligé de se contenter, comme il l'avait cru, de conquérir la Chine « classique », c'est-à-dire les territoires situés au sud de la Grande Muraille. Ses forces sont à présent de taille à continuer leur route vers le nord, pour entrer en Mongolie chinoise et en Mandchourie. Les troupes japonaises stationnées dans les enclaves de Port-Arthur et de Mukden n'ont, pour le moment, reçu aucun ordre d'engager des hostilités officielles. Chiang Kai-shek jouit toujours d'un accès privilégié auprès de l'envoyé spécial d'Hiro-hito, le prince

Higashikuni. Par ailleurs, il n'est pas du tout certain que les seize bataillons japonais en Mandchourie parviendraient à s'imposer en cas de conflit.

Le moral de Pu Yi est au plus bas, et le climat de plus en plus pénible qui règne chez lui — tant sur le plan financier que sur le plan affectif — n'est pas pour arranger les choses. Le père de l'impératrice, Jung Yuan (appelé aussi prince Su), est toujours chargé de gérer les finances de son gendre et, bien qu'il ait moins d'occasions, à présent, de se livrer à ses petites exactions personnelles, il laisse avec une incompétence notoire la « cour » impériale vivre très au-dessus de ses moyens ; ce qui ne l'empêche pas, d'ailleurs, d'être non seulement corrompu, mais pingre, car, durant son séjour à Tientsin, Pu Yi reçoit une lettre de sa belle-mère aux abois, qui le supplie de lui envoyer un peu d'argent pour « acheter de quoi manger ». Le couple est officiellement séparé et Jung Yuan a tout simplement cessé de subvenir aux besoins de son épouse. En 1934, on retrouvera la trace de cette dernière à Pékin où elle vit très à l'aise : du jour où il a reçu sa lettre, Pu Yi lui a régulièrement versé une pension.

La liste des frais auxquels doit subvenir l'ex-empereur est interminable : il y a son petit bureau de liaison, modeste mais coûteux, à Pékin ; l'entretien de tous les mausolées de la dynastie des Ch'ing un peu partout en Chine ; le « Bureau du clan impérial » (pour les parents pauvres de la famille Ch'ing) et les solliciteurs quotidiens : des eunuques de la Cité interdite tombés dans la misère, des journalistes sans scrupules prêts à faire paraître, moyennant finances, des articles promonarchistes dans leur publication, des « fidèles de la bannière » à qui il faut faire un don en liquide pour les remercier d'être venus se prosterner devant l'empereur. Etant donné le vide et la frivolité de son existence, Pu Yi les reçoit tous. En outre, c'est un homme qui a toujours eu la main au portefeuille, car le spectacle de la pauvreté l'émeut sincèrement. Ses visiteurs le savent bien et ils en profitent au maximum.

Du fait que, dans la société chinoise, les membres d'une même famille doivent rester solidaires, Pu Yi est aussi obligé de pourvoir aux besoins de dizaines de jeunes gens qui n'ont à strictement parler rien à faire à Tientsin. En gage de leur loyauté, des parents pauvres lui envoient leur jeune fils à nourrir, éduquer et élever dans le culte de la dynastie des Ch'ing. Pu Yi ne saurait refuser sans perdre la face. C'est pourquoi, à Tientsin, le « Jardin de Chang » est toujours plein de jeunes en qui les étrangers croient reconnaître des domestiques. La « cour » de Pu Yi les désigne sous le titre pompeux de « pages ».

En fait, il y a moins de véritables serviteurs dans la demeure impériale que ne l'imaginent la plupart des visiteurs, et le paiement de leurs gages commence à poser des problèmes. Dans les mémoires qu'il écrira plus tard, Pu Yi se peint, comme à l'accoutumée, sous le pire jour qui soit et explique qu'il ne se lassait pas d'« acheter des pianos, des montres, des horloges, des vêtements occidentaux, des chaussures de cuir et des lunettes ».

Ceux qui se rappellent encore le séjour à Tientsin — son demi-frère, Pu Ren, qui lui rendait parfois visite, et son beau-frère, Rong Qi — m'ont déclaré, à Pékin, en 1986, qu'ils avaient le sentiment que Pu Yi avait quelque peu exagéré tout cela : il y avait un piano, en effet, l'empereur possédait plusieurs paires de lunettes (à l'époque, il passait déjà son temps à les égarer) et il avait deux vestiaires bien distincts, chinois et européen. Toutefois, sa table n'avait rien que de très ordinaire et tout le monde — Pu Yi compris — s'était mis à réduire les frais.

Pis encore que le déclin de ses finances, cependant, il y a l'aliénation de ses deux épouses. Selon les souvenirs de Pu Yi, aussi bien l'impératrice Elizabeth que la « concubine », Wen Hsiu, ont été incapables de s'adapter à ce nouveau train de vie terriblement réduit.

« Wan Jung (" Visage rayonnant ") avait vécu jeune fille à Tientsin, a-t-il écrit, si bien qu'elle connaissait encore plus de manières que moi de dépenser de l'argent en achats inutiles. Dès qu'elle s'achetait le moindre objet, Wen Hsiu en voulait un aussi. » Pu Yi se plaint du fait que l'impératrice a pleinement conscience de son rang « impérial » et n'a en revanche aucune idée de la valeur de l'argent : les frais personnels montent en flèche, tandis que ses deux épouses rivalisent d'extravagance.

Evidemment, le « Tout-Tientsin » n'en perd pas une miette : dans les réceptions officielles, Pu Yi se présente d'ordinaire en compagnie d'Elizabeth et il emmène Wen Hsiu dans les cafés, les salons de thé et au cinéma. La jeune concubine, marchant allègrement sur les plates-bandes de sa rivale, possède une meute de petits pékinois gâtés. Les étrangers remarquent la beauté radieuse de Wan Jung, mais ils signalent aussi son air morose et introspectif.

En Chine, l'opium a toujours été à la fois une panacée et un fléau et les « épouses douairières » de la Cité interdite s'en faisaient régulièrement préparer des pipes par leurs eunuques.

Comme le sait quiconque a jamais fumé de l'opium, c'est, en comparaison de celle que procurent d'autres drogues, une expérience singulièrement civilisée. Il suffit d'observer les vieux opiomanes que l'on croise encore à Hongkong pour comprendre que l'opium est rarement mortel si l'on en use avec modération : ils sont ratatinés, parcheminés, certes, mais ils sont en parfaite santé. Aujourd'hui encore, les vieilles matrones chinoises de Hongkong recommandent cette drogue pour toute une pléthore de maladies féminines. Elles assurent même qu'elle est particulièrement efficace pour soigner la fameuse dépression de l'accouchée.

A Tientsin, Elizabeth commence à fumer de l'opium et, comme c'est une jeune femme volontaire et indépendante, bien qu'elle n'ait encore que dix-neuf ans, Pu Yi ne peut pas faire grand-chose pour l'en empêcher. C'est excessivement bon marché et ça la rend nettement moins hargneuse. Au début, ce n'est même pas une mauvaise habitude ; c'est simplement une façon de passer le temps, car elle s'ennuie dans cette ville « provinciale », cloîtrée toute la sainte journée, incapable de vivre librement sa vie, lasse de Pu Yi qu'elle commence d'ailleurs à mépriser.

Pu Yi est membre honoraire du Club de Tientsin (à titre « spécial », car il n'y a pas d'autre membre non européen) et, au début, Elizabeth s'y rend avec lui pour jouer au tennis ; mais les joyeuses et insouciantes journées qu'ils ont connues aux premiers temps de leur mariage, dans la Cité interdite, sont à jamais révolues et elle doit subir les protestations des membres les plus conservateurs de la « cour », qui estiment qu'elle devrait se conduire avec plus de réserve, en véritable impératrice.

Selon Rong Qi, le frère d'Elizabeth, Pu Yi et elle commencent alors à mener des existences de plus en plus séparées. Ils se voient aux heures des repas et, si on les invite ensemble, ils veillent à sauver les apparences, mais leur mariage — quel qu'il ait été — a fait naufrage. Pour Elizabeth, tout est de la faute de Pu Yi : la vie étriquée qu'elle doit mener, les ennuis d'argent, l'impossibilité de se déplacer à Tientsin avec la liberté qu'elle a connue enfant et jeune fille ; elle lui en veut de lui interdire de danser le two-step en public et de s'amuser comme tous les jeunes gens de son âge. Elle est obligée de subir tous les inconvénients de sa position d'impératrice, sans bénéficier d'aucun des avantages. Ce n'est évidemment pas la vie dont elle avait rêvé.

Les scènes entre Elizabeth, comme elle se fait volontiers appeler, et son époux sont très pénibles pour leurs éventuels témoins. Or, il y a désormais une personne pour qui y assister est un devoir : les Japonais ont en effet introduit un espion à plein temps dans le « Jardin de Chang ». Il s'agit d'un majordome japonais qui fait ses rapports sur des bases presque quotidiennes. Il restera de nombreuses années au service de Pu Yi. Dans l'un de ses rapports, il décrit une violente dispute qui éclate entre les deux époux, un après-midi, dans le jardin. Parmi les insultes qu'Elizabeth crache au visage de son mari figurent les mots : « Espèce d'eunuque ! » mais il est bien difficile de savoir si elle l'attaque ainsi en raison de ses défaillances sexuelles ou de sa veulerie politique, car Elizabeth n'a jamais aimé les Japonais. C'est du reste à peu près tout ce qu'elle a en commun avec Wen Hsiu.

Cependant, alors que l'impératrice, minée par son mépris envers son mari et sa haine de l'existence qu'elle mène, se réfugie dans l'opium et la passivité, la concubine préfère passer aux actes : un jour, elle quitte la maison de Pu Yi pour ne jamais y revenir. La Chine de 1928 est un pays étonnamment libéral sous certains rapports. Il est possible de divorcer par consentement mutuel, sans passer devant un tribunal. Toutefois Pu Yi, sous la pression de ses conseillers, se fait tirer l'oreille : jamais, de mémoire de Chinois, on n'a vu la concubine d'un empereur de la dynastie des Ch'ing, fût-il déposé, agir de la sorte. Le

« Jardin de Chang » bourdonne de rumeurs surexcitées, tandis que les courtisans indignés rabrouent les membres de la famille de la fugitive et chicanent avec ses avocats. Ce n'est que lorsque l'entourage de l'empereur apprend que Wen Hsiu est sur le point d'entamer une procédure devant un tribunal local de Tientsin que Pu Yi accepte de divorcer par consentement mutuel. Son chargé d'affaires règle les comptes, et on tombe d'accord sur un dédommagement forfaitaire de cinquante mille dollars chinois (soit environ soixante mille francs actuels). Il y a, de part et d'autre, des récriminations, car certains membres de la famille de Wen Hsiu lui en veulent à mort d'avoir pris une telle décision ; grâce à elle, ils avaient acquis un certain rang, un certain prestige, même si matériellement la situation de Pu Yi est à son nadir. Un de ses frères refuse de lui adresser la parole et l'accuse, dans une lettre ouverte publiée par un journal local, d'avoir « déshonoré le nom de leur famille ». Wen Hsiu, en tout cas, comme l'a noté Pu Yi non sans compassion, ne touche presque rien du dédommagement versé, une fois que les avocats et la famille ont prélevé leur part.

Les ragots qui courent dans la concession assurent, évidemment, qu'Elizabeth s'est débarrassée de sa rivale en la forçant à déguerpir. Ce n'est pas tout à fait exact, car Wen Hsiu ne lui disputait nullement la tendresse de Pu Yi. En effet, il a reconnu lui-même qu'à cette époque il n'en éprouvait aucune envers ses deux épouses.

Ce qui le préoccupe avant tout, ce sont le tour que prennent les événements, l'indifférence du monde envers sa douloureuse situation et le fait qu'il ne semble avoir aucun moyen de se tirer d'affaire. Il est désormais trop tard pour espérer s'installer à Oxford et mener ensuite une vie de riche oisif à l'occidentale. Johnston lui a certifié que « la porte vers Londres lui est toujours ouverte », mais Pu Yi a le sentiment de ne plus avoir l'âge de commencer désormais des études universitaires. Il n'est encore qu'un jeune homme, certes, mais il a l'impression de se trouver en marge de la vie qui s'écoule. Les jalousies et les rivalités mesquines qui sévissent à l'intérieur de la concession de Tientsin, avec tout ce que l'existence peut y avoir d'étriqué, se reflètent dans ses propres déboires conjugaux. Ce qui le désole par-dessus tout, à en croire un de ses proches parents questionné à Pékin plus de cinquante ans après, c'est de « ne pas savoir où aller ».

D'ailleurs, son unique déménagement vient à point pour lui rappeler tout ce que sa situation a de fâcheux : le loyal et riche « fidèle de la bannière » qui lui a prêté le « Jardin de Chang » meurt et son fils exige à présent un loyer. Par souci d'économie, la « cour » de Pu Yi se transporte alors dans une demeure plus modeste, toujours à l'intérieur de la concession japonaise, le « Jardin paisible », presque voisine de la caserne où logent les soldats de l'armée japonaise. Nul n'ignore, parmi les étrangers de la concession, que Pu Yi a du mal à joindre les deux bouts. Les « coloniaux » ne réagissent pas tous de la même façon : les commerçants se montrent moins obséquieux, mais certains autres résidents, notamment les Britanniques, « ont de la peine pour ce pauvre garçon ».

Se drapant dans leur dignité d'aristocrates ruinés, les plus âgés parmi les courtisans de Pu Yi s'efforcent de sauver les apparences et se réfugient dans les creuses cérémonies de cour pour tenter d'exorciser cette mauvaise passe. L'un de ses plus fidèles conseillers, en cette période noire, n'est autre que le « réformateur » Cheng Hsiao-hsu, qui a jadis, sans succès, tenté d'assainir les finances impériales. Il a quitté sa demeure de Shanghai pour Tientsin dès le départ de son rival, Lo Chen-yu ; c'est à présent un fringant septuagénaire, qui semble être l'incarnation même de la morale confucéenne, pour qui seule compte la richesse spirituelle. Sa loyauté est touchante, son intégrité légendaire. Malheureusement, il ne fait rien pour détendre l'atmosphère. Comme il l'explique à Pu Yi, plus les circonstances sont pénibles, plus il est nécessaire que l'empereur adopte une attitude digne et noble.

Pour lui faire plaisir, Pu Yi cesse de fréquenter les cafés et les boîtes de nuit, et réduit même ses visites au cinéma. Pour les dix-neuf ans d'Elizabeth (vingt ans pour les Chinois), il a promis de donner une fastueuse réception, avec orchestre de jazz, invités étrangers et deux buffets, à l'occidentale et à la chinoise. Hors de question, assure Cheng Hsiao-hsu. La fête est annulée.

Tout au long de cette sombre période, l'homme dont le

rôle se rapproche le plus, dans ses relations avec Pu Yi, de celui du regretté Johnston, fut Kenji Doihara, qui allait bientôt jouer un rôle clef en organisant l'annexion déguisée de la Mandchourie par le Japon. Doihara n'était que le premier d'une série d'officiers charmants et mondains intentionnellement mis en contact avec Pu Yi. A partir de 1935, celui qui réellement remplit ce rôle — en partie messager, en partie aide de camp, en partie conseiller militaire — fut Yasunori Yoshioka, officier de carrière plein de charme parlant le chinois et qui devait demeurer auprès de Pu Yi pratiquement pour le reste de sa vie. Il obtient régulièrement des promotions malgré son « détachement » et finira avec le grade de général. Comme Pu Yi aura l'occasion de s'en apercevoir plus tard, il fait partie intégrante du plan d'ensemble des Japonais pour l'asservissement de la Chine, et ses manières affables et bon enfant ne sont qu'un simple vernis. Comme tous les officiers nippons triés sur le volet pour prendre part à l'annexion de la Mandchourie, il est absolument dépourvu de scrupules et animé par une obéissance fanatique au code de l'honneur militaire japonais : à cette époque, le dévouement à l'empereur atteint, dans l'armée, des proportions dont peu de non-Japonais parviennent à se faire même un semblant d'idée.

C'est Doihara qui, très habilement, commence à convaincre Pu Yi que le moment n'est pas loin où il devra recommencer à jouer un rôle actif, d'abord en tant que souverain de la Mandchourie, puis en tant qu'empereur de la Chine tout entière. C'est encore Doihara qui, dans ses rapports soigneusement préparés pour expliquer à Pu Yi les dispositions relatives des forces en présence — Japonais, communistes et KMT —, parvient à le convaincre que Chiang Kai-shek n'a pas la moindre chance. Car, fidèles à leurs principes, les Japonais n'ont aucune intention de laisser Chiang Kai-shek pacifier la Chine et la débarrasser de ses « bandits » communistes en se conformant strictement à leur promesse de non-interférence : au contraire, leur plan d'ensemble nécessite la conquête de la Chine, ou pour le moins sa réduction au rang de simple colonie, dans le genre de la Corée, bien commode pour fournir de la main-d'œuvre, du riz et des matières premières. Ce détail, toutefois, reste pour le moment un secret privilégié entre l'empereur Hiro-hito et son petit cercle de « décideurs ».

En fait, à l'époque, les choses vont plutôt bien pour Chiang Kai-shek : ses forces ont pris l'offensive face aux communistes (aux « bandits », comme disent les membres du KMT) et elles reçoivent une aide précieuse de la part des hommes du « Jeune maréchal ». Il n'y a pas jusqu'à la Mandchourie où la situation paraît plus prometteuse que Chiang Kai-shek n'avait osé l'espérer : un chef de la résistance antijaponaise, le général Ma, harcèle les voies de communications nippones avec ses troupes communistes. Quelques authentiques bandits mandchous, qui comptent dans leurs rangs une poignée d'aventuriers « russes blancs », mènent également la vie dure à la garnison japonaise.

C'est alors qu'entre en scène un nouvel officier japonais dont les capacités sortent de l'ordinaire. Doihara et lui conçoivent le « plan Ishiwara » et remplissent le rôle pour lequel on les a formés avec le plus grand zèle. A eux deux, ils vont faire de ce projet l'un des hauts faits japonais les plus réussis, durant cette période d'avant-guerre. Kenji Doihara, est l'un des « onze hommes de confiance » ; nommé chef de l' « organe des services spéciaux » de l'armée japonaise à Mukden, par décision personnelle de l'empereur, c'est un vieil habitué de la Chine, avec d'excellents contacts chinois en Mandchourie. Il a bien connu Chang Tso-lin et il est totalement rompu à l'art et aux techniques de la subversion : il sait quels sont les politiciens chinois qu'il faut corrompre en leur offrant de l'argent et quels sont ceux qui préfèrent les femmes ou l'opium. C'est à tort que les Japonais le comparent à Lawrence d'Arabie, car il tient beaucoup plus de l'agent secret que du combattant.

Le second officier, le commandant Takayoshi Tanaka, est un agent chevronné des services secrets japonais, avec sur la conscience presque autant de crimes que Doihara, mais il va connaître un sort bien différent, puisqu'il sera l'un des témoins vedettes du Tribunal pour les crimes de guerre internationaux — qui condamnera Doihara à mort — et deviendra l'assistant apprécié et le compagnon inséparable du procureur général américain, Joseph Keenan.

Au 31 mai 1931, la majeure partie du projet mis au point

par Ishiwara a été accomplie. L'un des éléments cruciaux de sa réussite est la construction d'une piscine au Club des officiers japonais à Mukden. Ladite « piscine » est en fait un emplacement de béton où sont entreposées deux énormes pièces d'artillerie de trois cents millimètres, transportées en pièces détachées jusqu'à Mukden par camion, dans le plus grand secret, et installées dans la « piscine », où des barrières, des bâches et des appentis en bois les dissimulent aux regards inquisiteurs.

Ces deux canons doivent être maniés par une escouade d'artilleurs de tout premier ordre, qui se sont engagés par serment à garder le secret : le premier est braqué sur la caserne principale de la police chinoise, le second sur la base aérienne de la petite armée de l'air du « Jeune maréchal », à l'aéroport de Mukden. Au sein même de la garnison nippone à Mukden, peu de gens sont au courant de la présence de ces meurtrières armes secrètes. Quant aux Chinois, ils en ignorent tout. De toute façon, le gros des troupes du « Jeune maréchal » est occupé à se battre contre les « bandits » (c'est-à-dire les communistes) dans le sud, pour le compte de Chiang Kai-shek, et Chang Hsueh-liang lui-même est sur le point d'entrer à l'hôpital Rockefeller de Pékin pour une nouvelle cure de désintoxication.

Une autre ruse imaginée par Ishiwara consiste à importer en Mandchourie quelques travailleurs coréens, car la frontière est toute proche ; sous la surveillance des Japonais, ceux-ci auront pour tâche de creuser des canaux d'irrigation qui, comme par hasard, doivent traverser des fermes chinoises dans l'extrême sud-ouest de la Mandchourie. Les agriculteurs protestent, comme l'a escompté Ishiwara, et s'en prennent aux Coréens. Tout imprégnées d'un zèle humanitaire qu'on ne leur connaissait pas (car les travailleurs coréens sont d'ordinaire traités en véritables sous-hommes), des troupes japonaises (appartenant à la garnison de la concession) arrivent dare-dare pour les « protéger ».

Le dernier atout d'Ishiwara est un faux déraillement, au nord de Mukden, sur la voie ferrée de Mandchourie méridionale, qui appartient aux Japonais. Des agents de l'« organe des services spéciaux » installent des explosifs, assez près pour former des cratères impressionnants, mais trop loin néanmoins pour causer de véritables dégâts.

L'idée d'Ishiwara est d'accuser les Chinois de chercher à faire dérailler un train japonais et d'en profiter pour faire bloquer toute la zone par un cordon de troupes nippones. Un incident fortuit va venir faciliter la tâche de ses hommes : un authentique espion japonais est capturé et fusillé par les Chinois dans le sud de la Mandchourie. Encore un excellent prétexte pour intervenir dans les affaires mandchoues, si le besoin s'en fait sentir.

La tromperie suprême, comme l'a fort bien montré David Bergamini, auteur de *Japan's Imperialist Conspiracy,* dans sa reconstitution chronologique, heure par heure, des événements, tant à Tokyo qu'en Mandchourie, c'est que l'invasion japonaise tout entière, que l'on appellera par euphémisme « l'incident de Mukden », est manigancée sans l'accord officiel du gouvernement japonais : tout au long de cet épisode et même après, on s'en tiendra à la fiction selon laquelle quelques têtes brûlées ultra-nationalistes de l'armée japonaise ont outrepassé leurs droits, si bien que le gouvernement et l'empereur ont été contraints par le cours des événements d'assumer et d'accepter la responsabilité de leurs actes. L'affaire n'est pas sans rappeler, de loin, le coup d'Etat gaulliste du 13 mai 1958, à Alger, à cette différence près que contrairement au général de Gaulle l'empereur Hiro-hito a approuvé le projet tout entier, jusque dans ses moindres détails.

La nuit du 18 au 19 septembre 1931, tout se passe comme prévu. Le colonel Doihara, pleinement au courant de toutes les préparations, sort ostensiblement faire la fête en ville, avec quelques amis chinois, afin de se forger un alibi. Il s'apprête à devenir « maire de Mukden », grâce au soutien de divers politiciens chinois corrompus, avec qui il fraye.

Le matin du 19 septembre, les deux énormes pièces d'artillerie ouvrent le feu sur la garnison chinoise de Mukden. Leurs obus démantèlent la modeste armée de l'air du « Jeune maréchal » en quelques minutes et les policiers chinois fuient leur caserne en feu, pour prendre part à des combats d'arrière-garde. Il y a de vagues échauffourées contre des unités japonaises qui surgissent soudain comme par miracle dans toute la

Mandchourie méridionale, mais tous les soldats chinois qui se trouvent en Mandchourie sont soit des réservistes, soit des conscrits sans expérience, qui ne font pas le poids contre les troupes d'élite japonaises. Toutes les unités chinoises expérimentées se trouvent dans le sud de la Chine, avec le gros des armées de Chiang Kai-shek.

Quand tombe le soir du 19 septembre 1931, tout est terminé ; l'incident se solde par la mort de cinq cents Chinois et de seulement deux Japonais. Tout le sud de la Mandchourie est désormais aux mains des Nippons. L'opinion internationale est submergée par une vague d'indignation, comme il se doit, et la Société des Nations est alertée. Inutile de dire que la propagande japonaise se répand en démentis et exprime son chagrin et sa déception face à tant d'incompréhension : leurs faibles forces armées (vingt mille hommes contre deux cent mille Chinois) n'ont fait que répondre à des « provocations ».

Le commandant Doihara profite de « l'incident de Mukden » pour intensifier sa propre campagne de désinformation. La mollesse avec laquelle les soldats et les policiers chinois se sont battus contre les Japonais prouve clairement, explique-t-il à Pu Yi, qu'au fond de leur cœur ils restent loyaux à « Votre Majesté Impériale ». Depuis l'assassinat de Chang Tso-lin, toutes les branches des services de renseignements japonais ont organisé une vaste campagne de dénigrement contre le disparu et son fils et contre leur déplorable gouvernement de la Mandchourie. C'est un mensonge éhonté : en dépit de ses méthodes ostentatoires et brutales (et de l'opiomanie de son fils, séquelle d'une opération chirurgicale dans un hôpital de Pékin), la Mandchourie de Chang Tso-lin a été la seule partie de Chine où le trafic de la drogue et les formes les plus grossières de la corruption ont été sporadiquement réprimés. Dans sa petite enclave de Tientsin, Pu Yi est loin de s'en douter. Au début, il croit même dur comme fer à la version japonaise des événements, de même d'ailleurs qu'une grande partie de l'opinion internationale. Les Japonais sont passés maîtres dans l'art du « gros mensonge ».

Voici que reparaît alors inopinément l'antiquaire et faussaire de manuscrits, Lo Chen-yu, à l'occasion d'une réunion organisée par le commandant de la garnison japonaise à

Tientsin. Lo Chen-yu, qui ne se donne pratiquement plus la peine de dissimuler qu'il est à la solde des Japonais, brandit des « documents » émanant de notables mandchous qui résident dans la partie du pays présentement occupée par les Japonais, « prouvant » qu'il existe un mouvement populaire favorable au retour de Pu Yi sur le sol ancestral. « Il me supplia, a écrit Pu Yi, de ne pas laisser passer cette occasion et de me rendre au plus tôt dans la " patrie où nos ancêtres se sont soulevés " (contre la dynastie des Ming agonisante). »

Une fois à Mukden, déclare Lo Chen-yu, Pu Yi sera proclamé empereur « par acclamation populaire ». Le général japonais prononce alors quelques mots. Etant donné le désordre qui règne actuellement au sein des troupes du KMT, il se permet de signaler avec tout le respect qu'il doit à « Sa Majesté Impériale » que celles-ci pourraient bien se livrer à quelque extrémité désespérée, comme par exemple de l'assassiner. Il lui soumet en outre quelques articles parus dans la presse mandchoue, désormais coiffée par les Japonais, pour étayer ses propres arguments et ceux de Lo Chen-yu.

Pu Yi regagne sa demeure du « Jardin paisible » perplexe et indécis. Il convoque ses conseillers les plus anciens, parmi lesquels se trouve l'honnête et austère érudit Cheng Hsiao-hsu, l'homme qui a fait annuler la fête qui devait marquer l'anniversaire de l'impératrice. Cheng lui recommande la plus grande circonspection. Son antipathie pour Lo Chen-yu l'incite à se méfier de tous les projets auxquels ce dernier est mêlé. Il supplie Pu Yi de rester où il est.

Cependant, les pressions exercées sur l'ex-empereur sont énormes et diverses : deux initiatives personnelles vont encourager Pu Yi à croire, à tort, que la Grande-Bretagne, elle aussi, est prête à soutenir officiellement sa candidature au titre d'« empereur » de Mandchourie. Le commandant de la garnison britannique de Tientsin, le général deux étoiles F. H. Burnett-Nugent, lui rend visite pour lui présenter ses « félicitations personnelles » quant aux « perspectives » qui s'ouvrent à lui après « l'incident de Mukden ». Il ne fait que refléter par cette démarche les préjugés que nourrissent de nombreux Britanniques expatriés : ceux-ci estiment que — puisque le reste de la Chine est en proie au chaos — Pu Yi est parfaitement en droit d'établir son propre royaume en Mandchourie, avec l'aide des Japonais, afin de protéger cette région des troubles qui sévissent dans tout le reste du pays. Par ailleurs, Johnston fait aussi une apparition, à titre purement privé, mais Pu Yi croit y voir une « mission officieuse des Affaires étrangères ».

Johnston est très excité lui aussi par tout ce qui pourrait découler de « l'incident de Mukden ». Il a tout juste fini d'écrire son livre, *Twilight in the Forbidden City,* mais il annonce à Pu Yi qu'il compte en retarder la publication, afin de rajouter un chapitre intitulé « Le dragon rentre chez lui », ce qui indique clairement que l'Ecossais approuve de tout son cœur le projet d'inspiration japonaise. Comme Burnett-Nugent, Johnston verrait d'un très bon œil le retour de Pu Yi au pays de ses ancêtres afin d'y établir son royaume. (Au cours des années qui vont suivre, après sa retraite, il prendra l'habitude de hisser le drapeau du « Manchukuo », l'état fantoche de Pu Yi, en haut d'un mât dressé dans le jardin de sa résidence, sur une île au large de l'Ecosse.)

Johnston est venu tout spécialement à Tientsin pour prier Pu Yi de bien vouloir rédiger une courte préface pour son ouvrage. L'empereur s'exécute et en profite pour signaler le rôle clef tenu par son précepteur. « En 1924, déclare-t-il, après avoir quitté la résidence du prince Tchun, je me suis réfugié à la légation japonaise. C'est Johnston, mon précepteur, qui a été le principal artisan de mon sauvetage et qui m'a arraché au péril. »

Dans son style, toujours un peu ampoulé, Johnston précise que la préface a été « personnellement transcrite » par « le dévoué serviteur » de l'empereur, « le célèbre poète, homme d'Etat et calligraphe Cheng Hsiao-hsu, une semaine environ avant leur départ pour la Mandchourie, où ils devaient prendre, respectivement, leurs fonctions de chef de l'Etat et Premier ministre de la nouvelle nation ». (Cette préface et l'ouvrage tout entier devaient donner matière à d'amples débats devant le Tribunal international des crimes de guerre, en 1946-1947.) En guise de cadeau d'adieu, Pu Yi offre à Johnston un précieux éventail peint, sur lequel il inscrit un gage personnel de son estime.

Les Japonais accentuent alors leurs pressions sur l'ex-empereur, en faisant agir le colonel Doihara, « le Lawrence japonais ». Pu Yi est quelque peu déçu par le chinois qu'il parle, lequel, se rappellera-t-il, n'a « rien de merveilleux », mais il est favorablement impressionné par sa sincérité apparente. Sa grande force, notera Pu Yi ultérieurement, est de donner aux autres l'impression qu'« ils peuvent se fier à chacune des paroles qu'il prononce ». L'armée japonaise, explique Doihara, ne nourrit aucun dessein particulier envers la Mandchourie. Elle « souhaite sincèrement aider le peuple mandchou à établir son propre Etat indépendant ». La souveraineté du nouvel Etat sera garantie par le Japon, mais, note Pu Yi, « en tant que chef de cet Etat, je serai en mesure de tout contrôler ».

S'agira-t-il d'une république ou d'une monarchie ? Pu Yi est bien sûr anxieux de le savoir, mais le colonel Doihara n'est manifestement pas prêt à répondre à cette question.

« Ce sera un Etat indépendant et autonome, entièrement sous le contrôle de Votre Majesté, assure-t-il.

— Ce n'est pas ce que je vous ai demandé, rétorque son interlocuteur avec une brusquerie inaccoutumée.

— Ce problème sera résolu après votre arrivée à Shen-yang (Mukden), continue le Japonais.

— Ça ne suffit pas, persiste Pu Yi.

— Ce sera bien sûr une monarchie, cela ne fait aucun doute, finit par dire Doihara, avec un sourire enjôleur.

— Fort bien. Si c'est une monarchie, j'irai. »

La presse de Tientsin est à présent tout à fait au courant des visites de plus en plus fréquentes que font les gros bonnets nippons au « Jardin tranquille », la nouvelle demeure de Pu Yi. Le bruit que ce dernier est sur le point de revendiquer le trône de ses pères arrive jusqu'à Chiang Kai-shek et, peu après, un émissaire de toute confiance se présente devant l'ex-empereur pour proposer de rétablir les « Articles du traitement bienveil- lant » ou d'allouer à Pu Yi une pension annuelle, « ou tout ce qu'il me plairait de demander si je m'engageais à résider n'importe où, sauf au Japon et dans le Nord-Est ».

« Je me suis rappelé la profanation des tombeaux, devait écrire Pu Yi, et j'ai soupçonné Chiang Kai-shek de chercher tout simplement à m'attirer vers le sud... Une fois en son pouvoir, j'aurais été impuissant. » Pu Yi donne à l'envoyé une « réponse qui n'engageait à rien ».

Chiang Kai-shek va faire une ultime tentative pour persuader Pu Yi de changer d'avis : le 10 novembre, Johnston, en route pour la Grande-Bretagne, passe par Shanghai T. V. Soong, le frère de Mme veuve Sun Yat-sen et de Mme Chiang Kai-shek, est à l'époque ministre des Finances et ministre suppléant des Affaires étrangères pour le compte de son beau-frère. Il invite Johnston à venir le voir et lui déclare que Pu Yi est « en danger » et qu'il a « besoin de mon aide ». « On espérait, semble-t-il, note Johnston avec mépris, me voir regagner Tientsin pour m'efforcer par tous les moyens de le dissuader de se lancer dans l'aventure mandchoue. » En termes polis, mais sans équivoque, Johnston répond à T. V. Soong qu'il n'en fera rien.

Il reste un dernier obstacle à franchir : puisque Pu Yi doit devenir souverain de Mandchourie, il ne lui est pas décemment possible d'abandonner derrière lui son « impératrice ». Le colonel Doihara fait alors appel à son âme damnée, le commandant Takayoshi Tanaka, et à la complice de celui-ci. Il s'agit d'une princesse mandchoue devenue agent des Japonais ; créature ravissante et amorale, avec un côté très garçon manqué, elle devrait, en toute équité, être beaucoup plus célèbre que Mata-Hari. Elle s'appelle « Joyau de l'Orient » et il se trouve qu'elle connaît l'épouse de Pu Yi, dont elle est même une parente éloignée.

Le tandem se voit confier une double tâche : par tous les moyens, honnêtes ou malhonnêtes, il faut « persuader » Pu Yi et l'impératrice de quitter Tientsin. Et ensuite, il faut détourner l'attention de la presse en la fixant, de préférence, sur un événement survenu aussi loin que possible de la Mandchourie

15.

A vingt-quatre ans, « Joyau de l'Orient » possède déjà un passé chargé. Tout comme Pu Yi, c'est une descendante directe du prince Nurhachi, le fameux aventurier mandchou parti vers le sud à la tête de ses hordes de cavaliers pour chasser du trône les empereurs Ming décadents et y installer la dynastie des Ch'ing, qui impose sa loi à la majeure partie de la Chine, vers le milieu du XVIIe siècle. Ses ancêtres étaient les « princes au casque de fer », les plus proches compagnons des empereurs mandchous. Son père est le prince Su (aucun lien de parenté avec le beau-père de Pu Yi), lui-même aventurier quelque peu discrédité, qui s'est acoquiné avec les Japonais en Mongolie et a même brièvement gouverné le pays, même s'il n'était qu'un homme de paille. C'est Chang Tso-lin qui l'en a délogé, si bien qu'en 1916, toujours avec le concours des Japonais, le prince Su a tenté de le faire assassiner.

« Joyau de l'Orient » est exagérément fière de son sang royal et elle idolâtre son père dont la vie privée est aussi trépidante que sa carrière politique ; il entretient un véritable sérail de concubines mandchoues et mongoles qu'il néglige abominablement, mais il a un tel charme qu'elles en restent folles. « Joyau de l'Orient » est son treizième enfant.

Parce qu'il est sans cesse par monts et par vaux, et presque toujours à court d'argent après 1916, le prince Su n'hésite pas à caser bon nombre de ses filles chez des amis à lui. A huit ans, « Joyau de l'Orient » est envoyée au Japon, pour y être

« adoptée » par un des anciens conseillers de son père, membre d'une éminente famille nippone. Elle prend alors le nom de famille de son « protecteur » (on la connaît à Tokyo sous le nom de Yoshiko Kawashima) et elle ne tarde pas à scandaliser la ville entière par son mépris total de toutes les conventions sociales, quelles qu'elles soient. Comme se l'est rappelé, par la suite, son futur mentor et complice, le commandant Tanaka, elle se vante d'avoir couché à quinze ans avec Kawashima père (son père adoptif et ami intime de son vrai père) et l'année suivante avec le fils de celui-ci. Brièvement mariée à un prince mongol (il s'agissait d'un mariage arrangé qui, selon « Joyau de l'Orient », n'aurait jamais été consommé), elle le quitte pour aller faire des études à Tokyo et mener une vie de bohème, qu'elle abandonne pour suivre toute une succession de riches amants avec lesquels elle voyage sans cesse.

Elle connaît d'ailleurs des hauts et des bas. Dans les lettres fort colorées qu'elle envoie à ses amis, alors qu'elle a un peu plus de vingt ans, elle décrit avec beaucoup d'humour sa vie vagabonde à Pékin, où elle se partage entre le foyer des Jeunes Femmes chrétiennes (YWCA) et les hôtels borgnes où elle côtoie des prostituées et des gangsters. En 1928, durant une de ses périodes désargentées, elle fait jouer ses origines royales pour obtenir une invitation à Tientsin, en qualité d'invitée personnelle de Pu Yi et de l'impératrice. Elizabeth s'entiche aussitôt d'elle. Les deux jeunes femmes sont issues du même milieu mandchou patricien. Elles sont toutes les deux filles de pères sans scrupules. Durant son adolescence de jeune fille bien élevée, dans son couvent de Tientsin, Elizabeth a entendu colporter toutes sortes de ragots sur le compte de « Joyau de l'Orient » : on dit qu'elle couche avec tous les hommes qui lui plaisent, qu'elle ne vit que pour son plaisir, qu'elle fréquente avec autant de facilité les aristocrates et les filles de joie, les hommes d'affaires respectables et les membres de la pègre de Tokyo et de Shanghai. Pour la jeune impératrice, « Joyau de l'Orient » est l'archétype de la jeune femme moderne « libérée » qu'elle aurait voulu être... avant de succomber au leurre d'un mariage glorieux qui n'a pas su combler ses espérances.

En 1928, donc, « Joyau de l'Orient » est l'invitée d'Elizabeth à Tientsin pendant plusieurs semaines, prolongeant interminablement le court séjour qu'elle avait l'intention de faire chez son auguste parente. Pu Yi et sa femme l'ont emmenée à toutes sortes de réceptions et lui ont fait découvrir la vie nocturne de Tientsin, qui est bien terne à côté de ce qu'elle a connue à Shanghai et à Tokyo et dont elle parle de façon si amusante. Son mode de vie entièrement désinhibé et son inhabituelle vitalité ont fait une profonde impression à la jeune impératrice ; depuis cette rencontre, les deux femmes ont gardé le contact.

A Shanghai, dans une réception qui suit de peu son retour de Tientsin, « Joyau de l'Orient » fait la connaissance du commandant Tanaka, véritable force de la nature qu'elle cherche aussitôt à séduire. Il fait déjà de l'espionnage pour le compte de son pays et doit puiser largement dans ses fonds secrets pour entretenir sa conquête sur le pied auquel elle est habituée. Peut-être est-elle, au début, amoureuse de lui, mais elle est douée d'une sexualité masculine : elle prend plaisir à séduire des hommes forts et puissants, puis à les laisser tomber... de préférence après avoir vidé leur compte en banque. Le commandant Tanaka trouve en elle un irrésistible fairevaloir. Il ne sait pas ce que c'est que la jalousie et, bien qu'ils continuent à coucher ensemble pendant des années, il ne voit aucune objection à ce qu'elle use de ses charmes auprès d'autres partenaires, hommes ou femmes, peu lui importe. Il est non seulement enchanté de son appétit sexuel, de l'immoralité avec laquelle elle aborde l'existence, mais en plus il respecte ses facultés intellectuelles, son audace, le panache avec lequel elle est prête à tout essayer au moins une fois (attitude qui tranche complètement avec celle de la plupart des jeunes Japonaises), sa manie de se travestir en homme. Il est aussi ravi de découvrir l'étendue de ses ramifications aristocratiques, inestimables pour une espionne. Comme l'a écrit Bergamini : « En tant que princesse chinoise, elle est en mesure d'évoluer dans des milieux chinois qui restent fermés à d'autres [espions]... En tant que princesse mandchoue, elle méprise les masses chinoises avec un mépris fanatique qui passe de très loin l'entendement des Chinois. » Tanaka lui paie des leçons d'anglais et fait d'elle son

198

associée à part entière. Il se rend bien compte que l'amitié qui unit sa protégée à Pu Yi et Elizabeth va très vite devenir un atout important.

En 1931, date à laquelle Tanaka et « Joyau de l'Orient » forment une équipe d'espions très rodée, Pu Yi a enfin eu raison de ses hésitations antérieures et il est bien décidé à devenir empereur de Mandchourie, si jamais l'occasion se présente et si les Japonais lui en font l'offre officielle. La situation, toutefois, n'évolue pas exactement comme ceux-ci le voudraient. Dans le Nord, ils se heurtent à une résistance inattendue de la part de l'héroïque général Ma.

C'est pourquoi ils décident de mettre à exécution une autre partie du projet d'Ishiwara : des « agitateurs » chinois, grassement payés, recrutés par la police secrète japonaise, attaquent des commerçants japonais à Harbin, ce qui donne aux forces nippones un excellent prétexte pour s'emparer de la ville.

Vers la mi-novembre, les Japonais finissent par s'assurer le contrôle du nord de la Mandchourie, mais voilà soudain qu'à la dernière minute Pu Yi semble pris de peur. L'impératrice Elizabeth refuse de quitter Tientsin et quelques-uns de ses conseillers profitent de l'entêtement inattendu de son épouse pour le persuader de refuser toutes les offres japonaises. Le colonel Doihara adresse à « Joyau de l'Orient » un message urgent pour la sommer de quitter Shanghai et de venir le rejoindre immédiatement à Tientsin.

Elle endosse un de ses nombreux déguisements masculins (en l'occurrence un costume chinois traditionnel) et va trouver un de ses amants d'occasion, un pilote, pour qu'il la transporte en avion jusqu'à Tientsin où elle se présente dans le bureau de Doihara pour prendre ses ordres.

Selon sa bonne habitude, elle fait une de ces entrées théâtrales dont elle raffole, toujours en habits d'homme, refusant de donner son nom au secrétaire chargé de filtrer les visiteurs de Doihara. Ce dernier soupçonne quelque complot et pose son revolver sur son bureau. « Tu parles comme un eunuque, lance-t-il. Tu es un des hommes de Pu Yi ? » « Joyau de l'Orient » se met à rire. Doihara racontera par la suite qu'il empoigne alors son sabre. « Très bien, puisque tu ne veux pas me dire qui tu es, je vais le découvrir moi-même », annonce-t-il. De la pointe de son sabre de samouraï, aiguisé comme un rasoir, il entaille le haut du costume de son mystérieux visiteur. Celui-ci ne bouge pas et continue à sourire d'un air provocant. Doihara écarte les deux pans du vêtement et, « avec un cri guttural de samouraï », fend brusquement en deux l'écharpe de soie au moyen de laquelle « Joyau de l'Orient » s'est aplati les seins. « J'ai vu que c'était une femme, alors j'ai procédé à un examen très poussé pour m'assurer que je n'avais pas laissé la moindre égratignure sur sa peau blanche. »

Le lendemain, elle rend visite à Elizabeth, au « Jardin paisible », et, dans son rapport à Doihara, elle signale que l'impératrice a été enchantée de la revoir et qu'elles ont papoté pendant des heures. Elizabeth n'est que trop heureuse d'entendre les derniers cancans qui courent à Pékin et Shanghai, et les dernières et croustillantes histoires concernant la vie amoureuse de son amie ; celle-ci veille évidemment à taire ses relations avec les Japonais, car elle sait que l'impératrice les hait et les méprise, et ne cesse de mettre son mari en garde contre eux. C'est même une des raisons de la brouille qui les éloigne de plus en plus l'un de l'autre. Il est fort improbable, annonce « Joyau de l'Orient » au colonel Doihara, qu'Elizabeth consente à quitter Tientsin de son propre gré. Il faudra avoir recours à la ruse. Doihara, habilement secondé par sa complice, se met en devoir de terroriser Pu Yi.

En l'espace de quelques jours, ils y parviennent : un garçon de café est soudoyé pour « avouer » à Pu Yi qu'un tueur, à la solde du « Jeune maréchal », a été engagé pour le liquider. « Joyau de l'Orient » glisse dans son lit une paire de serpents venimeux. Pu Yi reçoit d'un admirateur anonyme une mystérieuse corbeille de fruits où l'on a dissimulé deux bombes à retardement. Celles-ci sont aussitôt remises aux services de sécurité japonais qui annoncent, après un examen des plus sommaires, qu'elles viennent de l'arsenal du « Jeune maréchal ».

Le lendemain (8 novembre 1931), Doihara décide de prendre des mesures nettement plus dures : il organise donc à Tientsin, sur une échelle colossale, des émeutes anti-Pu Yi.

Comme le montrera plus tard (en mars 1932) un rapport du gouvernement municipal de Tientsin, la violence est soigneusement orchestrée par la police secrète japonaise, appuyée par des soldats de la garnison de la concession, avec un noyau de cinq cents agitateurs chinois professionnels, amplement rémunérés pour leurs services. Les émeutes, ostensiblement déclenchées par des éléments de gauche, vont faire quelque six millions de francs actuels de dégâts dans les quartiers chinois de la ville. Plusieurs policiers chinois sont tués et il y a des dizaines de blessés ; le rapport indique que toutes les armes, munitions et douilles récupérées par la suite sont de fabrication japonaise. Les émeutiers arrêtés avouent qu'ils ont été armés et payés par des agents japonais pour fomenter des troubles.

Le contingent initial des manifestants, dont le rôle est de mettre la ville à feu et à sang, se rassemble au préalable dans la caserne de police de la concession japonaise, afin de recevoir les instructions de meneurs nippons. Leurs premières cibles sont les commissariats de police dans la ville « chinoise » de Tientsin ; il n'y aura que de légers dégâts et très peu de victimes dans les concessions étrangères.

Les émeutes se poursuivent pendant trois jours, des voitures blindées japonaises tirent au hasard dans la ville chinoise, des rumeurs habilement lancées accusent le « Jeune maréchal ». Pu Yi est sincèrement convaincu que la populace en veut à sa vie. Il est alors quasiment prisonnier des Japonais dans l'enceinte de sa demeure et il a donc naturellement tendance à croire la version que ceux-ci lui donnent de ce qui se passe au-dehors. A cette époque, Woodhead est parti s'installer à Shanghai, si bien que l'ex-empereur n'a même plus moyen de découvrir la vérité en questionnant un observateur neutre. D'ailleurs, les techniques de désinformation des Japonais sont des modèles du genre et de nombreux étrangers croient dur comme fer à la version nippone des événements.

Après avoir provoqué les émeutes, les Japonais en font leur prétexte pour déclarer la loi martiale à l'intérieur de leur propre concession. Doihara assure à Pu Yi que sa vie est en grand danger. « Joyau de l'Orient », qui multiplie désormais ses visites, fait la preuve de ses dons d'actrice consommée. Elle supplie l'empereur de partir, de sauver sa vie, même s'il est obligé pour ce faire de laisser momentanément sa femme derrière lui. Pu Yi, complètement démoralisé, se rend à ses supplications.

Il fait une sortie humiliante. Selon son propre récit, son serviteur personnel, Grand Li — le jeune Mandchou qui l'avait déjà accompagné jusqu'à l'hôpital allemand à Pékin en 1924 et qui a à présent vingt et un ans —, essaie d'ouvrir la porte du garage du « Jardin paisible », mais n'y parvient pas car, comme le note Pu Yi, cela fait si longtemps qu'elle n'a plus servi qu'elle disparaît entièrement sous les « affiches publicitaires qu'on a collées dessus ».

Pour éviter d'être découvert, Pu Yi attend la nuit. On avance alors une voiture devant sa porte d'entrée, Grand Li ouvre le coffre et son maître saute à l'intérieur, s'y pelotonne comme un fœtus et le véhicule s'ébranle, avec son chauffeur au volant et, à côté de lui, l'interprète japonais qui n'ignore rien de ce qui se trame. Le chauffeur a une telle peur qu'il heurte un poteau télégraphique en faisant marche arrière, assez violemment pour cabosser la voiture... et pour assommer à moitié le malheureux Pu Yi.

Dans la cour d'un restaurant japonais, on aide l'empereur encore tout étourdi à sortir de sa cachette, on lui fait enfiler un vaste pardessus japonais et une voiture officielle le conduit jusqu'à une vedette qui l'attend sur le fleuve. Il y retrouve le fidèle Cheng Hsiao-hsu et deux autres membres de sa « cour ». En dépit de toutes les appréhensions qu'il a manifestées jusque-là, Cheng a décidé de suivre son « empereur ».

La vedette descend le Hai he, mais soudain un bateau de la marine chinoise en patrouille lui intime l'ordre de s'arrêter. L'équipage japonais fait semblant d'obtempérer, puis au dernier instant lance le moteur à fond et, avec un rugissement, l'embarcation s'enfonce dans la nuit. Le patrouilleur se lance à sa poursuite, mais la vedette japonaise est plus rapide. Pu Yi apprendra plus tard que le projet d'évasion avait tout prévu, même un échec. Dans un article écrit pour le magazine japonais, *Bungei Shunju,* un des hommes chargés de l'escorter a révélé, plusieurs années après la fin de la Seconde Guerre mondiale, que l'on avait installé sur le pont — juste à côté de Pu Yi — une grande barrique d'essence. L'homme avait ordre de faire sauter le bateau — et tous ses occupants — si jamais il était arraisonné.

Pu Yi est ensuite transféré à bord d'un navire marchand japonais, l'*Awaji Maru*. Il reste confiné toute la nuit dans une petite cabine. La mer est houleuse et il souffre d'un mal de mer abominable. Le lendemain matin, l'empereur et sa suite débarquent à Ying-kou.

Il n'y a, si l'on en croit les souvenirs de Pu Yi, « ni foule ni drapeaux. La poignée de gens qui sont venus m'accueillir consiste exclusivement en Japonais ». Il s'agit, à vrai dire, d'une délégation dont la médiocrité est presque vexante ; elle comprend même un homme de la police secrète, Masahiko Amakasu, qui en 1923 s'est rendu tristement célèbre à Tokyo en étranglant à mains nues un activiste de gauche, sa femme et leur petit enfant. Comme le note Bergamini : « C'est un avant-goût du genre de cour qui va environner son trône factice dans les années à venir. »

Les Japonais mettent Pu Yi dans un train et, quelques heures plus tard, il se retrouve à Tang-kang-tzu, une ville d'eaux locale, où on le loge dans une suite luxueuse de l'hôtel Tuitsuike, un établissement qui appartenait aux Japonais dès avant l'annexion aux Chemins de fer de Mandchourie méridionale et qui est réservé aux VIP nippons. Il y est accueilli par le sinistre antiquaire, Lo Chen-yu. Ce dernier lui explique pourquoi tout son voyage s'est déroulé dans le plus grand secret et pourquoi il n'y avait pas de foule pour l'accueillir : des discussions de dernière minute sont encore en cours parmi les Japonais sur la façon dont il faut annoncer la nouvelle de son arrivée. Pu Yi avale un repas japonais très élaboré et s'endort, épuisé.

Le lendemain, de bon matin, il décide d'aller se promener. Un de ses aides de camp fait grise mine. C'est impossible.

« Pourquoi ? ai-je voulu savoir. Qui l'a décidé ? Descends demander.

— Ils ne veulent même pas nous laisser descendre. »

Fou de rage, l'empereur fait appeler Lo Chen-yu, mais ce dernier a disparu. Tout le petit groupe doit rester au secret, leur annonce un agent de la police secrète japonaise, avec force courbettes, jusqu'à ce qu'on ait reçu les ordres du colonel Itagaki.

C'est ce dernier, autre membre de l'aréopage des « onze hommes de confiance », qui a orchestré « l'incident de Mukden », travaillant la main dans la main avec Ishiwara. Cet homme affable qui se lie facilement et possède des relations haut placées va jouer, au cours des années suivantes, un rôle de premier plan en Mandchourie occupée et en Chine. Plus tard, devenu intime de l'empereur Hiro-hito, il sera ministre de la Guerre et partagera finalement le sort de Doihara, puisqu'il sera un des huit criminels de guerre japonais pendus en 1948.

Pu Yi s'aperçoit, mais un peu tard, qu'il est une fois de plus prisonnier, mais qu'il a désormais beaucoup moins d'atouts dans son jeu qu'à Tientsin. Les Japonais sont loin de le traiter avec le respect qu'il escomptait. Itagaki ne se donne même pas la peine de lui rendre visite : ils s'entretiennent par téléphone. Cheng Hsiao-hsu arbore à présent une expression qui signifie « je vous l'avais bien dit », mais il est trop loyal pour dire tout haut ce qu'il pense tout bas. Le séduisant tableau que leur a peint le colonel Doihara n'est plus de mise et Pu Yi se rend compte, peu à peu, qu'on ne lui permettra même pas de faire un « retour triomphal » à Shen-yang (Mukden), capitale de la Mandchourie. Itagaki lui fait savoir sèchement, au téléphone, après l'avoir laissé se morfondre pendant une bonne semaine que c'est à Lu-shun qu'on va l'emmener.

Lu-shun (ancien Port-Arthur) est le quartier général du territoire à bail cédé au Japon par les Russes à l'issue de la guerre russo-japonaise de 1904-1905. Sans que Pu Yi en ait la moindre idée, à l'époque, des discussions acharnées ont lieu parmi l'establishment militaire japonais, quant aux fonctions exactes qu'il devra occuper : l'« armée du Kwangtung » ne veut pas de la monarchie, même fantoche, qu'a imprudemment concédée Doihara. Les experts japonais sur la Mandchourie, qui se sont donné beaucoup de mal pour gagner à leur cause un certain nombre de Mandchous importants, ont le sentiment qu'un élément « parachuté » du dehors, tel que Pu Yi, risque de détruire plusieurs années d'excellent travail et de miner sérieusement leurs rapports avec les « élites » locales. Non pas que les

Japonais se préoccupent le moins du monde des droits de l'homme ou de la démocratie ni qu'ils aient la moindre intention d'accorder aux Mandchous fût-ce une parcelle d'autonomie politique. Ils sont tout simplement conscients du fait que Chiang Kai-shek et son gouvernement du KMT s'apprêtent à protester officiellement devant la Société des Nations, basée à Genève, contre le viol de la Mandchourie par le Japon ; ils veulent donc se trouver dans une position aussi forte que possible pour repousser cette accusation et être en mesure de faire valoir que la sécession mandchoue s'appuie sur un important soutien populaire.

Pu Yi, qui ne se doute de rien, considère son transfert à Lu-shun comme un pas dans la bonne direction. Malheureusement, à l'hôtel Yamato, autre établissement japonais, il se retrouve à nouveau prisonnier ; il n'a pas le droit de quitter sa suite et ses visites sont sévèrement limitées. Officiellement, les Japonais s'en tiennent à leur première version : ils préfèrent que son arrivée reste secrète « jusqu'à nouvel ordre ».

Pendant ce temps, à Tientsin, l'« impératrice » reçoit toujours régulièrement des visites de « Joyau de l'Orient », porteuse de nouvelles rassurantes. La famille de cette dernière possède une maison à Lu-shun et c'est là, explique-t-elle, qu'Elizabeth ira bientôt rejoindre Pu Yi. Les Japonais l'ont louée et sont en train de la transformer en résidence temporaire pour l'empereur, avant de mettre sur pied la cérémonie officielle destinée à fêter son retour avec toute la pompe qui convient à son rang. « Joyau de l'Orient » est toujours gênée par la constance avec laquelle Elizabeth reste persuadée que la décision de Pu Yi ne peut être autre chose qu'une erreur monumentale, que les Japonais se sont moqués de lui depuis le début et que leurs promesses n'ont aucune valeur.

Si elle était aussi indépendante que Wen Hsiu ou aussi libre que « Joyau de l'Orient », peut-être aurait-elle pris dès cet instant la décision de rompre définitivement avec son mari. Une « impératrice », cependant, ne saurait réclamer le divorce, et le père de la jeune femme — qui espère bien être à nouveau chargé des finances de son gendre si celui-ci devient effectivement empereur d'une Mandchourie fantoche — exerce sur elle une influence considérable. Et, en dépit du fossé qui a paru s'élargir entre eux, durant le séjour à Tientsin, elle semble encore éprouver pour Pu Yi une sincère affection. Comme elle n'a pas le cran de son amie « Joyau de l'Orient », sans doute a-t-elle peur aussi d'être tout simplement rejetée comme sa mère l'a été et abandonnée sans aucune ressource. En tout cas, lorsque des rapports délibérément fallacieux lui apprennent que Pu Yi est en état d'arrestation à Lu-shun, elle change d'avis et se met à fulminer et à tempêter, en versant des larmes hystériques et en exigeant d'aller retrouver son époux.

Six semaines environ après son piètre départ dans la malle arrière de sa voiture, Pu Yi est réuni à Wan Jung, dans une maison au bord de l'eau, qui appartient à la famille de « Joyau de l'Orient ». Cette dernière, pour sa part, est de retour à Shanghai, à point nommé, d'ailleurs, car le commandant Tanaka a plusieurs nouvelles missions à lui confier : elle doit jouer un important rôle d'agent provocateur dans la guerre très localisée qui va éclater le mois suivant à Shanghai entre la Chine et le Japon, afin de détourner l'attention de ce qui se passe en Mandchourie. En plus de quoi elle conquiert deux nouveaux amants qui sont l'un et l'autre d'extrêmement précieuses sources de renseignements pour Tanaka : grâce aux confidences que lui fait sur l'oreiller un attaché militaire britannique à Shanghai, elle est en mesure de faire savoir au commandant qu'en dépit de toutes ses belles tirades condamnant l'agression japonaise en Mandchourie, la Grande-Bretagne n'a aucune intention de prendre des mesures concrètes contre le Japon. Quant à son second amant, ce n'est autre que Sun Fo, le fils de Sun Yat-sen : tout au long des heurts sino-japonais à Shanghai, qui vont faire des milliers de morts et donner lieu aux premiers bombardements aériens de civils, « Joyau de l'Orient » sera en mesure de transmettre à son « officier traitant » et amant japonais d'inestimables informations, en provenance directe du centre privilégié qu'est le camp du KMT.

En tant qu'espionne, la jeune femme va connaître un succès fulgurant et, en 1937, lorsque les Japonais ont enfin envahi le nord de la Chine et installé un gouvernement chinois fantoche à Pékin, elle y fait un retour triomphal, ne se donnant plus désormais la peine de cacher le fait qu'elle est une des principales « collaboratrices » de l'occupant. Elle fait jouer son influence auprès du gratin de l'« establishment » japonais pour faire chanter ses compatriotes fortunés, en menaçant de les signaler à la police secrète nippone pour activités antinationales s'ils ne lui versent pas d'énormes sommes d'argent. Elle s'installe dans une résidence princière, réquisitionnée par les Japonais, et, comme elle commence à perdre sa beauté (elle se ride, grossit et devient de plus en plus hommasse), elle doit désormais compter sur d'autres moyens pour attirer les jeunes gens dans son lit : après avoir repoussé ses avances, un célèbre acteur de la capitale se retrouve en prison, accusé de lui avoir volé son sac. Elle penche de plus en plus vers la bisexualité et couche souvent avec les jeunes filles de joie qu'elle continue à fournir à Tanaka qui reste son fidèle ami. Cependant, lui aussi confiera à Bergamini, nettement plus tard, que le comportement de « Joyau de l'Orient » finit par « ne plus avoir de sens commun ». Après l'effondrement nippon, elle refuse de se réfugier au Japon, mais ce n'est que trois ans plus tard qu'elle sera prise — par Chiang Kai-shek — et décapitée. Selon Bergamini, « son juge... l'a condamnée par-dessus tout pour être montée dans des avions japonais et avoir contemplé avec mépris — elle, une simple femme — la bonne terre de Chine ».

Tandis que « Joyau de l'Orient », encore jeune et belle, couche avec ses deux amants et que le Japon s'apprête à affronter ouvertement la Chine à Shanghai, le colonel Itagaki se rend brièvement à Tokyo pour mettre personnellement l'empereur Hiro-hito au courant de la situation en Mandchourie. Durant l'audience, il n'est pas tant question de Pu Yi que des aspects plus vastes de la politique japonaise dans cette région et du besoin d'établir un Etat fantoche contrôlé par les Japonais, tout en évitant de s'exposer aux accusations d'annexion ; pour cela, il faut tenter de convaincre l'opinion internationale que l'Etat mandchou en question est pleinement indépendant et souverain.

Longtemps après, Bergamini a obtenu un compte rendu de cet entretien. Itagaki déclare à Hiro-hito que « le nouvel Etat fantoche préservera une façade d'indépendance et d'autonomie politique », mais que les « conseillers » japonais contrôleront en réalité totalement la situation. Cependant, pour mieux berner les puissances étrangères, ces derniers se feront passer pour des Mandchous, prendront des noms mandchous et deviendront momentanément des citoyens autochtones. L'empereur demande s'il y a déjà eu des précédents de double nationalité. Son interlocuteur lui assure que c'est une pratique tout à fait courante.

Les provocations organisées à Shanghai, qui vont déboucher sur l'état de guerre entre les deux pays, commencent la semaine suivante. Tandis que les combats font rage et que quelque vingt mille soldats japonais sont attendus à Shanghai pour venir à bout de la résistance inattendue et héroïque de la XIXᵉ armée de route, le colonel Itagaki est de retour en Mandchourie où il a son premier entretien de vive voix avec Pu Yi, afin de lui préciser très exactement ce qui l'attend.

Itagaki s'exprime non pas avec le charme insinuant du colonel Doihara, mais avec l'autorité d'un homme qui tient ses instructions de l'empereur Hiro-hito en personne. Il est d'une franchise brutale. Il n'y aura pas d'« empire » de Mandchourie, en tout cas pas dans un proche avenir ; le nouvel Etat portera le nom de « République du Manchukuo » et Pu Yi en sera le chef. La capitale sera non pas Shen-yang (Mukden), mais Ch'ang-ch'un, dans le nord du pays, une sinistre ville industrielle à quelque huit cents kilomètres de Lu-shun. Il sort de sa serviette la « Déclaration d'indépendance des peuples mandchou et mongol » et un fac-similé du nouveau drapeau, qui est blanc avec cinq rayures de couleur formant un petit rectangle, afin de symboliser les « cinq races » de la Mandchourie : les Mandchous, les Chinois, les Mongols, les Japonais et les Coréens.

Pu Yi, indigné, repousse le drapeau et la déclaration. « Qu'est-ce que c'est que cet Etat dont vous me parlez ? Ce n'est certes pas le grand empire des Ch'ing ! » s'exclame-t-il, outré.

Bien sûr que non, répond patiemment Itagaki, comme s'il avait affaire à un enfant débile. Il s'agit d'un nouvel Etat, sanctionné par le « Comité administratif pour le Nord-Est », l'organe de « collaborateurs » que les spécialistes de la Mandchourie ont su constituer avec tant d'efficacité. « Le Comité a voté une résolution unanime saluant en Votre Excellence le nouveau chef de l'Etat. »

Pu Yi remarque aussitôt qu'on ne l'appelle plus « Votre Majesté Impériale ». « J'étais dans une telle rage, écrira-t-il plus tard, que j'avais du mal à rester tranquillement assis dans mon fauteuil. »

« Je ne saurais accepter un tel régime, déclare-t-il à son interlocuteur. Mon titre impérial m'a été transmis par mes ancêtres et, en y renonçant, je manquerais de loyauté et de piété filiale. »

Il s'agit d'un arrangement purement temporaire, rétorque Itagaki. Très certainement, en temps voulu, l'Assemblée nationale rétablira le régime impérial.

C'est la première fois que Pu Yi entend parler d'un « parlement » mandchou et cela ne fait que l'irriter encore davantage. La discussion est dans une impasse. Itagaki ramasse sa serviette. « Votre Excellence a besoin de réfléchir, dit-il. Nous continuerons cet entretien demain. »

Le lendemain, Itagaki, de façon encore plus brutale, annonce à Pu Yi qu'il ne saurait y avoir d'autres solutions que celles proposées par les Japonais ; l'entourage de l'« empereur » le presse de les accepter. Cheng Hsiao-hsu lui-même, qui avait tout fait pour dissuader Pu Yi de quitter Tientsin, semble désormais résigné à la situation. D'ailleurs, si jamais Pu Yi devient chef de l'Etat, lui-même sera Premier ministre et il est suffisamment vaniteux pour s'en délecter d'avance.

Tout à fait indépendamment de la conviction de l'« armée du Kwangtung », qui estime que les « collaborateurs » locaux méritent d'avoir leur « parlement fantoche » et de tirer des récompenses matérielles de leur collaboration avec les Japonais, Itagaki, sous la sévère férule du palais impérial, a une autre raison cruciale pour avoir formé un tel projet : certes, la Société des Nations s'est avérée incapable d'imposer au Japon des sanctions effectives pour l'annexion de la Mandchourie, mais elle a nommé une commission d'enquête destinée à évaluer de visu la situation dans cette région. Il est plus urgent que jamais de montrer au monde entier que le « Manchukuo » possède pour le moins quelques-uns des attributs d'un Etat indépendant « normal »

Une semaine après la rencontre entre Itagaki et Pu Yi — le 29 février 1932, puisqu'il s'agit d'une année bissextile —, la « commission Lytton », désignée par la Société des Nations, débarque à Tokyo, première étape de sa mission d'investigation qui se poursuivra en Chine et se terminera par une évaluation « sur le tas » de la nouvelle nation qu'est le Manchukuo, dont Pu Yi sera d'abord chef de l'Etat, puis empereur.

16.

Tant pour les Américains que pour les Européens, la Mandchourie, aux confins tartares de la Sibérie orientale et de la Chine septentrionale, est à l'autre bout du monde ; un endroit aussi lointain que les Galapagos ou l'île de Pâques.

Pour les Soviétiques, les Japonais et les Chinois, en revanche, cette région était alors — et demeure — très importante sur le plan industriel et agricole et d'un intérêt stratégique crucial. C'est de part et d'autre de l'Amour (le Dragon noir), le fleuve qui sépare la Mandchourie de l'URSS, que les troupes et missiles chinois et soviétiques maintiennent encore aujourd'hui leur coûteuse surveillance.

Dans les années vingt, la détermination du Japon à s'approprier la Mandchourie et à y intaller un gouvernement fantoche à sa dévotion ne peut être comprise que si on la replace dans un contexte stratégique et économique global, qui était encore plus important entre les deux guerres qu'il ne l'est aujourd'hui. Au cours des années vingt, perturbées et anarchiques, la Mandchourie, où ne vivent que 9 % de la population chinoise, est potentiellement — malgré son climat très rigoureux, chaud l'été et glacial en hiver — la région la plus riche de Chine. Elle a — comme aujourd'hui — d'énormes réserves minérales et houillères. Son sol est idéal pour la culture du soja et de l'orge. Ses agriculteurs, cavaliers émérites, sont parmi les plus résistants et les plus industrieux du globe (c'est de leurs rangs que sont issus les rudes guerriers de la cavalerie mandchoue, qui, au XVIIe siècle, ont conquis la Chine entière pour la dynastie des Ch'ing) et, bien avant « l'incident de Mukden », son développement économique laisse loin derrière lui celui du reste de la Chine, en grande partie grâce à la solide administration du « generalissimo » assassiné, Chang Tso-lin. Sous tous les rapports, elle dépasse largement le reste de la Chine en ce qui concerne la production alimentaire, les revenus et l'infrastructure routière. En 1933, à une époque où l'occupation japonaise n'a pas encore véritablement pris son essor, elle représente 14,3 % de la production industrielle globale de la Chine, 12 % de sa force ouvrière industrielle et, entre 1913 et 1930, elle accroît sa production agricole de 70 %.

L'une des raisons pour lesquelles le maréchal Chang Tso-lin a pu devenir un personnage aussi redoutable, c'est qu'il a parfaitement saisi dès le départ, même lorsqu'il n'était qu'un petit seigneur de la guerre de second ordre, l'importance qu'auraient pour la Chine les communications ferroviaires. Certes, à la suite de leur victoire dans la guerre russo-japonaise de 1904-1905, les Japonais ont fait main basse sur certaines des voies ferrées construites et exploitées par les Russes en Mandchourie. Ils ont créé en outre leur propre « Compagnie des chemins de fer de Mandchourie méridionale », extrêmement puissante. Néanmoins, Chang Tso-lin a eu la prévoyance d'établir sa propre société de chemins de fer, ce qui explique d'ailleurs pourquoi il voyage dans un train blindé lui appartenant lors de l'attentat qui lui coûte la vie. Avant sa mort, il sert également d'intermédiaire entre les intérêts japonais et soviétiques, qui se heurtent en Mandchourie, car les Soviétiques, surtout durant la décennie qui suit immédiatement la révolution d'octobre 1917, ne peuvent se défaire du soupçon que les Britanniques et les Japonais risquent de s'entendre pour attaquer leur pays par sa frontière mandchoue, afin de « déstabiliser » leur régime incontestablement chancelant et en complète faillite économique.

Après la disparition de Chang Tso-lin, des lignes de chemin de fer exploitées par les Soviétiques et par les Japonais continuent à fonctionner en Mandchourie, protégées par deux armées distinctes de soldats spécialement affectés à cette surveillance. Les lignes mandchoues représentent d'ailleurs plus de 30 % de toute l'infrastructure ferroviaire de la Chine. Entre 1928 et 1937, elles s'accroissent de quatre mille cinq cents kilomètres, soit une augmentation deux fois plus importante qu'elle ne l'est dans le reste du pays.

Selon n'importe quels critères, la Mandchourie est, dans les années vingt, un butin précieux, un véritable pays de cocagne qui attend son développement : pour le Japon de l'entre-deux-guerres, tout spécialement, la Mandchourie représente une source essentielle de matières premières et d'usines. Sans ces ressources-là, le Japon ne pourrait sans doute pas se lancer dans sa politique de conquête de tout le Sud-Est asiatique (à commencer par la Chine) ni prendre le risque de bombarder Pearl Harbor en 1941, obligeant ainsi les Etats-Unis à entrer en guerre. La Mandchourie va devenir la Ruhr du Japon, c'est elle qui alimentera son économie de guerre. Et parce que la Mandchourie, en comparaison du reste de la Chine, déchirée par des luttes incessantes, jouit d'une incroyable expansion économique, sa population passe, entre 1910 et 1940, de dix-huit à trente-huit millions d'habitants, l'accroissement le plus specta-culaire survenant après « l'incident de Mukden » en 1931. C'est ce pays qui est sur le point de devenir le « Manchukuo », avec Pu Yi comme « chef de l'Etat ».

Il va aussi devenir, après 1931, un pays où règne l'un des régimes les plus brutaux du monde, l'archétype du régime colonial, même s'il s'agit d'un colonialisme à la japonaise. Au cours des premières années d'existence du Manchukuo, la brutalité est principalement confinée à la population mandchoue et chinoise, ainsi qu'aux Russes blancs, si bien que les protesta-tions sont nettement moins véhémentes que celles qu'on enten-dra ultérieurement, lors de l'occupation nazie en Europe après le début de la Seconde Guerre mondiale. Nous sommes encore à une époque où des passeports américains, britanniques, français ou italiens confèrent à ceux qui les détiennent une réelle protection dans cette partie du monde. Et le racisme inné, voire souvent inconscient, des observateurs étrangers est tel qu'ils ont tendance à considérer comme normaux les sévices infligés par des Orientaux à d'autres Orientaux ou à d'autres êtres humains

« méprisés » comme ces Russes apatrides, alors installés par milliers en Mandchourie.

Le journaliste-explorateur britannique, Peter Fleming, rapporte que, dans un train mandchou, des Japonais ont pris son amie Kini pour une Russe blanche et lui ont administré une correction qui leur semblait aller de soi, jusqu'au moment où ils se sont aperçus qu'elle était suisse et lui ont présenté de plates et volubiles excuses. Pour reprendre les propos de Fleming dans son livre *News from Tartary*, « les Russes blancs, on peut leur taper dessus tant qu'on veut, parce que ce sont des gens qui n'ont aucune assise, ce sont des citoyens de nulle part ».

Cette brutalité presque routinière ne lui paraît nullement surprenante, non plus qu'aux autres observateurs étrangers. Mais, en fait, les soldats japonais ne font qu'obéir aux ordres et la cruauté ouverte et gratuite dont les voyageurs occidentaux sont témoins s'inscrit dans le cadre d'un règne de terreur systématique imposé d'en haut par Tokyo, auquel sont incorporés par ailleurs des traits aussi bien fascistes que colonialistes, dans le double dessein de terroriser la population locale et de transformer l'occupation japonaise, à peine déguisée, en opération rentable.

Sous ce régime colonial que l'on ne cherche guère à masquer, l'immigration japonaise en Mandchourie va dépasser les plus folles espérances du baron Goto. En 1931, il y a deux cent trente et un mille Japonais en Mandchourie ; en 1939, leur nombre s'élève à huit cent trente-sept mille et ils représentent un quart de la population de la nouvelle capitale du Manchukuo, Ch'ang-ch'un. « L'incident de Mukden » a mis fin à toutes les restrictions qui frappaient l'immigration ou la propriété, ce qui permet aux Japonais de « développer » la région à leur guise.

Il ne fait aucun doute que le Japon a l'intention de faire du Manchukuo, le temps aidant, une colonie japonaise reconnue : en août 1935, le gouvernement nippon annonce officiellement ses projets d'immigration pour la Mandchourie, qui visent à y installer cinq millions de personnes entre 1936 et 1956. Le but n'est pas seulement stratégique, mais destiné à résoudre le problème alors considérable de la surpopulation agricole au Japon. Entre 1938 et 1942, quelque deux cent mille jeunes ouvriers agricoles japonais se proposent pour partir en Mand-chourie et se voient attribuer des fermes, enlevées pour la plupart à leurs propriétaires mandchous légitimes par le biais de l'expropriation et transformées en « hameaux stratégiques ».

Les volontaires célibataires mis à part, on estime qu'à partir de 1936 vingt mille familles vont s'installer, chaque année, en Mandchourie, jusqu'au moment où — au milieu de la Seconde Guerre mondiale — le Japon perd sa suprématie maritime et n'a plus les moyens de transporter les émigrants en nombres aussi considérables.

A partir de 1931, les gouvernements japonais successifs s'aperçoivent que la Mandchourie possède un énorme potentiel pour nourrir leur pays. La propagande officielle assure que les volontaires agricoles et les militaires à la retraite sont envoyés dans des zones de Mandchourie préalablement incultes et désertes.

La réalité est bien différente. Toute vaste que soit la Mandchourie (plus de deux fois la superficie totale de la France et de l'Allemagne d'avant-guerre réunies), il est absolument faux de prétendre que d'énormes étendues de terrain restent en friche, attendant l'arrivée des industrieux « colons » japonais. Les nouveaux peuplements d'immigrants font naître un amer ressentiment et beaucoup d'entre eux sont constamment menacés d'agression. Des centaines de milliers de fermiers mandchous ont été dépossédés... ou pis. On connaît le témoi-gnage effroyable d'un Japonais, ancien volontaire agricole, qui raconte comment des agriculteurs mandchous, arrêtés par les troupes japonaises, ont été remis entre les mains de leurs conscrits à qui l'on a expliqué qu'il s'agissait de « bandits » qui devaient servir à l'entraînement à la baïonnette. On comprend pourquoi, dans ces conditions, de nombreux fermiers privés de leurs terres s'en vont grossir les rangs des armées de guérilleros antijaponais et deviennent d'authentiques « bandits ». Les autres partent pour la ville où ils sont sûrs de trouver du travail.

A partir de 1931, en effet, la Mandchourie devient une véritable centrale industrielle. Comme la bauxite japonaise se fait rare, on développe sur une grande échelle les schistes alunifères de Mandchourie ; dès 1932, les Japonais investissent des sommes énormes, notamment dans le fer, l'acier, les fertilisants, les explosifs, les produits chimiques, les machines-outils, l'électricité et la chaudronnerie. La construction connaît un essor tout aussi surprenant. Avec l'aide américaine, les Japonais établissent, en 1934, un début d'industrie automobile (la firme Dowa) et même une petite industrie aéronautique (la Compagnie d'Aviation mandchoue), qui fabrique d'abord des moteurs légers, puis des avions. En reportage pour le *Saturday Evening Post,* Edgar Snow écrit que « le changement devient apparent dès qu'on a franchi la frontière, avant même d'avoir pénétré dans les grandes villes où une expansion phénoménale de la construction est en train d'altérer à toute allure la physionomie de la Mandchourie ». Il compare la saleté des trains chinois à « la propreté et au service ordonné » des Japonais. Il faudrait, lui confie un homme d'affaires américain en visite, rebaptiser le Manchukuo le « Japanchukuo ».

Le professeur F. C. Jones, spécialiste de la Mandchourie, dont le livre *Manchuria after 1931 (Royal Institute on International Affairs)* reste l'œuvre qui fait autorité sur ce sujet, a écrit que « les Japonais ont constitué, en Mandchourie, un potentiel industriel qui dépasse de loin tout ce qui pouvait exister ailleurs en Asie orientale, à l'exception du Japon lui-même et de l'URSS », mais qu'ils ont, dans tous les cas, « intégré l'économie mandchoue à leurs propres besoins ».

Tout est fonction, en effet, des intérêts du Japon. Selon le modèle colonial classique, la Mandchourie produit soit des matières premières, soit des produits semi-finis, les finitions étant réservées au Japon. « C'est une structure coloniale type, écrit Jones. Les directeurs et les techniciens sont exclusivement japonais. »

Typiquement coloniale, aussi, est la politique nippone dans le domaine de l'éducation. Après « l'incident de Mukden », toutes les anciennes universités chinoises de Mandchourie ferment leurs portes. Les Japonais encouragent la création de nouveaux établissements, mais ils écartent les « sciences humaines » des programmes, parce que, pour reprendre l'explication de Jones, leurs enseignements sont « susceptibles d'avoir des conséquences politiques indésirables ». Un reporter du

Times de Londres, envoyé dans le Manchukuo nouveau-né en décembre 1932, rapporte les propos d'un officier japonais : « La Mandchourie a besoin de travail, déclare-t-il, pas de ces jeunes gens à col dur, la tête pleine de notions mal digérées, qui fourmillent au Japon. »

La chose est reconnue jusque dans les publications qu'émet le gouvernement du Manchukuo pour prouver que le pays est pleinement indépendant : dans le tome III de *Mandchourie contemporaine*, l'auteur de la section sur l'Education annonce fièrement que le système « n'insiste pas indûment sur la formation intellectuelle ». Les Japonais ont besoin pour l'industrie d'ouvriers et de contremaîtres dociles et ils ont conçu le système d'éducation du Manchukuo de façon à être sûrs qu'ils en auront autant qu'il leur en faudra.

Dans la plupart des pays, le prolétariat industriel est un peu mieux loti que son homologue agricole en ce qui concerne le salaire, le logement et le pouvoir d'achat. Mais, au Manchukuo, le contrôle très serré qu'exercent les Japonais sur l'économie locale signifie que les travailleurs produisent des biens d'équipement et non de consommation ; par ailleurs, à cause de la politique d'importation draconienne, des articles de consommation aussi essentiels que les vêtements, voire la nourriture, sont disponibles en quantités très limitées et la situation s'aggrave d'année en année. Un effort est fait pour loger l'influx de travailleurs industriels dont on a grand besoin et les édifices construits par les Japonais sont encore debout aujourd'hui. Mais, à l'intérieur de ces bâtiments, écrit Jones, « vivent des gens dont la santé est sérieusement minée par la malnutrition et les cadences infernales dans les usines ».

Il existe une autre facette de l'occupation japonaise en Mandchourie, illustrée par un livre remarquable, tombé depuis longtemps dans l'oubli ; il a été écrit par un aventurier italien du nom d'Amleto Vespa.

L'auteur, né en 1888, s'est installé à Harbin durant la Première Guerre mondiale, après une jeunesse aventureuse au service de la révolution mexicaine. Parlant couramment le chinois et le japonais, il devient, pendant la Première Guerre, agent de renseignements « free-lance » en Chine, du côté des

Alliés. Au cours de ces années, il se lie d'amitié avec Chang Tso-lin, le seigneur de la guerre mandchou, qui le prend à son service et fait de lui un des officiers supérieurs de sa police secrète personnelle. Jusqu'à la mort de Chang, Vespa, un petit homme trapu dont la ressemblance avec Mussolini (qu'il admire beaucoup) est frappante, devient un agent remarquable d'efficacité, grâce à qui un nombre considérable de trafiquants d'armes et de drogue et de proxénètes finit derrière les barreaux. Comme les Italiens voient ses activités d'un assez mauvais œil, il demande la nationalité chinoise, geste qu'il aura l'occasion de regretter par la suite, car, après « l'incident de Mukden », il se trouve ravalé, aux yeux des Japonais, au même rang que ces Chinois et Mandchous qu'ils méprisent tant.

Les Japonais ne vont d'ailleurs pas tarder à profiter de la situation : en 1931, le colonel Doihara menace de tuer l'épouse italienne de Vespa et son enfant, s'il refuse de travailler secrètement pour les Japonais. L'Italien n'a d'autre ressource que d'accepter, mais il parvient quand même à leur rendre la monnaie de leur pièce en devenant agent double. Jusqu'en 1936, date à laquelle il réussit à s'enfuir de Mandchourie, il sera aux premières loges pour observer les Japonais à l'œuvre, à Harbin et ailleurs ; son livre, *Agent secret des Japonais,* est un document extraordinaire sur cette période peu connue.

Le contenu de l'ouvrage est d'ailleurs si sensationnel que lors de sa parution, en 1938, certains critiques s'imaginent que l'auteur en a inventé la majeure partie. Toutefois, aussi bien Edgar Snow que H. J. Timperly, qui est alors le correspondant en Chine du *Manchester Guardian,* deux hommes qui connaissent bien cette partie du monde, garantissent la véracité du récit. Par la suite, un certain nombre d'autres experts en feront autant, après avoir eu l'occasion de constater que les dires de Vespa concernant la vie qu'il a menée au Manchukuo dans les années trente correspondaient très exactement aux documents japonais tombés en leur possession.

L'Italien raconte qu'un jour le colonel Doihara le convoque pour lui faire rencontrer le chef des services secrets japonais en Mandchourie ; il s'agit d'un homme d'une extrême distinction, qui parle parfaitement l'anglais et dont Vespa ne découvrira jamais l'identité. Peut-être est-ce un prince du sang japonais, car personne hormis un intime de l'empereur, écrit Bergamini, n'aurait osé parler avec autant de cynisme et de mépris de ses subordonnés et des étrangers en général, ni évoquer aussi ouvertement — et aussi savamment — les visées mondiales du Japon.

Le mystérieux chef des renseignements annonce à Vespa quelle va être sa tâche : l'« occupation » ne doit rien coûter au Japon. D'ailleurs, c'est ainsi qu'ont toujours agi les puissances coloniales, depuis que le monde est monde, et « nous autres Japonais sommes un peuple très pauvre... D'une façon ou d'une autre, par conséquent, ce sont les Chinois de Mandchourie qui doivent régler la note ».

Pour obtenir ce résultat, explique-t-il à Vespa, il y a plusieurs moyens : les monopoles, les rançons, les enlèvements et le sabotage délibéré des « Chemins de fer de l'Est » (la compagnie soviétique), dont l'existence même nuit à la Compagnie des chemins de fer de Mandchourie méridionale japonaise. Parmi les monopoles à mettre en place, il faudra s'attacher particulièrement à la manufacture et à la vente de l'opium, au jeu et à la prostitution. « Ceux à qui on cède le droit d'exercer ces monopoles devront verser de très fortes sommes », précise le mystérieux interlocuteur de Vespa. « En échange, ils bénéficieront de notre protection. » Ces monopoles, appartenant à des Japonais et fonctionnant sous la protection de la gendarmerie nippone, en viendront ultérieurement à couvrir presque tous les aspects de l'économie quotidienne du pays ; il y aura même un « monopole » des firmes de ramonage, appartenant à un homme d'affaires japonais et « protégé » par une dizaine de gendarmes.

Vespa, quant à lui, doit prendre la tête d'une escouade de « barbouzes », qui joueront un double rôle d'hommes de main et d'intermédiaires, agissant pour le compte des services secrets japonais.

Cette équipe de durs sera utilisée de multiples façons, précise-t-on à l'Italien. L'un des buts prioritaires des Japonais est d'imposer que toutes les marchandises soient transportées non plus par les chemins de fer soviétiques, mais sur les lignes du Sud, qu'ils contrôlent eux-mêmes ; l'une des tâches dont est chargé Vespa est d'« entraver le fonctionnement de la ligne Harbin-Vladivostok et même de l'interrompre complètement... De nombreux accidents, une interminable série de déraillements doivent se produire, jusqu'à ce que les Russes se trouvent dans l'obligation d'expédier leurs propres marchandises par nos lignes jusqu'à Dairen (Dalian). Il faut aussi provoquer de nombreux accidents sur les autres lignes contrôlées par les Soviétiques et, pour détourner les soupçons, quelques-uns sur les lignes japonaises ».

Le haut fonctionnaire nippon prévoit aussi des enlèvements sur une grande échelle, avec d'énormes rançons à la clef ; il faudra s'occuper tout spécialement des sept mille juifs russes résidant à l'époque en Mandchourie.

Beaucoup d'entre eux, apprend Vespa, « ont pu se faire naturaliser citoyens d'autres pays... ce sont eux qui représentent la plupart des firmes étrangères. Nous ne pouvons donc pas nous attaquer ouvertement et directement à eux, surtout à ceux qui sont ressortissants d'un pays bénéficiant de privilèges d'extra-territorialité. Indirectement, cependant, nous allons leur mener la vie dure... Nous sommes tout à fait en mesure de faire pression sur tous ceux qui cherchent à faire affaire avec eux ».

Il y aura, à l'occasion, de fausses attaques contre des villages chinois, à l'issue desquelles les hommes de Vespa s'enfuiront devant les troupes japonaises, « de façon à nous attirer la gratitude des Chinois » ; et aussi des attentats simulés contre les soldats japonais, « ce qui nous fournira un prétexte pour des expéditions punitives et pour déporter les habitants des zones que nous souhaitons remettre aux colons japonais ». Pour tous ces projets, il serait excellent d'engager parmi les « tueurs », aux côtés des « bandits » mandchous et chinois que Vespa est chargé de recruter, des émigrés russes aux tendances mercenaires. Toute organisation, mandchoue ou étrangère, « qui n'est pas sincèrement amicale envers les Japonais » doit être éliminée, déclarent les instances officielles.

Un des problèmes auxquels Vespa doit faire face, en exécutant les ordres des Japonais, comme il est bien obligé de le faire (mais de telle façon, assure-t-il, que c'est bien souvent eux qui font les frais de l'opération), c'est celui que pose la détestable gendarmerie japonaise qui s'adonne, en secret, à des chantages à la protection auprès de tripots, fumeries d'opium et autres tenanciers de maisons closes, souvent clandestins, qui ne paient pas leur dû aux autorités nippones. A Harbin, où habite Vespa, s'institue une sorte de *modus vivendi :* la gendarmerie est autorisée à garder sous sa coupe cinq bordels, cinq fumeries d'opium, un tripot et un magasin de narcotiques où l'on vend des drogues dures. « Ce qui n'est pas beaucoup, note Vespa, si l'on songe qu'il y avait dans la seule ville de Harbin 172 bordels, 56 fumeries d'opium et 194 magasins de narcotiques. » Ces derniers, ajoute-t-il, ne sont pas vraiment des magasins. « L'héroïnomane se contente de frapper à la porte, un petit judas s'ouvre, à travers lequel il tend son bras dénudé et sa main où il a placé vingt *cents*. Quelqu'un à l'intérieur ramasse l'argent et lui fait sa piqûre. »

A partir de 1932, rapporte Vespa, les Japonais agrandissent énormément les zones où l'on cultive les pavots somnifères. Après 1937, « des cargaisons d'opium à destination de la Chine » partent « quotidiennement sous couvert d'approvision-nement militaire pour l'armée japonaise. Dans les lieux où il n'y a pas de commandement militaire japonais, l'opium est expédié au consulat du Japon. Des navires de guerre nippons le transportent le long de la côte chinoise et des avisos japonais remplissent la même fonction sur tous les grands fleuves de Chine ». Les drogues restent toutefois strictement interdites aux Japonais eux-mêmes. Vespa cite un fascicule distribué à tous ses soldats par le commandement militaire japonais : « L'usage des narcotiques est indigne d'une race supérieure comme les Japo-nais. Seules les races inférieures, les races décadentes, comme les Chinois, les Européens et les Indiens, s'adonnent à l'usage de ces drogues. C'est pourquoi elles sont destinées à tomber sous notre joug et, éventuellement, à disparaître. Un soldat japonais coupable d'avoir consommé des narcotiques devient indigne de porter l'uniforme de l'armée impériale japonaise et de vénérer notre divin empereur. »

Le récit que fait Vespa de ses démêlés avec la police secrète nippone et avec son propre gang de voyous chinois et russes blancs — ainsi que la façon dont il parvient à devenir, en fait, un agent double, informant à chaque fois qu'il le peut ses futures victimes de ce qui va leur arriver — est non seulement passionnant, mais montre bien que la technique de l'enlèvement, soit pour réclamer une rançon, soit pour intimider les gens dans un but politique, est aussi courante en Mandchourie, à partir de 1932, qu'elle le deviendra, bien plus tard, au Liban. Dans son livre, Vespa a publié de longues listes de Chinois et d'étrangers apatrides qui ont été ainsi enlevés et bien souvent tués.

L'une de ces affaires, qui met en cause le propriétaire juif russe de l'Hôtel Moderne d'Harbin, un homme universellement aimé, défraye la chronique internationale, tant elle est atroce : Joseph Kaspe a amassé une fortune considérable en Mandchourie. Il possède non seulement le meilleur hôtel de la ville, mais en outre une bijouterie et une chaîne de cinémas. Il est naturalisé français et l'un de ses fils, Siméon, pianiste de talent, est lauréat du Conservatoire de musique de Paris et amorce une belle carrière de virtuose. En 1933, Siméon se rend en Asie pour une série de concerts et vient passer quelques jours chez son père. Il est enlevé le 23 août 1933 par une bande de Russes blancs qui travaille la main dans la main avec la gendarmerie japonaise. Les ravisseurs réclament une rançon colossale. Joseph refuse de payer tant que son fils n'aura pas été libéré. Il reçoit presque aussitôt les deux oreilles du malheureux garçon.

Au cours des semaines qui suivent, Vespa et le consul français à Harbin acquièrent la conviction que la gendarmerie japonaise protège les ravisseurs... et ils obtiennent même des preuves dans ce sens. Cependant, bien que les Japonais, en raison de l'intérêt international que soulève cette affaire, se voient dans l'obligation de prendre des mesures contre les ravisseurs russes, qui sont éventuellement abattus, le rôle de la gendarmerie, qui a été prépondérant, ne fera pas seulement l'objet d'une enquête. Au début de décembre 1933, le cadavre affreusement torturé de Siméon Kaspe est découvert dans une tombe de fortune juste en dehors de la ville.

Etant donné que toutes les affaires non japonaises appartenant à des étrangers, même s'il s'agit de citoyens privilégiés des pays d'Europe occidentale ou des Etats-Unis, font l'objet de constants rackets, beaucoup d'entre elles finissent par être vendues, pour un prix dérisoire, à des hommes d'affaires japonais. Vespa lui-même se voit dépossédé de la majeure partie de ses biens. Il parvient à s'enfuir à Shanghai en 1936. Un « bandit » chinois de ses amis enlève plusieurs japonais et s'en sert comme monnaie d'échange pour obtenir que la femme et l'enfant de l'Italien soient autorisés à partir le rejoindre.

Voici donc ce que le Manchukuo est sur le point de devenir et, même si Pu Yi ne peut certes pas deviner ce que préméditent les Japonais, il ne peut pas non plus ignorer, depuis ses premiers entretiens sur le sol mandchou avec les colonels Doihara et Itagaki, que ces hommes-là sont des êtres sans scrupules et que c'est bien le genre de régime que l'on peut attendre d'eux. Mais, comme il le dira plus tard au Tribunal international des crimes de guerre : « J'avais mis la tête dans la gueule du tigre. » Plus moyen de reculer à présent ; pourtant, l'impératrice Elizabeth va faire une dernière tentative désespérée pour recouvrer sa liberté.

les Japonais, il ne peut pas non plus ignorer depuis ses premiers

17.

Le lendemain de l'arrivée de la commission Lytton au
Japon, une délégation de « l'Assemblée panmandchoue », une
création du colonel Doihara, où figurent des Japonais se faisant
passer pour des Mandchous et quelques authentiques opportu-
nistes chinois, se présente à Lu-shun (Port-Arthur) pour « supplier » Pu Yi de bien vouloir accepter les fonctions de chef du
nouvel Etat. Fidèle à la tradition chinoise, il commence par
« refuser avec modestie » pour accepter quelques jours plus
tard.

Le soir même (du 24 février 1932), le colonel donne à titre
privé un somptueux banquet pour fêter le consentement de Pu
Yi. Il s'agit d'une réception à la japonaise, à laquelle prennent
part des geishas locales. Tous les participants japonais sont ivres
morts, se rappellera plus tard le héros de la fête. Itagaki pelote
les deux geishas qui l'encadrent et ses astuces de mauvais goût
font mourir de rire ses invités japonais. L'une des geishas,
manifestement mal renseignée, se love contre Pu Yi et lui
demande : « Vous aussi, vous êtes dans les affaires ? »

Tandis que l'ex-empereur s'apprête à partir pour la nouvelle capitale du « Manchukuo », Ch'ang-ch'un, la commission
Lytton est fêtée à Tokyo. Cependant, toutes les festivités
traditionnelles que les Japonais réservent à ces invités à
qui ils veulent faire honneur ne sauraient masquer un scandaleux incident : le meurtre, en plein Tokyo, cette semaine-
là (le 5 mars 1932), de Takumo Dan, l'homme qui a été dési-

gné pour servir d'assesseur japonais auprès de la commission.

Le baron Dan, éduqué aux Etats-Unis, est le directeur de la banque Mitsui ; c'est un homme dont l'influence et l'intégrité sont considérables. A l'encontre de la majeure partie des membres de l'establishment japonais de l'époque, il éprouve une véritable sympathie pour l'Amérique et l'Occident en général. Il est bien connu des milieux de la haute finance internationale et c'est un esprit très indépendant. Son assassin est un ultra-nationaliste de la « Fraternité du Sang », mais le meurtre est considéré comme un avertissement à tous les Japonais, si éminents soient-ils, pour les inciter à se conformer à la politique officielle vis-à-vis de la Mandchourie et à se tenir à l'écart de la Société des Nations.

Bien qu'il ne soit pas possible de faire remonter directement cet attentat jusqu'au palais impérial, les instigateurs du crime, parmi lesquels figure le sinistre Dr Okawa, sont étroitement liés à certaines personnes jouissant de relations privilégiées avec le palais. L'assassinat fait une très mauvaise impression aux membres de la commission Lytton, d'autant plus que Dan avait assisté à un banquet en leur compagnie la veille au soir et prononcé un discours fort modéré.

Pu Yi fait son entrée en grande cérémonie à Ch'ang-ch'un le 8 mars, accompagné d'Elizabeth, de son nouveau Premier ministre, Cheng Hsiao-hsu et de toute sa cour, ainsi que de l'agent de la police secrète japonaise, Amakasu. La réception à la gare a été très soigneusement préparée. Pu Yi l'a décrite en ces termes :

« Je vis des gendarmes japonais et des rangées de gens vêtus de façons fort diverses ; certains étaient en robe et veste chinoises, d'autres en complet occidental et d'autres encore en costume japonais traditionnel ; tous brandissaient des petits drapeaux. Je frissonnai de joie et songeai que je contemplais enfin la scène qui n'avait pas eu lieu au port. Tandis que je passais devant eux, Hsi Hsia [un de ses nouveaux ministres] me fit remarquer, entre les drapeaux japonais, une rangée de drapeaux frappés du dragon et me dit que ceux qui les tenaient étaient tous des " fidèles de la bannière mandchoue " qui attendaient ma venue depuis vingt ans.

« Ces mots me firent monter les larmes aux yeux et je fus plus convaincu que jamais que mon avenir se présentait sous un jour prometteur. »

Pu Yi ajoute qu'il est « trop préoccupé par mes espoirs et mes haines » pour remarquer « le froid accueil que me faisaient les citoyens de Ch'ang-ch'un, que la terreur et le mépris rendaient muets ».

Un cortège accompagne le nouveau chef de l'Etat et sa suite jusqu'à la demeure, décorée en toute hâte, qui, pendant un mois, servira de résidence officielle à Pu Yi. Plus tard, on l'installera dans un édifice parfaitement hideux, construit par les Russes, qui abritait auparavant l'administration de la gabelle. C'est là, dans ce vaste bâtiment de brique, aux toits pointus, qui se dresse à l'intérieur d'une vaste enceinte délimitée par de hauts murs de pierre, qu'il va passer les quatorze années suivantes, refusant de se transporter jusqu'au nouveau « palais », beaucoup plus imposant, que l'on a bâti exprès pour lui.

Alors, comme aujourd'hui, Ch'ang-ch'un est une cité industrielle d'une laideur consternante. Ce n'est même pas Metz mais plutôt Limoges. Woodhead, qui s'y rend pour la première fois en octobre-novembre 1932, envoyé par le *Shanghai Evening Post and Mercury,* parle d'un « lieu déprimant... qui n'est autre qu'une espèce de nœud ferroviaire » ; c'est en effet le terminus septentrional des Chemins de fer de Mandchourie méridionale, qui appartiennent aux Japonais, le terminus méridional des Chemins de fer de l'Est, qui appartiennent aux Soviétiques, et le terminus occidental des Chemins de Fer mandchous, qui appartiennent aux autorités locales. Woodhead ajoute qu'il s'agit d'une « grande ville très éparpillée », dont la seule partie agréable est la zone réservée à la concession japonaise, « avec de vastes avenues, un superbe jardin public et d'imposants édifices ». La partie chinoise de la ville forme avec elle un « triste contraste » et ses rues deviennent de véritables bourbiers à chaque fois qu'il pleut, ce qui arrive souvent. Il y a un parcours de golf, mais le temps est si peu clément qu'on ne peut s'en servir que sept mois par an, et on ne voit que peu de voitures. Le moyen de transport le plus courant est la petite voiture à cheval, dans le style du « droschki » russe.

226

« Il semble étrange que Ch'ang-ch'un, avec ses facilités de logement insuffisantes, ait été choisie comme capitale de préférence à Mukden », écrit Woodhead. L'une des raisons avancées est que « Mukden est une des trois capitales provinciales de la Mandchourie et que les deux autres auraient pu se sentir rabaissées de la voir ainsi distinguée ». Mukden est en outre le fief de Chang Tso-lin et de son fils, le « Jeune maréchal », et l'on dit que Pu Yi se refuse à vivre dans un palais qu'ils auraient pu occuper avant lui. « Je soupçonne fort, cependant, poursuit Woodhead, que l'une des raisons... est qu'il y aura sans doute moins d'hostilité avouée de la part de sa population. »

En effet, malgré tous les liens d'amitié personnelle qui l'unissent à Pu Yi, il signale qu'« en dehors des milieux officiels, je n'ai pas rencontré un seul Chinois qui éprouve le moindre enthousiasme envers le nouveau régime ». Harbin, en particulier, avec ses bandes de Russes blancs et de gangsters chinois, sous les ordres de Vespa, est « une cité de hors-la-loi... dont même la rue principale n'est pas sûre une fois la nuit tombée ». Woodhead est scandalisé de constater qu'il faut faire garder le Harbin Club, jour et nuit, par quatre Russes blancs armés. La nouvelle Mandchourie, note-t-il, est « très loin d'être le paradis que veulent en faire, de leur propre aveu, les Japonais ».

La première tâche officielle que doit remplir Pu Yi, au lendemain de son arrivée à Ch'ang-ch'un, est de prêter serment ; la cérémonie a lieu dans la salle de réception de sa résidence provisoire. Il porte un costume qu'il décrit lui-même comme une « tenue de soirée occidentale », mais qui est en fait une jaquette avec cravate blanche, et il a chaussé ses lunettes préférées à la Harold Lloyd. Assistent à la cérémonie tous les « anciens » de sa cour, les dignitaires mandchous dont la loyauté personnelle envers « la maison des Ch'ing » a fait les collaborateurs zélés des Japonais, et une douzaine d'officiers nippons haut placés, parmi lesquels Itagaki. Pu Yi reçoit son « sceau du chef de l'Etat », enveloppé dans un étui capitonné de soie jaune. Une photographie prise en cette occasion nous le montre, arborant une moue solennelle, les yeux rivés à l'objectif ; il a l'air étrangement japonais, lui aussi.

Il n'existe aucun cliché officiel de Pu Yi en compagnie de sa

« première dame ». Elizabeth, en effet, tient à exprimer sa désapprobation en refusant de prendre part à la moindre fonction officielle après son arrivée à Ch'ang-ch'un, ville pour laquelle elle éprouve une haine encore plus viscérale que tous les autres membres de la cour de son mari. De toute façon, les aides de camp japonais qui entourent ce dernier ne sont pas du tout désireux de lui voir assumer ses devoirs de « première dame » ; ils ne connaissent que trop ses sentiments antinippons et son opiomanie croissante. Ils la tiennent à l'écart aussi bien de la presse locale que de tous les reporters en visite, à qui on se contente d'expliquer que la ravissante et timide épouse de Pu Yi préfère rester dans l'ombre et consacre tout son temps à tenir sa maison et à s'occuper de « bonnes œuvres » non spécifiées.

La réalité est assez différente : Elizabeth, qui s'ennuie à périr, passe son temps à griller cigarette sur cigarette, à lire tous les journaux de mode et de cinéma chinois sur lesquels ses domestiques parviennent à mettre la main (les services postaux entre la Chine et le « Manchukuo » resteront interrompus pendant plusieurs années) et à papoter avec les domestiques en qui elle sait qu'elle peut avoir confiance. Cependant, la majeure partie du personnel mis au service de Pu Yi et d'Elizabeth à Ch'ang-ch'un consiste en inconnus en qui la jeune femme subodore des espions à la solde des Japonais. Elle ne tarde pas à établir une routine quotidienne qui incite parfois Pu Yi à se demander s'il ne devrait pas la faire interner dans quelque discrète clinique où elle cesserait d'être pour lui une source d'embarras ; en effet, elle reste au lit la majeure partie de la journée, fume de l'opium l'après-midi et passe le reste du temps dans une sorte de brouillard opiacé, évitant dans la mesure du possible le moindre contact avec son mari. A Tientsin, leurs scènes de ménage avaient été gênantes pour tout le monde. A présent, elle ne se donne même plus la peine de le contredire en aucune façon, mais il lui arrive parfois de se moquer de lui derrière son dos, pour faire rire les serviteurs auxquels elle se fie. Elle met des lunettes noires — que Pu Yi porte désormais en permanence — et imite sa démarche saccadée et quelque peu affectée, ses tics, la façon qu'il a de se passer la main dans les cheveux. Il n'y a, cependant, pas la moindre tendresse dans cette manière de le singer : Elizabeth sait fort bien que les lunettes noires — en tout cas à Tientsin — sont le signe de ralliement de la minuscule minorité « gaie ». Pu Yi doit le savoir aussi, encore que les membres de sa cour toujours en vie à l'heure actuelle assurent qu'il souffrait vraiment de maux d'yeux et de tête dus à l'éclat du soleil.

Cette incapacité, chez Elizabeth, de faire face à sa vie à Ch'ang-ch'un cause à Pu Yi une vive inquiétude, mais il ne s'est pas encore rendu compte de toute la gravité de sa propre situation : « J'avais comme un vertige, écrira-t-il plus tard. Je me disais : si je m'entends avec les Japonais, peut-être m'aideront-ils à recouvrer mon titre impérial. M'efforçant de voir le bon côté des choses, je trouvais que mes fonctions de " chef de l'Etat " représentaient non pas une humiliation, mais un pas vers le trône impérial. »

Un journaliste du *Corriere della Sera* trouve Pu Yi insaisissable : « Il m'a été impossible d'interviewer ce prince pâle et las qui n'aime pas parler, qui reste plongé en permanence dans ses méditations et qui regrette, peut-être, sa vie de simple et studieux citoyen, écrit-il. On ne peut rien saisir de ce qui se passe au-delà de cette physionomie ivoirine. Il a le regard fixe derrière ses lunettes cerclées de noir. Quand on nous a présentés, il a répondu par un signe de tête amical, mais son sourire n'a duré qu'une seconde. Force nous a été d'attendre que le maître des cérémonies nous accorde la permission de nous retirer, en nous inclinant bien bas. Un colonel japonais, qui nous servait de guide, nous a fait admirer les arcs de triomphe, les décorations électriques, les innombrables drapeaux. Mais tout cela, disent les commerçants, est " made in Osaka ". »

C'est parfaitement vrai. L'Association chinoise de la Société des Nations, basée à Pékin, publie, dans le numéro d'avril 1932 de son magazine, le texte d'un câble adressé le 20 février 1932 par la Société coopérative japonaise d'importation, à Mudken, à la Société coopérative d'exportation, à Osaka, pour commander « trois cent mille drapeaux de l'Etat [du Manchukuo] qui devront être prêts dans quatre jours ».

Itagaki et Doihara ont bien travaillé : une loi organique, promulguée en mars 1932, confère à Pu Yi, en sa qualité de chef de l'Etat, le droit de déclarer la guerre et les pouvoirs suprêmes exécutif, législatif et judiciaire, bien que la signature du Premier ministre soit nécessaire dans certains cas ; il y a un semblant de « Parlement » qui n'est pas, bien sûr, une assemblée élue, mais une réunion de « notables » de toutes les régions de Mandchourie, recrutés par coercition ou par combine, eux-mêmes théoriquement nommés par des comités locaux « pour la préservation de la paix et de l'ordre », qui sont autant d'émanations d'un « mouvement d'indépendance » du Manchukuo, pure création japonaise née dans le sillage de « l'incident de Mukden ».

Comme Pu Yi ne tardera pas à s'en apercevoir, le véritable processus du gouvernement lui échappe totalement ; il est entre les mains de la « commission des Affaires générales du Conseil d'Etat », qui comporte six grands services — la planification, la législation, le personnel, les finances, les statistiques et l'information — dont les chefs et le personnel sont tous des hauts fonctionnaires japonais. « C'est cet organe qui établit véritablement la politique et contrôle toutes les activités gouvernementales [du Manchukuo], écrit un journaliste du *Times*, en reportage à Ch'ang-ch'un, en décembre 1932. Il nomme et révoque les fonctionnaires et prépare le budget. » Le *Times* cite même les propos d'un officier japonais assurant que c'est « la charpente d'acier qui sous-tend le régime tout entier ».

Selon le Service des informations de la commission des Affaires générales du Manchukuo, dirigé par les Japonais, le nouvel Etat « a été fondé le 1er mars 1932, par les trente millions d'habitants du Manchukuo... qui, par leurs efforts et l'inlassable coopération de leur amical voisin, le Japon, ont fini par surmonter tous les obstacles, tant internes qu'externes, et par se libérer du régime militariste qu'ils devaient subir depuis tant d'années ». Ses fondateurs sont mus par « une sublime ambition de créer un Etat voué à l'idéalisme bienveillant ». Son « glorieux avènement », vers lequel « sont tournés les regards du monde entier », constitue un « événement qui fera date dans l'histoire mondiale et dont les conséquences sont incalculables, car il marque la naissance d'une ère nouvelle dans le gouvernement, les relations raciales et les autres affaires d'intérêt général.

Jamais dans les chroniques de la race humaine, poursuit l'article avec une hystérie croissante, on n'a vu naître un Etat aspirant à des idéaux aussi élevés et jamais aucun Etat n'a accompli tant de choses en si peu de jours d'existence que le Manchukuo »

Ce n'est que le 20 avril que la commission Lytton débarque dans ce paradis. En quittant le Japon, ses membres ont passé six semaines en Chine. Wellington Koo, ancien et futur ministre des Affaires étrangères de la Chine, qui est l'assesseur chinois du groupe, se voit refuser, par les Japonais, la permission de pénétrer au Manchukuo en train, avec les autres membres de la commission Lytton. Il les rejoindra un peu plus tard, après avoir dû rallier Mukden en avion.

Les préparatifs japonais pour la réception de la commission au Manchukuo vont déboucher sur une véritable sursaturation. Un autre membre des « onze hommes de confiance », le colonel Hisao Watari, est choisi comme principal exécutant. Ancien attaché de l'ambassade nippone à Washington, connu pour son anglophilie, Watari est celui qu'il faut pour s'occuper de lord Lytton, lui-même fils d'un vice-roi des Indes et petit-fils de l'historien Bulwer-Lytton.

Dès un bon mois avant l'arrivée de la commission, des spécialistes japonais de la Mandchourie rédigent des pétitions qui sont présentées à un millier d'associations et de groupes d'hommes d'affaires mandchous, en les priant de bien vouloir les signer et de les remettre à la commission Lytton. Tous savent qu'en cas de refus ils s'exposent aux pires excès de la fureur japonaise... ce qui n'empêche pas quelques-uns d'entre eux d'être prêts à encourir ce risque. On explique soigneusement à tous ceux qui doivent comparaître devant la commission comment ils doivent se comporter et ce qu'ils doivent dire. Les pétitions soumises à la Société des Nations sont toutes, bizarrement, composées dans le même style et avancent toutes les mêmes arguments : le Manchukuo est né par la volonté du peuple ; « la déplorable administration militaire d'antan » a été l'une des principales raisons de ce brusque mouvement vers l'indépendance et un « avenir radieux » s'ouvre devant le nouveau régime. Aucun des documents soumis ne contient la moindre référence au rôle prépondérant du Japon dans l'établissement et le gouvernement du nouvel Etat. Le colonel Watari a fait la leçon à tous les gens qui risquent d'être en contact avec les membres de la commission. Parmi ces derniers figurent un ancien gouverneur colonial allemand, le Dr Heinrich Schnee ; un diplomate italien, le comte Aldrovani ; un général de l'armée américaine, Frank Ross McCoy ; et un général français, Henri Claudel. Toutes les demandes gênantes que pourraient faire ces augustes personnages doivent être repoussées pour « raisons de sécurité ».

Ni lord Lytton ni ses compagnons ne se laissent abuser par ces tactiques, qu'ils ont d'ailleurs prévues. Lorsque arrive le moment de leur rencontre avec Pu Yi, ils sont littéralement « sonnés » par le matraquage de la propagande d'inspiration japonaise et savent, presque à coup sûr, qu'ils ne pourront rien tirer de lui, en dehors de la « version » officielle japonaise. Leur entretien avec lui dure à peine un quart d'heure.

Ils n'ont que deux questions à lui poser, se rappellera Pu Yi par la suite : « Comment étais-je venu dans le Nord-Ouest ? Et comment la Mandchourie avait-elle été établie ? »

« Oserais-je demander à lord Lytton de me secourir et de m'emmener avec lui quand il repartirait pour Londres ? Je me rappelais encore les propos de mon précepteur, m'assurant que les portes de cette cité me seraient toujours ouvertes. Accepterait-il ou non ?

« Dès que cette idée eut jailli dans mon esprit, cependant, je l'écartai. Je songeai qu'assis à mes côtés se trouvaient Itagaki et le chef d'état-major de l'armée du Kwangtung.

« Je regardai le visage d'une pâleur bleuâtre d'Itagaki et me sentis tenu de répéter ce qu'il m'avait " rappelé " de dire à la commission, à savoir que " les masses populaires m'avaient supplié de venir, que mon séjour en ce lieu était absolument volontaire et libre ".

« Les membres de la commission ont tous souri et hoché la tête. Ils ne m'ont rien demandé d'autre. Plus tard, on nous a pris en photo et nous avons bu du champagne, en nous portant mutuellement des toasts. »

Après, Itagaki félicite Pu Yi : « Votre Excellence a trouvé

232

exactement le ton qu'il fallait ; vous avez merveilleusement parlé », assure-t-il.

Amleto Vespa, l'agent double italien, assiste de l'intérieur aux préparatifs japonais pour l'accueil de la commission. « Un mois avant son arrivée, écrit-il, tous ceux que l'on soupçonnait de vouloir dire la vérité à lord Lytton ont été arrêtés et incarcérés jusqu'à son départ. » Tous les comités d'accueil locaux doivent apprendre par cœur des discours rédigés à leur intention par les Japonais et on les avertit, que s'ils ont le malheur de changer un seul mot aux textes qu'on leur a préparés, ils sont susceptibles de « le payer de leur vie » une fois que la commission aura quitté le pays.

Sachant que la commission risque de demander à visiter des prisons et des hôpitaux, les fonctionnaires nippons veillent à expédier dans un nouveau centre de détention peu accessible mille trois cent soixante et un prisonniers « peu sûrs » — comprenant des Chinois, des Coréens, des Russes et même neuf Japonais — que l'on soupçonne de chercher à entrer en contact avec la commission Lytton, et ils y envoient aussi tous les détenus ordinaires qui parlent l'anglais ou le français. Les villes sont « nettoyées » de toutes sortes de façons : on fait disparaître les mendiants de la circulation, les fumeries d'opium deviennent des « clubs sociaux » ou des « centres culturels » et, tout le long de l'itinéraire que doit suivre la commission, des drapeaux du Manchukuo et des photographies de Pu Yi doivent être exposés. La police militaire japonaise ramasse au passage une véritable fortune en les vendant aux autochtones.

A Harbin, l'Hôtel Moderne, où séjournent les membres de la commission, est, selon Vespa :

« ... Mis en état de siège. Certaines chambres, proches de celles que devaient occuper les membres [de la commission], sont attribuées à des agents japonais ou russes blancs de la police politique d'Etat, travestis en clients ordinaires de l'hôtel. Trois policiers se font passer pour des employés, d'autres jouent le rôle de grooms chinois, garçons, employés d'étage, chasseurs et ainsi de suite. Trois Japonaises qui travaillent pour la police font semblant d'être des femmes de chambre. Plusieurs douzaines d'agents sont postés dans la salle à manger, la salle de lecture, à la réception et un peu partout dans l'hôtel... Dans tous les magasins, les restaurants et les théâtres où les Japonais pensent que les membres de la commission risquent de vouloir aller, ils installent des espions de la police... »

En dépit de cet excès de zèle et de précautions, il y a quand même quelques autochtones suffisamment courageux pour faire connaître leur opinion à la commission Lytton en marge des « voies officielles ». Dans son rapport, rédigé alors que, malade, il est hospitalisé à l'hôpital allemand de Pékin, lord Lytton signale, d'une plume caustique, les mesures de sécurité prises par les Japonais, « par peur des bandits ». Il ajoute que « ces mesures de police ont eu pour effet de tenir les témoins à l'écart... Nous avons eu de solides raisons de croire que tous les délégués représentant les institutions et associations publiques, qui nous ont laissé leurs déclarations, avaient préalablement obtenu l'approbation des Japonais. En fait, dans de nombreux cas, les gens qui nous ont présenté ces documents nous ont fait savoir par la suite qu'ils avaient été rédigés ou considérablement remaniés par les Japonais et qu'il ne fallait pas y voir l'expres-sion de leurs sentiments véritables.

« Beaucoup de Chinois avaient peur du moindre contact avec notre équipe. Les entrevues ont de ce fait été arrangées avec des difficultés considérables et en secret, et beaucoup de gens nous ont fait savoir in extremis qu'il leur était trop dangereux de nous rencontrer. En dépit de cela, nous sommes parvenus à organiser des rencontres privées avec des hommes d'affaires, banquiers, enseignants, médecins, policiers, négo-ciants et d'autres. »

Chez tous ces gens, et dans les mille lettres « privées » que l'on fait parvenir, en contrebande, à la commission, Lytton note la « profonde hostilité » de toutes les classes de la société envers l'« occupation » japonaise. Le leitmotiv de tous ces gens, c'est : « Nous ne voulons pas finir comme les Coréens. »

Le rapport résume aussi, avec exactitude, la mainmise tentaculaire exercée sur le Manchukuo par les « conseillers » et fonctionnaires nippons. « Le mouvement d'indépendance », ajoute-t-il, n'a été rendu possible que par la présence de troupes japonaises. » Il mentionne à peine Pu Yi. La conclusion de la

234

commission, qui recommande un retrait par étapes des troupes japonaises et, sous une forme quelconque, « l'internationalisation » de la Mandchourie, paraît tout aussi inacceptable aux Chinois qu'aux Japonais.

Une copie de ce rapport, qui doit être publié à Genève, le 25 septembre 1932, est vendue à un agent japonais à Pékin par l'un des secrétaires de lord Lytton et des résumés de ces fuites paraissent à Tokyo dès le 1er septembre. Inutile de dire que le gouvernement japonais et la presse en attaquent les termes avec virulence. Etant donné que le Japon n'a aucune intention de retirer ses troupes ou ses administrateurs de Mandchourie, il est évident que, tôt ou tard, il va être obligé de quitter la Société des Nations, ce qu'il fait sept mois plus tard, en avril 1933.

Le propre gouvernement de Pu Yi émet une violente protestation contre les « affirmations trompeuses » du rapport Lytton. Une publication gouvernementale, « La voix du peuple du Manchukuo », déclare après sa parution que « tous les citoyens du Manchukuo ont été profondément indignés ». La commission Lytton, continue ce fascicule, « n'a pas su comment découvrir les désirs ou les conditions véritables du peuple ; elle a préféré faire état d'un millier de lettres irresponsables, d'origine privée et douteuse ». Il publie, à son tour, « 103 005 signatures émanant de 1 314 organisations, y compris 3 300 lettres aux services gouvernementaux », qui font l'éloge de la nouvelle et « bienveillante administration ».

Cependant, la preuve la plus accablante, ce n'est pas dans le rapport de la commission Lytton qu'on la trouve, ni même dans le récit d'Amleto Vespa décrivant ce qui s'est passé avant et pendant la visite de cette commission en Mandchourie. Elle figure dans les longs Mémoires inédits de Wellington Koo, qui n'existent que sur microfilm, dans la série « New York Times Oral History » (Histoire orale du *New York Times*). Koo — comme tous les membres de la commission — ne tarde pas à comprendre que tout un ensemble de mesures de sécurité ont été prises pour l'isoler de la population. Deux Chinois qui tentent de l'aborder dans un restaurant sont aussitôt arrêtés et emmenés sans ménagement par des policiers japonais en civil qui se trouvaient là « par hasard ». Trois hommes — un Chinois, un Russe et un Coréen — stationnent juste devant sa chambre et ne le quittent pas d'une semelle.

« Un de mes domestiques faisait partie dans le temps de la police de Pékin, s'est rappelé Koo. Il m'a dit qu'un représentant de la maison impériale à Ch'ang-ch'un voulait me voir car il avait un message confidentiel à me transmettre. Pour avoir accès à moi, cette personne devait faire semblant d'être marchand de curiosités. »

Comme il fait confiance à l'ancien policier, Koo accepte de rencontrer cet « antiquaire ». « Nous sommes sortis du hall de l'hôtel et nous nous sommes arrêtés au coin d'une rue. Il m'a dit qu'il m'était envoyé par l'impératrice : elle voulait que je l'aide à s'évader de Ch'ang-ch'un. Il m'a confié qu'elle y menait une vie épouvantable, qu'elle était entourée chez elle de domestiques japonaises et que chacun de ses gestes était épié et signalé.

« Elle savait que l'empereur était dans l'incapacité de se sauver, mais, si elle-même parvenait à s'enfuir, elle serait en mesure de l'aider éventuellement à partir. »

Koo déclare qu'il a été « touché » par la démarche de Wan Jung, mais qu'il « ne pouvait rien faire pour l'aider ». Jamais, cependant, les Japonais n'auront vent de cette tentative. Pu Yi est-il au courant, lui ? « Pas sur le moment, mais plus tard, oui, m'a assuré Li Wenda. Il m'a rapporté l'incident des années plus tard, à Pékin. »

Pour l'impératrice, l'écroulement de cet ultime espoir est le « coup de grâce », a confirmé son frère, Rong Qi. Peu après, elle sombre dans l'opiomanie de façon totale et suicidaire.

18.

Cinq mois après la venue dans son pays de la commission Lytton, Pu Yi accorde sa première interview à un journaliste étranger, lequel n'est autre — cela n'a rien pour surprendre — que son vieil ami Woodhead, à présent rédacteur en chef du *Shanghai Evening Post and Mercury*. Quelles que puissent être ses pensées intimes du moment, il arbore en tout cas une « façade » débordante de confiance et de hardiesse.

Woodhead rappelle à son interlocuteur leur dernière rencontre, en 1931, la veille du jour où lui-même a quitté Tientsin pour prendre ses nouvelles fonctions, plus lucratives, à Shanghai. Pu Yi l'avait convié à prendre le thé et les deux hommes s'étaient entretenus pendant des heures. Pu Yi, avait d'ailleurs écrit Woodhead à l'époque, semblait « répugner à me laisser partir ». En prenant congé, Woodhead avait dit à l'empereur qu'il espérait que leur prochaine entrevue se déroulerait dans un cadre plus « officiel ». Transparente allusion au fait que Pu Yi était susceptible à tout moment de s'installer en Mandchourie et que Woodhead, tout comme Johnston et les autres membres éminents de la communauté britannique à Tientsin, approuvait et prévoyait cette décision. A présent, le journaliste remarque que ses espoirs de 1931 semblent s'être matérialisés. Pu Yi rayonne.

La raison pour laquelle il a décidé d'« accéder aux désirs du peuple » et de devenir chef de l'Etat, explique-t-il, c'est que, par le passé, « le bien-être des citoyens n'a pas été pris en considération, les relations de la Chine avec toutes les puissances étrangères se sont détériorées et que la promesse d'égalité entre les races [chinoises] a été violée ».

Est-il heureux ? demande Woodhead.

Oui, bien sûr, répond Pu Yi.

Est-il très occupé ? Pas autant qu'au début, déclare Pu Yi, « mais je consacre une partie considérable de mes journées aux affaires d'Etat ».

Est-il parfaitement libre ? Le bruit court qu'il a quitté Tientsin de force, qu'on l'a enlevé.

« Enlevé ! Enlevé ! Mais non ! Non ! » Pu Yi « réfute catégoriquement » de telles allégations. En quittant Tientsin, il a laissé une lettre au consul général du Japon, lui demandant de « veiller sur l'impératrice » jusqu'à ce qu'elle puisse venir le rejoindre en toute sécurité. Ce qu'elle a fait, en temps voulu, par bateau régulier.

« A aucun moment, s'enquiert Woodhead, il [Pu Yi] n'a subi la moindre contrainte ni été l'objet de manœuvres coercitives. » Pu Yi parcourt du regard la pièce où ils sont assis. Y a-t-il des Japonais auprès d'eux ? demande-t-il. Woodhead répond qu'il n'en voit aucun. « Pouvais-je vraiment croire, dans ces conditions, écrit Woodhead, qu'il était virtuellement prisonnier d'Etat ? »

Pu Yi précise à son invité qu'il a l'intention de gouverner le Manchukuo « dans l'esprit confucéen ». Il n'y aura pas de partis politiques. (Sera quand même bientôt créée une « Association Concordia » qui deviendra, de fait, l'unique parti autorisé en Mandchourie.) Puis il pose à l'Anglais des « questions nostalgiques » concernant des amis étrangers communs à Tientsin. « Sa dernière remarque, ou presque, note Woodhead, fut que j'étais peut-être parvenu à me persuader, à présent, qu'il était parfaitement heureux d'occuper ses fonctions actuelles. »

C'est probablement vrai : en dépit de doutes intermittents, nous sommes encore à l'époque où Pu Yi croit que les Japonais vont peut-être l'aider à remonter sur son trône impérial dans la Cité interdite. La politique japonaise officielle vis-à-vis de la Mandchourie est fondée sur « la peur tempérée de bienveillance » et, jusque-là, ils n'ont exhibé que leur facette bienveillante, en tout cas devant Pu Yi. En outre, même s'il commence à s'avérer clairement que ce sont eux qui prennent toùtes les décisions gouvernementales, Pu Yi a encore une certaine quantité de détails à régler, ce qui l'occupe considérablement, comme il l'a confié à Woodhead : il doit apposer son sceau aux nominations approuvées par les Japonais, recevoir ses ministres et ses hauts fonctionnaires, parcourir les rapports de sa minuscule ambassade au Japon. En septembre, en effet, les Japonais ont officiellement reconnu le Manchukuo en qualité d'Etat souverain. (Costa Rica, San Salvador, la Birmanie, occupée à partir de 1941 par les Japonais, la Thaïlande, le gouvernement « libre » en exil du nationaliste indien, Subhas Chandra Bhose, l'Italie fasciste, l'Allemagne nazie et le Vatican suivront un peu plus tard son exemple.)

Certains de ses conseillers les plus optimistes et les plus naïfs s'imaginent que ce geste signifie que le Japon va désormais prendre ses distances pour laisser davantage de liberté au gouvernement du Manchukuo. Pu Yi vient, en fait, d'essuyer son premier gros « coup dur » : l'héroïque général Ma, dont les guérilleros ont donné tant de fil à retordre à l'« armée du Kwangtung », s'est, contre toute attente, rallié au drapeau du Manchukuo, après des négociations fort compliquées avec le colonel Doihara. Ma a même accepté le portefeuille de ministre de la Défense, ainsi qu'une récompense en espèces de deux millions de dollars. Ce n'est qu'une ruse. Six mois plus tard, Ma décampe avec l'argent, ses soldats et d'importantes quantités d'armes, pour passer en Union soviétique. Pendant les années à venir, il trouvera en Sibérie une base sûre d'où il pourra harceler à sa guise les Japonais et l'armée du Manchukuo.

A cette époque, les Japonais ont intensifié leur offensive contre le nord de la Chine, où ils occupent la province de Jehol et la Mongolie ; à chaque fois qu'ils remportent une victoire importante, Pu Yi leur fait, comme il se doit, parvenir ses félicitations. Pour le maintenir dans un état d'esprit docile et optimiste, les Japonais laissent constamment entendre qu'il va bientôt être reconnu comme « empereur du Manchukuo ». En octobre 1933, les rumeurs prennent un tour officiel : Pu Yi doit être proclamé empereur le 1er mars 1934. « J'ai explosé de joie », écrira-t-il plus tard. La décision japonaise ne le prend pas vraiment par surprise. Depuis le début, le colonel Doihara lui a demandé d'être patient. L'empereur Hiro-hito, avec sa circonspection habituelle, a voulu mettre à l'épreuve la soumission et la fiabilité de Pu Yi, et ce dernier a victorieusement franchi l'obstacle. Cette décision prouve la bonne foi du souverain nippon ; elle resserre en outre les liens entre son pays et le Manchukuo. Les attaches entre les deux empereurs seront difficiles à rompre, d'autant plus que la nouvelle « thèse » officielle en cours, promulguée par Yoshioka et d'autres conseillers japonais et répétée *ad nauseam* à Pu Yi, est que « l'empereur est votre père et son représentant au Manchukuo est l'" armée du Kwangtung " à qui il faut obéir comme à un père ».

Pu Yi, en tout cas au début, voit les choses autrement. Il croit sincèrement que son couronnement va être un pas important vers sa restauration sur le trône de Chine et il fait aussitôt venir en contrebande de Pékin, où elles étaient tenues secrètement en réserve par des membres de sa famille, les robes du « Dragon impérial » que l'empereur prisonnier Kuang-hsu a été le dernier à porter. Les Japonais interviennent sans tarder. Il va être couronné en tant qu'« empereur du Manchukuo » et non « grand empereur des Ch'ing ». Il n'est pas question qu'il porte ces robes ; il devra endosser l'uniforme de commandant en chef des forces armées du Manchukuo, véritable costume d'opérette, avec un motif d'orchidée rebrodé en galons d'or sur les manches et un chapeau à plumes du plus bel effet.

Le Premier ministre, Cheng Hsiao-hsu, fait la navette, pour tenter de persuader les Japonais de revenir sur cette décision et il finit par obtenir un compromis : il y aura une cérémonie « religieuse », tôt le matin, à l'occasion de laquelle Pu Yi portera les robes du Dragon, mais pas celles ayant appartenu au défunt « empereur captif ». La seconde cérémonie du couronnement aura lieu l'après-midi, et l'empereur s'y présentera en uniforme.

Woodhead refait le voyage jusqu'à Ch'ang-ch'un, mais cette fois il est tenu à distance. Il n'a droit qu'à une interview beaucoup plus guindée (Pu Yi insiste pour s'exprimer par le

240

truchement d'un interprète, alors qu'en 1932 il avait parlé anglais une bonne partie du temps). L'empereur annonce son intention d'enregistrer, avec l'assistance de Woodhead, un « message [radiophonique] destiné au peuple britannique », mais celui-ci ne se matérialisera jamais. Woodhead, pas plus que les autres reporters, n'est autorisé à assister aux cérémonies du couronnement, ni même à la cérémonie militaire qui a lieu l'après-midi. La cérémonie religieuse se déroule, comme prévu, à l'aube, devant un « Autel du Ciel » spécialement édifié à cet effet ; elle est ponctuée de sacrifices symboliques dans lesquels interviennent du jade, de la soie, du grain, du vin, du bois et un taureau immolé pour la circonstance. Selon l'agence Reuter, 70 % des personnalités qui assistent à la cérémonie militaire sont japonaises et toutes les invitations ont été émises par le quartier général de l'armée nippone.

De nombreux hommes d'affaires japonais à Mukden ont espéré qu'une fois proclamé empereur Pu Yi viendrait s'établir dans leur ville, capitale traditionnelle de la Mandchourie. Mais un journal japonais, *Nippon Dempo*, déclare que « la politique d'Etat fondamentale » du Japon est de maintenir la nouvelle capitale à Ch'ang-ch'un.

Durant les cérémonies du couronnement et la visite ultérieure du frère cadet de l'empereur Hiro-hito, le prince Chichibu, venu présenter ses félicitations et décorer Pu Yi du Grand Cordon de l'Ordre des Chrysanthèmes, Elizabeth, l'impératrice, brille par son absence. Les espions japonais à l'intérieur de la résidence du chef de l'Etat, rebaptisée « palais de l'empereur » (on ne peut pas l'appeler « palais impérial » parce que c'est le privilège d'Hiro-hito), assurent que Pu Yi a sérieusement envisagé de la faire emmener sous bonne escorte à Dalian et de l'y laisser sous surveillance : elle commence à devenir pour lui une source de gêne considérable, non seulement à cause de ses sentiments antijaponais, mais en raison de sa sujétion croissante à l'opium, qui s'accompagne d'une conduite de plus en plus imprévisible. Toutefois, elle est aux côtés de Pu Yi, comme il se doit, lorsque le père de ce dernier, le prince Tchun, arrive en train de Pékin pour leur rendre visite. C'est la seule et unique fois où elle accepte de jouer en public son rôle de « première dame » et elle n'y consent que parce que les Japonais ne sont pas mêlés à l'affaire.

Pu Yi est tout content de pouvoir épater sa famille : des fonctionnaires du palais et un détachement de sa propre « garde impériale » accueillent le prince Tchun à son arrivée à la gare, exactement comme s'il s'agissait d'un chef d'Etat. Le couple impérial l'attend à la porte du palais de la Gabelle. Pu Yi porte son uniforme de commandant en chef, avec des décorations japonaises, « manchukuotes » et même chinoises qui datent du temps où il était encore empereur dans la Cité interdite. Elizabeth est en costume chinois traditionnel et s'agenouille devant le prince Tchun, en bru respectueuse. Ce soir-là, Pu Yi donne un gargantuesque banquet en l'honneur de son père, la musique de table étant assurée par une fanfare postée à l'extérieur.

Le demi-frère de l'empereur, Pu Ren (fils du prince Tchun et d'une de ses concubines), alors âgé de seize ans, accompagne son père à Ch'ang-ch'un et se rappelle encore fort bien cette visite, notamment un certain nombre de franches discussions entre son père et l'empereur, certaines sur un ton assez vif. « Pu Yi restait toujours d'une grande courtoisie, mais il n'avait guère de respect pour les opinions de son père », a déclaré Pu Ren. L'empereur « voulait à toute force que la famille reste à Ch'ang-ch'un. Il voulait que je sois éduqué au Japon, mais mon père était résolument hostile à cette idée et je suis rentré à Pékin ». Il se souvient aussi que Pu Yi « avait encore très bon moral. Il n'avait pas complètement renoncé au rêve de se voir remettre sur le trône de Chine par les Japonais ». Le prince Tchun, malgré tous ses défauts, n'était pas assez aveugle pour y croire.

Dès le lendemain, l'ambassadeur japonais rappelle à Pu Yi que la gare de Ch'ang-ch'un est une zone militaire sous contrôle nippon où les seules parades autorisées sont celles de soldats japonais. Avec une courtoisie glaciale, il précise qu'un tel manquement ne doit plus jamais se reproduire.

En dépit de ces premières petites égratignures et du fait qu'il n'est pas en mesure de quitter l'enceinte de son palais pour se promener librement — la seule fois où il s'y est risqué, avec Elizabeth, on les a raccompagnés jusque chez eux et on leur a fait savoir qu'ils ne devaient plus jamais sortir sans escorte —,

Pu Yi n'est pas encore blasé quant à la pompe qui l'environne : il se rend, gardé de très près, en visite officielle dans ses trois provinces ; il présente ses félicitations au QG de l'armée japonaise pour l'anniversaire d'Hiro-hito ; il rend hommage, à l'occasion de la journée japonaise du Souvenir, aux âmes des soldats nippons tués par des « bandits » en Mandchourie. A chaque fois, il s'agit d'un rituel purement nippon.

Ce sont aussi les Japonais qui ont l'idée d'habituer les écoliers et les soldats du Manchukuo à s'incliner tous les matins, d'abord en direction de Tokyo, puis devant un portrait de leur empereur, en uniforme de commandant en chef. Pu Yi trouve tout cela « grisant ». Il visite une mine de charbon et adresse quelques paroles aimables à un contremaître japonais qui, terrassé par l'émotion, fond aussitôt en larmes. « Le traitement que je reçus, écrira-t-il, me monta véritablement à la tête. »

Tout ce faste extérieur compense un peu l'atmosphère éprouvante qui règne au palais de la Gabelle : l'impératrice a ses appartements privés au premier étage et elle les quitte rarement, sauf pour les repas. Au bout de quelque temps, on prend même l'habitude de les lui monter sur un plateau. Lorsque Pu Yi se voit enfin octroyer une récompense à sa docilité — une invitation officielle au Japon, en avril 1935 —, elle reste à Ch'ang-ch'un et son mari part sans elle, avec une suite de Japonais et quelques ministres « manchukuots » triés sur le volet.

Le Premier ministre, Cheng Hsiao-hsu, n'est pas non plus du voyage. Bien avant que Pu Yi lui-même ne commence à nourrir de sérieuses inquiétudes sur le compte des Japonais, l'ancien « réformateur » a de plus en plus de mal à s'entendre avec eux tout en conservant un minimum de respect de soi. Il est pratiquement le seul membre de l'entourage de l'empereur à posséder une intégrité et une rigueur considérables.

La visite officielle de Pu Yi au Japon est immortalisée dans un volume superbement relié intitulé *Un mémorable voyage au Japon*, publié par le bureau des Renseignements de la commission des Affaires générales du Conseil d'Etat du Manchukuo ; il sera ultérieurement distribué à tous les diplomates en poste à Tokyo, qui le trouveront d'ailleurs d'une drôlerie irrésistible.

Pour en saisir la quintessence, on peut imaginer, gonflé au format d'un livre, un de ces hagiographiques Bulletins de la cour, rédigés dans la prose immortelle des services de propagande nord-coréens, exaltant la grandeur de Kim Il Sung. Chacune des platitudes échangées par Pu Yi et ses courtois hôtes japonais y est soigneusement notée, comme si elle était d'inspiration divine.

Le *Mémorable voyage* commence par un cortège à travers le port de Dalian, sous les acclamations soigneusement orchestrées de vingt mille citoyens embrigadés par les forces de l'ordre et couronnées par les salves des vingt et un canons du navire de guerre japonais, *Hiei Maru,* qui doit transporter l'empereur jusqu'à Yokohama. C'est l'un des plus anciens bâtiments de la marine nippone. L'auteur du *Mémorable voyage,* Kenjiro Hayashide, deuxième secrétaire de l'ambassade du Japon à Ch'ang-ch'un, qui doit servir d'interprète à Pu Yi à l'occasion de ce voyage, escorte le souverain lors de sa visite du navire. « Le monarque a observé tous les détails du bord avec le plus vif intérêt... Son premier aide de camp, Chang, et plusieurs autres se sont plusieurs fois cogné la tête aux poutres du plafond, car les coursives sont extrêmement peu élevées. Soucieux du bien-être de Sa Majesté, j'ai lancé : " Votre Majesté, prenez garde de ne pas vous cogner la tête. " Avec un sourire, Sa Majesté a répondu : " Vous êtes de petite taille et parfaitement apte à inspecter un navire de guerre. " »

La bonne humeur ne dure pas, cependant. Peu après avoir quitté le port, « la mer est devenue très houleuse. Quand je me suis présenté chez Sa Majesté pour m'enquérir de la santé de Sa Majesté, j'ai trouvé Sa Majesté quelque peu mal à l'aise et elle m'a confié qu'elle souffrait d'un léger mal de mer ». Pu Yi sera malade comme une bête pendant deux jours, mais, fidèle à sa réputation de poète et de calligraphe, il pond courageusement son poème quotidien. En voici un exemple :

« L'océan est un miroir quand le voyageur s'embarque
Pour le long voyage au Pays du Soleil Levant !
Durable sera l'accolade entre le Japon et le Manchukuo !
Qu'une paix éternelle soit assurée en Extrême-Orient. »

Le survol d'une centaine d'avions japonais est annulé à cause du mauvais temps, pour être reprogrammé quatre jours plus tard, au moment même où Pu Yi débarque à Yokohama, avec une garde d'honneur de cinquante-cinq vaisseaux de la marine nippone. Le prince Chichibu vient l'accueillir à bord. Pu Yi est désormais à peu près remis de son indisposition. Le *Mémorable voyage* précise que « la joie extrême du souverain à l'idée de voir Leurs Majestés l'empereur et l'impératrice du Japon... a dissipé toute impression de fatigue ». On évite avec tact de parler de la santé et de l'absence de l'impératrice mandchoue.

L'empereur Hiro-hito en personne attend Pu Yi à la gare de Tokyo. Une bande d'actualités, qui existe toujours, a capturé le moment chaplinesque où Pu Yi, s'apprêtant à serrer la main de son hôte, s'aperçoit brusquement qu'il n'a pas retiré les gants blancs qui complètent son inénarrable uniforme de commandant en chef du Manchukuo. Tandis qu'Hiro-hito attend patiemment, il se débat désespérément avec son gant droit, mais celui-ci est très ajusté et il ne parvient à l'ôter qu'au prix d'embarrassantes contorsions.

Si l'on en croit l'ineffable chroniqueur de cette visite officielle, les paons eux-mêmes font la roue et poussent des cris en l'honneur de Pu Yi, et la grâce avec laquelle ce dernier remplit « son importante mission... m'émeut jusqu'aux larmes ». Les cérémonies rituelles qui garnissent l'emploi du temps de Pu Yi — banquets, parades, réceptions, théâtre Kabuki, visites de musées, thés chez les proches parents de la famille impériale, inspections de monuments aux morts, d'hôpitaux militaires, d'écoles et de temples Shinto — se déroulent avec la régularité d'une mécanique bien huilée, tandis que des hauts fonctionnaires japonais en jaquette s'empressent autour du visiteur comme autant d'automates emplis de déférence.

L'empereur Hiro-hito — qui assiste à un banquet officiel donné par Pu Yi dans le palais où il est logé, mais ne lui rend pas la politesse (c'est le gouvernement japonais qui se chargera de fêter le visiteur) — est décontenancé par le comportement de ce jeune dandy dégingandé, incapable d'aligner deux mots de japonais. A l'usage de la presse locale, les diplomates japonais à

Ch'ang-ch'un ont préparé un portrait de Pu Yi, sous forme de fascicule intitulé : « Un respectueux récapitulatif des vertus de Sa Majesté. » L'amour de la littérature, y lit-on, est l'une de ses principales qualités (« on ne le voit pratiquement jamais autrement qu'un livre à la main »), ainsi que ses talents de peintre, poète et calligraphe. Il « prend régulièrement un bain quotidien », se lève tôt, est un grand connaisseur de chevaux et apprécie d'ailleurs fort l'équitation « pour détendre le corps impérial ». Le vieux passe-temps tartare du tir à l'arc à cheval n'a pas de secret pour lui. Le personnel de l'empereur Hiro-hito commet l'erreur de croire à toutes ces sornettes, si bien que, parmi les cadeaux envoyés à Pu Yi pour fêter son couronnement, figurent deux pur-sang de l'écurie impériale.

Il semble donc évident que ce cavalier émérite prendra plaisir à montrer son savoir-faire en passant en revue à cheval la parade organisée en son honneur. Or, en réalité, Pu Yi souffre d'une horreur maladive des chevaux et repousse catégoriquement cette suggestion. Les responsables du protocole sont obligés de passer la nuit à modifier l'ordre de la parade. Les deux empereurs y assistent dans un carrosse. Plus que toute autre chose, c'est peut-être le fait que ce descendant des guerriers tartares n'est même pas capable de monter à cheval qui emplit Hiro-hito de mépris. Il est en outre, comme on peut l'imaginer, parfaitement au courant de l'opiomanie de l'impératrice du Manchukuo, ainsi que des penchants sadiques de Pu Yi envers ses serviteurs.

La partie officielle de la visite de Pu Yi au Japon prend fin le 15 avril, mais il y reste encore dix jours à titre privé, pour une tournée des tombeaux Meiji, du château historique de Nijo, de Kyoto, Osaka et Kobe. Là, il remonte à bord du *Hiei Maru*, fêté par les vigoureux « banzai » des six cent vingt membres de l'équipage.

Ce n'est pas encore tout à fait fini. Pu Yi, surmontant son mal de mer, va, en vedette, assister à la pêche au « taï » (sorte de daurade) au large de la côte d'Awashima. On lui offre quelques-uns de ces poissons, que l'on place, vivants, dans un aquarium pour qu'il puisse les observer à loisir. « En les voyant ainsi, on ne peut se résoudre à manger leur chair », déclare-t-il,

246

à portée de voix de l'auteur du *Mémorable voyage,* qui ajoute : « Nul n'ignore que Sa Majesté est miséricordieuse, mais, en entendant ces mots, j'ai été frappé une nouvelle fois par les vertus de ce souverain. »

A son retour chez lui, Pu Yi publie une proclamation, dont le style extasié relève de la caricature : il a été bouleversé par la « cordialité inégalée » du Japon et par sa volonté d'établir des « relations inséparables ». La « dette colossale » du Manchukuo envers lui est la garantie des « fondations impérissables » de l'« éternelle amitié » qui doit unir les deux pays.

Ces propos ne sont pas tout à fait creux. Dans ses entretiens avec l'empereur et sa cour, Pu Yi n'a pas été en mesure de les sonder. Comme l'escomptaient les Japonais, les cérémonies ont été absolument officielles : à aucun moment, il n'a été question d'une restauration ni de promouvoir leur hôte du rang d'empereur du Manchukuo à celui de grand empereur des Ch'ing. Néanmoins, Pu Yi n'a pas abandonné tout espoir. Les Japonais ne se seraient pas donné tant de mal, se dit-il, s'ils n'avaient pas l'intention de lui confier ultérieurement un autre rôle. Par ailleurs, en 1935, il n'est pas encore concerné par l'étendue de la mainmise nippone sur la Mandchourie. En comparaison de la Chine, celle-ci est un bastion ordonné et discipliné de la stabilité.

Telle est aussi l'opinion d'une minorité d'observateurs britanniques et français, qui opposent le régime stable et l'expansion économique du Manchukuo à l'inefficacité corrompue — et à la stagnation économique — du reste de la Chine.

Pu Yi possède aux Etats-Unis son propre chargé des relations publiques, George Bronson Rea, un ancien ingénieur des chemins de fer et spécialiste de la Chine, qui publie, en 1935, *The Case for Manchukuo* (« Plaidoyer pour le Manchukuo », D. Appletone, Century Company, New York), écrit dans le style grandiloquent qu'aurait pu adopter un avocat yankee, au tournant du siècle, pour plaider une affaire mal engagée.

« Je suis le représentant du Manchukuo aux Etats-Unis, commence Rea, et je suis son avocat. Je suis partial. Je témoigne pour sa défense. Je crois que ce qui a été fait constitue l'unique pas en avant qu'ont fait les peuples d'Orient pour échapper à la misère et aux mauvais gouvernements qui sont devenus leurs. La protection du Japon est sa seule chance de bonheur. »

Rea est un vieil habitué de la Chine, qui se dit ami intime de feu Sun Yat-sen et qui prétend en être arrivé à ses conclusions après avoir été témoin de la corruption universelle qui sévit dans la Chine de Chiang Kai-shek. Le Japon a été condamné sans avoir été convenablement entendu, assure-t-il. « Il est beaucoup trop tôt pour contester sa bonne foi. »

C'est un argument qu'il ne pourra pas faire valoir bien longtemps. Comme on pouvait s'y attendre, les Japonais commencent à serrer la vis à Pu Yi dès son retour du Japon.

Conscient du tour que vont prendre les choses, Cheng Hsiao-hsu, le « réformateur », démissionne. Les Japonais « conseillent » à Pu Yi de le remplacer par Chang Ching-hui, politicien véreux et servile, affligé d'un passé des plus douteux de trafiquant de drogue.

C'est alors qu'éclate l'affaire Ling Sheng. Ce dernier est l'un des aristocrates mandchous qui ont sincèrement cru que le retour de Pu Yi protégerait la Mandchourie du chaos où a sombré le reste du pays. Ancien conseiller de Chang Tso-lin et « Fondateur de la Nation », parce qu'il a milité en faveur du Manchukuo, il a été nommé gouverneur de la province de Hsingan. Un jour, en 1936, le colonel Yoshioka, éminence grise japonaise à la cour du Manchukuo, annonce à Pu Yi que le gouverneur a des ennuis pour s'être plaint — à l'occasion d'une conférence des gouverneurs — de l'« intolérable » ingérence des Japonais dans son travail.

« Quel genre d'ennui ? demande Pu Yi.

— Eh bien, à vrai dire, explique Yoshioka, il est en état d'arrestation. »

C'est une très mauvaise nouvelle pour Pu Yi, car l'un des fils de Ling Sheng est fiancé à l'une de ses propres sœurs cadettes.

« Il n'y a donc rien à faire pour arranger les choses ? s'enquiert-il.

— Ce sera bien difficile », répond Yoshioka.

Pu Yi est encore en train de se demander s'il n'aurait pas intérêt à signaler l'affaire à l'attention du commandant de l'armée japonaise au Manchukuo — c'est lui qui gouverne réellement le pays — lorsque ce dernier se présente pour le voir.

« Il y a eu un déplorable exemple de trahison subversive, annonce-t-il. Le coupable était connu de Votre Majesté. Il a conspiré à une rébellion et une résistance au Japon, avec la complicité de puissances étrangères. Fort heureusement, l'affaire est désormais réglée.

— Réglée ? s'étonne Pu Yi. Comment cela ?

— Il a été reconnu coupable de ses crimes par un tribunal militaire et condamné à mort. »

En fait, Ling Sheng et plusieurs de ses subordonnés ont été décapités quelques jours avant que Yoshioka ne soulève la question auprès de Pu Yi. Que les autres, lance le commandant de l'armée japonaise, « se le tiennent pour dit ». Pu Yi comprend à demi-mot.

Sur les conseils de Yoshioka, il fait aussitôt rompre les fiançailles de sa sœur avec le fils de Ling Sheng.

Peu après, c'est l'interprète d'anglais de Pu Yi qui subit un sort analogue. Il est appréhendé par des gendarmes japonais et mystérieusement « exécuté », lui aussi, pour avoir, paraît-il, « comploté avec des puissances étrangères ».

Après quoi, c'est la crise engendrée par le mariage du frère cadet de l'empereur.

Pu Dchieh, à présent totalement assimilé après les années qu'il vient de passer au Japon en tant qu'étudiant et élève officier, a été soumis à des pressions considérables pour le persuader de prendre femme dans sa patrie d'adoption. On lui soumet des photographies et des dîners sont discrètement organisés pour lui permettre de faire la connaissance des candidates acceptables. Le choix du jeune homme se porte finalement sur Hiro Saga, fille du marquis Saga et cousine issue de germain de l'empereur Hiro-hito. Le mariage a lieu le 3 avril 1937, à Tokyo. Tout de suite après, le Conseil d'Etat du Manchukuo promulgue un projet de loi pour la succession au trône, qui fait de Pu Dchieh et de son fils les héritiers, au cas où Pu Yi viendrait à mourir sans postérité mâle. Les Japonais savent bien, à présent, qu'il y a peu de chances pour que l'empereur et son impératrice aient un enfant.

Comme on le comprendra aisément, Pu Yi voit dans toute cette affaire un complot contre lui et il fait le serment de ne jamais manger le moindre mets préparé par sa belle-sœur japonaise, de peur qu'elle ne cherche à l'empoisonner. Après avoir été ingénument projaponais immédiatement après sa visite officielle à Tokyo, le voici à présent qui voit des espions japonais partout. Il se convainc même que sa résidence est truffée de micros. Grand Li, son valet qui, en 1935-1936, est promu au rang de majordome, ne partage pas sa conviction. Les Japonais, m'a-t-il confié, « n'avaient pas besoin de mettre des micros pour savoir tout ce qui se passait chez nous ».

Deux mois après le mariage de Pu Dchieh, un certain nombre des deux cents hommes qui constituent la garde du palais, un petit corps d'élite exclusivement mandchou dont tous les membres ont rang d'officier — c'est la seule unité du Manchukuo qui ne soit pas directement supervisée par les Japonais —, tombe dans un piège minutieusement préparé. Profitant de ce qu'ils ne sont pas de service, ils se rendent au jardin japonais de Ch'ang-ch'un, où de nombreuses personnes font la queue pour louer des canots et aller se promener sur le lac, et se prennent de querelle avec un groupe de civils japonais qui les provoquent en essayant de passer devant tout le monde.

Aussitôt, surgis d'on ne sait où, des policiers nippons, tenant des chiens en laisse, les entourent. Ils les tabassent, les déshabillent et les obligent à danser tout nus, sous les quolibets, avant de les jeter en prison. Un peu plus tard, ils sont accusés d'activités « anti-Manchukuo et antijaponaises » et expulsés de Mandchourie. Le commandant de la garde du palais, l'un des rares fonctionnaires nommés par les Japonais auxquels Pu Yi a le sentiment qu'il peut faire confiance, est limogé. Quant aux autres membres de la garde, on leur interdit désormais de porter des armes en dehors de petits pistolets de cérémonie. Tout au long de cette affaire, Pu Yi a été impuissant à protéger ses hommes et à mettre un terme à leur humiliation. D'ailleurs, il n'a été mis au courant qu'une fois que ceux-là ont été en prison.

Il commence enfin à percevoir toute l'étendue de son malheur. Son nouveau Premier ministre, Chang Ching-hui, laquais vénal et obséquieux des Japonais, lui est constamment vanté comme modèle. C'est la preuve même du mépris dans lequel le tiennent les Japonais et aussi du peu de cas qu'ils font du Manchukuo. Il comprend désormais que son voyage au Japon n'était qu'une farce cruelle et froidement calculée. Les Japonais n'ont aucun projet d'avenir pour le Manchukuo, sinon son exploitation à court terme.

Cette vision des choses est plus exacte encore que ne l'imagine Pu Yi : en 1935-1936, à Tokyo, les discussions entre les conseillers de l'empereur battent leur plein ; elles opposent les partisans de « la Ruée vers le sud » à ceux de « la Ruée vers le nord ». Parmi ces derniers, on trouve des hommes comme le colonel Ishiwara (le cerveau qui a manigancé « l'incident de Mukden » en 1931), qui estiment que le Japon doit transformer le Manchukuo en pays modèle — il servira d'exemple au reste du monde et tout spécialement à l'Asie — avant de se lancer à la conquête de la Sibérie, dont Vladivostok, jadis partie intégrante de la Mandchourie. Les avocats de « la Ruée vers le sud », au contraire, trouvent que le Japon n'a pas à se soucier du bien-être ni de la prospérité du Manchukuo. Tout ce qui les intéresse, c'est de pomper ses ressources industrielles le plus brutalement et le moins coûteusement possible, dans le cadre d'une campagne de terreur et d'intimidation générale visant le reste de la Chine.

C'est l'empereur qui tranche : malgré tous les services dévoués qu'il a rendus à son pays, Ishiwara, désormais général, va voir sa prestigieuse carrière tourner court. Le 8 juillet 1937, après deux années d'escarmouches intermittentes, la guerre éclate entre la Chine et le Japon.

19.

Tout comme « l'incident de Mukden », qui fait tomber la Mandchourie sous le contrôle japonais, le début de la guerre ouverte contre la Chine est soigneusement manigancé.

Le 9 juillet 1937, certains éléments de l'armée nippone stationnés à Tientsin, dans la concession japonaise, sont en manœuvres aux alentours de Pékin, près du pont Marco-Polo. Un des soldats s'isole un instant pour se soulager... et se perd. Convaincu qu'il a été capturé par les soldats chinois d'une caserne voisine, le commandant de sa compagnie demande la permission de fouiller les lieux. Celle-ci est refusée et, aussitôt, le plus haut gradé des officiers japonais présents ordonne à ses hommes de bombarder le bâtiment chinois. La guerre vient de commencer. Faisant preuve d'un triste manque d'imagination, les Japonais baptisent les événements survenus aux abords du pont Marco-Polo « l'incident chinois ».

Bien avant que ses camarades ne déclenchent leur tir d'obus, le soldat « perdu » a rejoint son peloton. En fait, le scénario a été minutieusement réglé dès l'année précédente. C'est la dernière touche à un vaste plan d'ensemble que les Japonais ont commencé à mettre en œuvre en 1931, avec « l'incident de Mukden », suivi par l'annexion du Jehol en 1933 et de la Mongolie intérieure en 1935.

Ayant déjà réussi à faire main basse sur la Mandchourie et les deux provinces précitées, les Japonais auraient peut-être attendu avant de se lancer dans une guerre « officielle » et intégrale avec la Chine, n'eût été un événement imprévu : mécontent de la politique appliquée par Chiang Kai-shek qu'il accuse de sous-estimer la menace japonaise, parce qu'il préfère se concentrer sur sa lutte contre les communistes, le « Jeune maréchal » l'a tout bonnement enlevé et le retient prisonnier pendant plusieurs semaines, en décembre 1935, jusqu'à ce qu'il accepte de faire la paix avec les « bandits » et de former une coalition KMT-communistes contre les Japonais. Paradoxalement, cette décision a pour effet de précipiter le projet d'agression japonais.

« L'incident chinois » marque le début d'une invasion coordonnée des Japonais dans l'est de la Chine. Pékin tombe entre leurs mains en juillet 1937 ; Shanghai en août, après de terribles combats. Avançant vers l'ouest, le long du Yang-tsê, des troupes d'élite nippones font le siège de Nankin. Là, c'est Chiang Kai-shek qui commande en personne et la progression japonaise s'embourbe.

La suite des événements sera quelque peu éclipsée par les horreurs apocalyptiques de la Seconde Guerre mondiale : Hiroshima, Dresde, « la solution finale ». A une époque où la dissémination des nouvelles est loin d'être instantanée, où la télévision n'existe pas, il faut un certain temps avant que les détails de ce qui s'est passé à Nankin ne parviennent jusqu'en Occident. De façon assez ironique, le récit le plus complet du « viol de Nankin » est l'œuvre d'un Allemand, le général Albert Ernst von Falkenhausen, un *junker* prussien qui se rendra célèbre ultérieurement en participant à l'un des complots fomentés contre Hitler par des officiers de l'armée allemande. Dans leurs souvenirs de voyage en Chine en 1937, *Journey to a War,* Auden et Isherwood notent qu'il ressemble « davantage à un professeur universitaire qu'à un officier prussien. C'est un homme grisonnant, émacié, qui porte un pince-nez ».

Falkenhausen se trouve à Nankin le 10 décembre 1937, au moment où les Japonais pénètrent dans la ville. Il est attaché militaire de l'Allemagne, accrédité auprès de Chiang Kai-shek, dont il est en fait l'un des principaux conseillers militaires. Lorsque Chiang se rend compte que la situation à Nankin est désespérée et que ses troupes sont prises au piège par les soldats japonais qui les encerclent, il prend la fuite (le 7 décembre 1937). Falkenhausen reste. Son récit des événements n'est pas le seul dont nous disposons, mais il est plus détaillé, plus précis et plus accablant pour les Japonais que les autres, justement parce qu'il s'agit du compte rendu froid et concret d'un soldat, concernant une série d'atrocités si glaçantes qu'elles sont, comme le note d'ailleurs Falkenhausen, « presque indescriptibles de la part de forces régulières ».

Officiellement, le commandant des opérations à Nankin est le général Iwane Matsui, un bouddhiste dévot, ami personnel du défunt Dr Sun Yat-sen, mais il ne va guère exercer de contrôle sur les événements qui s'y dérouleront après la chute de la ville. Ses ordres sont pourtant exemplaires. Il n'y a besoin que de quelques bataillons japonais pour « occuper » Nankin. « Aucune unité ne doit pénétrer [à Nankin] de façon désordonnée », écrit-il. L'occupation doit « étinceler devant les yeux des Chinois et les inciter à placer toute leur confiance dans le Japon ». Les troupes éviteront de se livrer à toute espèce de pillage.

Lors des ultimes phases de la bataille de Nankin, l'empereur Hiro-hito dépêche son oncle, le prince Asaka, militaire de carrière, pour superviser les opérations. Les directives que donne ce dernier aux troupes japonaises sont fort différentes de celles du général. Il ordonne de « tuer tous les prisonniers ».

A partir du 15 décembre 1937, pendant près de deux mois, les soldats nippons à Nankin, tout spécialement les 6e et 16e divisions — cette dernière placée sous le commandement du général Kesago Nakajima, ancien chef de la police secrète du Japon, la « Kempei » tant redoutée —, se laissent aller aux pires excès.

De nombreux soldats chinois ont abandonné leur uniforme et se sont réfugiés dans le « quartier européen » de Nankin. Les officiers japonais somment les Européens de les leur livrer, en échange de la promesse qu'ils seront bien traités. Les dirigeants de la communauté européenne et américaine commencent donc à organiser des transferts de prisonniers. A peine les malheureux se trouvent-ils entre les mains des Japonais qu'ils sont passés à la baïonnette, enterrés vifs ou utilisés pour l'entraînement des hommes à la mitrailleuse. C'est le début d'une série d'atrocités d'une violence inouïe.

Au cours d'une orgie de viols, qui n'épargne ni les grand-mères, ni les femmes enceintes, ni les fillettes, des soldats japonais, encouragés par leurs officiers, rassemblent toutes les femmes qu'ils peuvent trouver. Des centaines d'entre elles sont purement et simplement attachées aux lits des bordels réservés à l'armée d'occupation et violentées jusqu'à ce qu'elles ne puissent plus servir et qu'on les achève, si elles ne sont pas déjà mortes.

Les entrepôts de l'armée s'emplissent de butin dont on fait l'inventaire détaillé avec une précision toute militaire. Enfin, au cours d'une dernière opération, soigneusement coordonnée, les troupes japonaises mettent le feu aux quartiers qu'ils ont pillés, détruisant ainsi le tiers de la ville.

En 1946-1947, devant le Tribunal militaire international, à Tokyo, l'équivalent asiatique des procès de Nuremberg, on a estimé que deux cent mille citoyens chinois avaient été assassinés à Nankin et vingt mille femmes violées, dans la plupart des cas à de nombreuses reprises, entre le 15 décembre 1937 et le 12 février 1938, date à laquelle le dernier cas de viol (celui d'une fillette de douze ans) est noté par l'infatigable général von Falkenhausen. Au cours de la bataille proprement dite, le nombre des victimes civiles s'était élevé à trois cents.

Peu après le commencement du « viol de Nankin », le général Matsui est expédié à Shanghai par ses chefs. Par une ironie du sort, c'est pourtant lui qui, dans toute cette affaire qu'il déplore et qu'il a vainement tenté d'empêcher, finira par être le bouc émissaire. Peu avant d'être pendu comme criminel de guerre, en 1948, il confiera à son confesseur bouddhiste : « J'ai versé des larmes de colère. J'ai dit [à mes principaux officiers] que nous avions tout perdu en un instant à cause des brutalités de nos hommes. Or, tenez-vous bien, les soldats se sont moqués de moi. Ils ont ri. Oui, ils ont ri ! »

L'exécution de Matsui est la plus grave erreur judiciaire imputable au Tribunal militaire international. Toutefois, le souvenir de Nankin est si atroce que le condamné lui-même a le sentiment que cette sentence le délivre en quelque sorte de la honte qui l'accable. Durant le procès, à demi gâteux, il se répand en radotages concernant l'amitié sino-japonaise, puis il fait à son divin empereur le plus grand sacrifice que peut faire un officier japonais.

Les vrais coupables, en revanche, s'en sortent indemnes : le général Nakajima prend sa retraite en 1939, fort enrichi par le butin amassé à Nankin. Le prince Asaka ne sera jamais convoqué à la barre des témoins par le Tribunal des crimes de guerre et, tout comme Nakajima, il mourra dans son lit. Devant les juges, c'est Matsui qui écopera pour tout le monde.

Bergamini s'est trouvé dans la quasi-impossibilité de questionner des témoins oculaires sur les atrocités de Nankin. Officiellement, selon les registres de l'armée japonaise, « il n'y a eu que quelques exactions sans importance ». Un officier, anonyme, a été puni (mais par qui et comment, mystère !) ainsi qu'un sous-officier pour « avoir volé le soulier d'une dame chinoise ». Une fois que le prince Asaka est de retour à Tokyo, l'empereur jouera au golf avec lui, le félicitera des services rendus à Nankin et ne lui témoignera jamais en aucune façon le moindre déplaisir.

Pendant des années, la raison de ce « viol » organisé de la ville de Nankin restera une énigme. Son but véritable semble avoir été de terroriser la Chine pour l'obliger à se soumettre et de déconsidérer totalement Chiang Kai-shek, afin de faciliter la nomination d'un dirigeant plus malléable avec lequel les Japonais pourront négocier une occupation « pacifique » du pays. Ce plan va échouer : la résistance aux Japonais s'intensifie, au contraire, et même si la majeure partie de la Chine reste sous la domination japonaise jusqu'à la fin de la Seconde Guerre mondiale, les horreurs de Nankin galvanisent la Chine « libre » — dans l'Est et le Sud-Est — dont les activités antijaponaises seront d'autant plus nombreuses et efficaces.

J'ai demandé à Pu Dchieh comment la nouvelle du viol de Nankin avait affecté Pu Yi et quelle avait été son attitude envers les Japonais. « Nous ne l'avons appris que beaucoup plus tard, m'a-t-il expliqué. A l'époque, l'événement n'a eu aucun véritable impact sur nous. » En effet, désormais, les murs se sont bel et bien refermés autour de la miteuse petite cour du Manchukuo. De nouveaux règlements entrent en vigueur, qui limitent à tel point la libre circulation des informations que Pu Yi et son entourage vivent dans une espèce de vide absolu. Les lois sur la presse du Manchukuo (identiques à celles qui sont promulguées dans toutes les autres régions de Chine occupées par les Japonais, où ces derniers installent des régimes fantoches du même acabit) interdisent « toute mention de victoires chinoises ». Un manuel officiel exige que toutes les personnes touchant de près ou de loin aux médias veillent à mettre en vedette le thème suivant : « Les soldats japonais sont des hommes intègres, d'un commerce agréable » et « les conditions au Manchukuo s'améliorent constamment et le peuple y est très heureux ». Aucune information déplaisante, aucune nouvelle prêtant le moins du monde à controverse ne doit être publiée ni au Manchukuo ni dans aucune autre zone contrôlée par les Japonais.

Dans les régions occupées de la Chine, cependant, les radiodiffusions en langue chinoise émises par San Francisco et quelques autres stations de radio à longue portée permettent à la population de se tenir au courant des événements ; Pu Yi, enfermé dans son palais de la Gabelle, ne les écoute pas, car il sait bien qu'on l'espionne et il craint pour sa vie. Ce n'est que tout à fait vers la fin de la Seconde Guerre mondiale qu'il osera écouter les radiodiffusions américaines, m'ont précisé ses neveux. A cette époque, il captera les émissions en langue chinoise en provenance de San Francisco, car il a oublié presque tout son anglais.

Pu Yi restera empereur du Manchukuo pendant un tout petit peu plus de onze ans. Au cours de cette période, il se rendra trois fois au Japon (les visites ultérieures, en 1940 et 1943, se déroulent sur une échelle beaucoup plus modeste que la première visite officielle), mais, à partir de 1938, il ne sort pratiquement plus du hideux palais de la Gabelle, couronné de toits verts. Pourquoi en sortirait-il, d'ailleurs ? L'euphorie des premiers jours s'en est allée, emportant avec elle l'espoir de redevenir empereur des Ch'ing : dès qu'ils occupent Pékin, en 1937, les Japonais y établissent une république fantoche, ayant à sa tête une poignée de partisans de Chiang Kai-shek qui ont retourné leur veste et tablé sur une victoire nippone dans la Seconde Guerre mondiale. Ils seront dûment exécutés par Chiang en 1945.

A mesure que les mois s'étirent en années, sans rien apporter d'autre que des armoires entières d'uniformes grotesques, de jaquettes et de chapeaux hauts de forme, dont les Japonais raffolent pour les réceptions officielles, Pu Yi sombre dans une léthargie somme toute assez voisine de celle que provoque l'opium chez son épouse. Il est assez significatif de constater que, dans son autobiographie, il ne consacre à la période tout entière du Manchukuo que 62 pages (sur 496), si bien que son récit fourmille d'omissions.

Aujourd'hui encore, quand on parle à ceux qui ont partagé la vie de Pu Yi à Ch'ang-ch'un durant la brève existence de « l'empire du Manchukuo », il est très malaisé d'arriver à saisir la « réalité » de ces onze années. Elles se sont traînées interminablement, faisant de leurs protagonistes des « espèces de morts vivants », pour reprendre une expression du collaborateur littéraire de Pu Yi, Li Wenda. Lui aussi a eu beaucoup de mal à arracher à l'ex-empereur un récit cohérent de cette période, alors qu'il n'arrivait pas à étancher le flot de ses réminiscences dès qu'il était question des années passées dans la Cité interdite ou de celles de son incarcération ultérieure en Chine. Li Wenda a eu l'impression que la honte endurée tout au long de l'aventure « manchukuote » était si intense que Pu Yi avait préféré l'effacer de son souvenir.

A partir de 1938, Pu Yi prend ses devoirs de moins en moins au sérieux : il ne quitte presque jamais l'enceinte de son palais, sauf pour remplir les fonctions de pure routine — visites d'hôpitaux, d'usines, de nouveaux bâtiments d'habitation —, et le frisson de plaisir qu'il éprouvait auparavant à jouer les « monarques » cède bien vite la place à un profond ennui. Lorsque ses « conseillers » japonais ont besoin qu'il appose son sceau à un document, ils se contentent de le lui laisser et de venir le récupérer quelques jours plus tard. C'est ainsi que Pu Yi donne son approbation officielle à l'expropriation de fermiers mandchous et à diverses lois sur la sécurité, conférant aux Japonais les pleins pouvoirs pour le maintien de la loi et de l'ordre. Théoriquement, en tant que « commandant suprême », il porte donc l'entière responsabilité des atrocités nippones commises en son nom contre les « bandits » antijaponais et les patriotes chinois.

A d'innombrables reprises, il fait publier des communiqués à la gloire de l'effort de guerre japonais, d'abord contre la Chine, puis — après Pearl Harbor — contre les ennemis britanniques et américains. Ils sont tous rédigés dans le style du *Mémorable voyage au Japon*, cette prose cocassement ampoulée si chère aux Japonais. A l'époque, Pu Yi ne se rend toujours pas compte de l'étendue du « viol » du Manchukuo : il ne voit de son pays que ce que les Japonais veulent bien lui laisser voir. Yoshioka, son conseiller militaire, le tient au courant du tour que prend la guerre du Japon contre la Chine, dont le théâtre se situe alors dans le Pacifique, mais — en tout cas au début — il ne lui en dit pas plus long que n'en révèlent les communiqués officiels : il n'est question que de victoires japonaises.

En Mandchourie même, la situation continue à mobiliser des dizaines de milliers de Japonais et de soldats autochtones sous les ordres d'officiers nippons. Peter Fleming raconte (dans *One's Company*) qu'il a accompagné des troupes japonaises en Mandchourie lors d'opérations contre des « bandits », c'est-à-dire des guérilleros communistes, « une rivière trotte-menu de petits hommes avachis vêtus de gris ». Ils marchent, encore et toujours, mais ne parviennent jamais à établir le contact. C'est d'ailleurs ce qui arrive le plus souvent, précise Fleming : les « bandits » se fondent purement et simplement dans la nature, avec le concours de la population locale. Il assiste à de nombreux exemples de brutalités japonaises et « mandchu-kuotes » ; il raconte notamment son arrivée dans un village où il trouve « deux bandits ligotés à leurs poteaux et qui restent exposés toute la journée, sachant que le soir même ils seront exécutés devant toute la population assemblée ». C'est une façon routinière de terroriser les gens, et Fleming décrit la scène sur le ton éminemment prosaïque du reporter dur à cuire qui en a vu d'autres.

La « cour » du Manchukuo est un petit univers fermé, privilégié, en ce sens que ses membres n'ont pas à souffrir des pénuries et des privations qui frappent les citoyens ordinaires. Cependant, par l'entremise des serviteurs et des précepteurs (qui viennent tous les jours donner des leçons aux pages et autres jeunes parents de Pu Yi), il est impossible de rester totalement insensible aux événements qui surviennent à l'extérieur des murs du palais. Le fait d'apprendre qu'il passe pour un objet de dérision et de haine amène l'empereur à deux doigts de la démence.

Pu Yi a toujours été imprévisible, sujet à de violentes sautes d'humeur. A présent, son agressivité devient carrément maladive. Lorsqu'il séjournait encore à Tientsin, il avait mis au point toute une série de « règlements intérieurs » destinés à maintenir l'ordre à la « cour ». Les « conversations irresponsables », les malversations, le marché noir, la complicité en cas de faute, tout cela est sévèrement puni. D'ordinaire, Pu Yi ne corrige pas lui-même les coupables. Il fait administrer les châtiments par quelqu'un de plus haut placé que la victime, mais s'il s'aperçoit que l'exécuteur fait simplement semblant de frapper, il le fait aussitôt corriger à son tour. « Qu'on l'emmène en bas ! » — c'est là que sont administrées les corrections — est la petite phrase redoutée que l'on entend presque quotidiennement à partir de 1938. Dans son livre, Pu Yi note que tout le monde, en dehors de « l'impératrice » et des membres très proches de sa propre famille, tâte du fouet un jour ou l'autre. Grand Li, qui a reçu sa ration de châtiments corporels, m'a expliqué qu'on était aussi souvent frappé à coups de pale en bois. « C'en est arrivé au point où tout le monde passait son temps à surveiller Pu Yi du coin de l'œil, pour essayer de découvrir de quelle humeur il était, m'a-t-il déclaré. Il était complètement paranoïaque : s'il vous surprenait à le dévisager en douce, il aboyait : Qu'est-ce qu'il y a ? Pourquoi me regardes-tu comme ça ? Mais si, au contraire, on s'efforçait de regarder ailleurs, il s'écriait : Pourquoi évites-tu mon regard ? Qu'as-tu donc à cacher ? »

A mesure que le temps passe, la routine quotidienne de l'empereur devient celle d'un véritable roi fainéant : il ne se lève pas avant midi. Il déjeune à deux heures et se remet aussitôt au lit pour une sieste. Puis, en fin d'après-midi, il joue au tennis l'été, au ping-pong l'hiver, ou bien il fait du vélo dans le parc minuscule du palais, histoire de prendre un peu d'exercice.

Parfois, il se glisse derrière le volant de sa Buick officielle et la conduit sur quelques centaines de mètres, faisant interminablement le tour du palais. C'est un authentique amateur de musique chinoise et il possède une vaste discothèque d'opéras chinois qu'il écoute pendant des heures. Quelquefois, les Japonais organisent un spectacle à son intention : la salle de réception du palais est convertie en petit théâtre où toute la cour s'assemble pour regarder un ballet, un spectacle de kabuki ou des exhibitions de judo. Les artistes ou sportifs en visite sont toujours japonais.

Pu Yi s'en tient à la coutume établie par le « Vieux Bouddha » en n'ayant aucune heure fixe pour les repas. « Il dînait quand il en avait envie », s'est rappelé Grand Li. Le repas du soir est le seul véritable repas de la journée : le neveu de Pu Yi, Jui Lon, qui était à l'époque un des « pages » du palais, m'a expliqué qu'au cours de la journée chacun allait grignoter à sa guise à la cuisine du palais, mais qu'ils étaient invariablement convoqués par l'empereur pour partager son repas du soir. C'est un moment où Pu Yi a besoin de compagnie et il fait un effort pour se montrer sociable et « détendu ».

Vers la fin de son règne, cependant, à mesure que ses sautes d'humeur se multiplient, en même temps que se manifeste une tendance croissante au mysticisme, Pu Yi devient végétarien et insiste pour que tous les membres de sa cour le deviennent aussi. Il a même des scrupules à manger des œufs et avant de les consommer, m'a rapporté son neveu, il s'incline profondément et leur adresse une prière. « Il y avait des statues de Bouddha partout et il passait des heures à méditer devant elles. A chaque fois que cela se produisait, il exigeait le plus profond silence à travers toute la maison. Il y avait deux grues japonaises dans le jardin et, si elles faisaient le moindre bruit pendant qu'il méditait, il mettait les serviteurs à l'amende. Pour finir, ils avaient pris l'habitude de se saisir des oiseaux et de leur donner des coups à chaque fois qu'ils avaient le malheur de piper. »

Les domestiques ne sont pas autorisés, en revanche, à tuer la moindre mouche ou souris ni aucune créature vivante. La propreté des lieux, s'est rappelé un ancien page, laisse beaucoup à désirer. Toutefois, Pu Yi inflige une amende au cuisinier s'il trouve un insecte dans ses aliments et — n'ayant rien de mieux à faire — il commence à éplucher les comptes du palais avec un soin qui confine à l'obsession. « Il avait fini par se convaincre que tout le monde cherchait à le gruger », m'a dit son neveu, Jui Lon. Mais, de cela aussi, il finit par se lasser. « Ses enthousiasmes étaient comme des vagues de chaleur qui n'auraient duré que cinq minutes, a continué Jui Lon. Il se mettait au badminton, au tennis, au volley-ball, à la calligraphie, aux bains de soleil, au culturisme et puis, presque aussi vite, il perdait tout intérêt. »

Jui Lon, qui est arrivé à Ch'ang-ch'un en 1937, à l'âge de quatorze ans, est l'un de ces nombreux adolescents apparentés à l'empereur, que leur famille envoie servir à la cour mandchoue, en qualité de mi-suivant, mi-jeune homme de compagnie. Sur le plan social, ils sont d'un rang supérieur aux simples pages, mais ils n'en doivent pas moins essuyer les caprices brutaux de Pu Yi, comme tous les autres serviteurs. Jui Lon se rappelle que son auguste parent avait même recruté pour sa « cour » impériale quelques-uns des eunuques de la Cité interdite et que, lorsque l'un d'eux s'était enfui à Pékin, il avait tenté de le faire arrêter et reconduire à Ch'ang-ch'un.

Il règne parfois à la cour de Pu Yi un authentique régime de terreur : un des pages se sauve ; rattrapé, ramené de force au palais et cruellement corrigé, il meurt des suites de son châtiment. L'empereur prie inlassablement pour l'âme du jeune défunt et fait sévèrement punir ceux qui l'ont battu à mort.

A l'intérieur du palais, on compte près d'une centaine de serviteurs, eunuques et pages, dont la nourriture est constamment rationnée, car Pu Yi devient de plus en plus regardant et rogne tant qu'il peut sur les frais d'entretien de sa cour. On aurait dit, m'a confié Grand Li, qu'étant lui-même malheureux comme les pierres, il voulait empoisonner la vie de tous ceux qui l'entouraient. Seuls les parents de l'empereur ayant la chance d'être conviés régulièrement à sa table parviennent à échapper à la malnutrition. Cependant, à des intervalles convenables — pour le nouvel an chinois, pour son anniversaire, le 14 février, qui est désormais jour férié au Manchukuo —, Pu Yi donne de sompteux banquets et tient à ce que tout le monde ait l'air de s'amuser.

Jui Lon n'aperçoit que rarement Elizabeth, car, à partir de 1937, elle ne paraît plus aux fêtes données pour l'anniversaire de son mari ou le nouvel an. Il se rappelle d'une femme « encore belle, mais maigre comme un clou et outrancièrement maquillée ». A l'étage qu'elle occupe, l'odeur douceâtre de l'opium vous prend à la gorge. « L'atmosphère était à couper au couteau », déclare son propre frère, Rong Qi, alors lieutenant (formé au Japon) de la garde impériale du Manchukuo.

Grâce à leur majordome-espion, les Japonais savent exactement jusqu'où va l'opiomanie de l'impératrice. Selon ses rapports, entre le 10 juillet 1938 et le 10 juillet 1939, elle achète plus de vingt kilos d'« onguent pour accroître la longévité », pour reprendre l'euphémisme de rigueur, ainsi que les pipes les moins coûteuses alors disponibles sur le marché. Cela revient à plusieurs dizaines de grammes d'opium par jour, ce qui représente une dose phénoménale, à la limite de la dose mortelle. Elle fume en outre deux paquets de cigarettes par jour, non pas les « 555 » qu'apprécie Pu Yi, mais une marque locale, très bon marché. Etant donné qu'ils ne se parlent même plus, Pu Yi trouve plus commode de lui verser une pension mensuelle. Jamais il ne fera le moindre effort pour l'empêcher de se droguer, m'a déclaré son neveu. « Il avait le sentiment qu'il n'y avait absolument rien à faire. » A mesure que l'état d'Elizabeth se détériore, son propre père cesse de venir la voir. « Il l'aimait énormément, m'a dit Rong Qi, et il ne pouvait supporter de voir ce qu'elle était devenue. »

Le retour de Pu Dchieh à Ch'ang-ch'un, avec son épouse japonaise, va avoir, provisoirement, un effet stabilisateur sur Pu Yi. Hiro est une jeune femme équilibrée et fort intelligente, à qui il ne faut pas longtemps pour comprendre la gravité de la crise que traverse son beau-frère. Sans se laisser arrêter par son rang d'aristocrate japonaise, elle fait tout son possible pour apaiser les craintes de Pu Yi en revêtant des costumes chinois traditionnels afin de lui montrer clairement qu'elle, du moins, n'est pas une espionne. Pu Dchieh et Hiro ne vivent pas dans l'enceinte du palais. Ils habitent une petite maison branlante, affreusement froide en hiver et sans téléphone du moins au début. Lentement, les relations entre Pu Yi et sa belle-sœur s'améliorent. Il lui offre comme cadeau de mariage une montre-bracelet sertie de rubis et de diamants, invite le jeune couple à dîner et donne même en leur honneur une réception où Elizabeth fait une apparition surprise. Hiro en gardera le souvenir d'une femme grande et gracieuse, arborant une coiffure très compliquée, avec des fleurs et des bijoux. Pu Yi lui confiera par la suite que c'est la première fois depuis trois ans que sa femme s'assoit à la même table que lui pour partager son repas. L'empereur n'est pas encore entré dans sa phase végétarienne et le cuisinier leur a préparé un festin à l'occidentale, avec de la dinde rôtie. Le seul signe qui indique ce soir-là qu'Elizabeth n'est pas tout à fait normale, c'est sa façon de dévorer goulûment sa nourriture en mangeant avec les doigts. Hiro notera plus tard qu'elle se tient à table de façon déplorable, mais que son mari s'efforce de tourner la chose en plaisanterie, en mangeant lui aussi avec les doigts et en pressant tous les convives de se jeter sur les plats comme des sauvages.

Un an plus tard, Hiro devient mère. Pu Yi est soulagé d'apprendre que l'enfant est une fille, car autrement il redoute que les Japonais ne soient tentés de l'éliminer en faveur de son frère plus mondain, qui parle japonais. Il se métamorphose même en oncle gâteau, jouant avec sa petite nièce et la comblant de joujoux spécialement importés du Japon.

Quant à la vie privée de Pu Yi, écrit Hiro dans des morceaux choisis de son journal intime, publiés en 1957 sous le titre de *Wandering Princess,* elle est plutôt mystérieuse. Trois semaines avant son propre mariage avec Pu Dchieh, en avril 1937, une jeune fille de seize ans, Tan Yu-ling (« Années de Jade »), vient s'installer au palais, en qualité d'« épouse secondaire » ou concubine de Pu Yi. Elle est mandchoue, membre du clan des Tatala, et Pu Yi la tient strictement recluse. Hiro remarque qu'elle n'assiste pas au dîner donné en son honneur, où paraît Elizabeth. Après le repas, elle va voir « Années de Jade », dans la petite maison qu'elle occupe à l'intérieur du parc du palais. Elle constate que la jeune concubine porte un collier de perles Mikimoto, offert en cadeau à Elizabeth par l'industrie perlière japonaise, à l'occasion de la visite officielle de Pu Yi au Japon en 1934.

D'après les souvenirs des rescapés de sa cour pirandel-lienne, Pu Yi éprouve, semble-t-il, une sincère affection pour elle. Quant à savoir si leur union est consommée, c'est moins certaine. Dans ses Mémoires, l'empereur reconnaît que, jusque-là, aucune des femmes qu'il a eues dans sa vie n'a été une « véritable épouse... Elles n'étaient là que pour la parade ». D'un autre côté, Pu Yi donne l'impression d'avoir vraiment envie d'un héritier mâle et il se plaint plusieurs fois auprès de son neveu, assurant que les Japonais doivent droguer sa nourriture pour le rendre stérile. Grand Li, encore une fois, y voit la preuve de la paranoïa de son maître.

C'est au cours de ces années interminables, dans le palais de la Gabelle, que se répandent les rumeurs concernant la bisexua-lité de l'empereur, non seulement à Ch'ang-ch'un, mais aussi au Japon, où les rapports des espions introduits au palais de Pu Yi sont parcourus avec un intérêt considérable. Ils font état du penchant de plus en plus net du souverain pour les jeunes gens de son propre sexe ; ils mentionnent toute une écurie d'adoles-cents — mi-serviteurs, mi-gitons — qui vivent dans l'enceinte du palais impérial. La belle-sœur de Pu Yi, Hiro, est scandalisée d'entendre raconter au palais que l'empereur a un page pour amant.

« J'avais bien sûr entendu parler de grands hommes de ce genre dans notre histoire, écrira-t-elle plus tard dans ses Mémoires, mais jamais je n'aurais cru que des choses pareilles existaient dans le monde où nous vivions. Or, voici que j'apprenais que l'empereur éprouvait un amour contre nature pour un page que l'on désignait sous le sobriquet de " la concubine mâle ". Ces pratiques perverties avaient-elles pu, me demandai-je, pousser sa femme à sombrer dans l'opium ? » Etant donné que tous les autres souvenirs de Hiro sont parfaitement exacts, il est peu probable que ces propos ne reposent que sur de simples rumeurs.

C'est, toutefois, l'unique référence à l'homosexualité de Pu Yi que l'on peut relever dans le livre de Hiro, et c'est un sujet que ses proches se refusent à aborder, encore que l'aveu de Pu

Dchieh, me confiant qu'on s'était « aperçu plus tard qu'il [Pu Yi] était biologiquement incapable de se reproduire », ait peut-être été une de ces façons obliques, typiquement chinoises, de confirmer les allégations de son épouse. La clef de la sexualité de Pu Yi est, pour le moment, enfermée au Japon, à l'intérieur des archives des services secrets sur le « Manchukuo », qui sont toujours classées parmi les documents secrets.

En 1940, Pu Yi fait son second voyage au pays du soleil levant. La nation entière fête le 2 600ᵉ anniversaire de l'établissement de sa monarchie et, cette fois, l'empereur du Manchukuo n'est qu'un sympathisant parmi tant d'autres, venu rendre hommage à l'empereur Hiro-hito. Yoshioka, son officier de liaison, a fait de son mieux pour préparer Pu Yi à ce qui l'attend sur place, en laissant entendre que le moment est venu de porter encore plus loin les rapports « filiaux » du Manchukuo vis-à-vis du souverain nippon. Les Japonais envisagent en effet d'obliger Pu Yi à abandonner les rites chinois du culte des ancêtres et du confucianisme, pour convertir le Manchukuo au shinto, la religion nationale du Japon.

Lors d'une audience spéciale avec Hiro-hito, Pu Yi lit tout haut le discours que lui a préparé Yoshioka, par lequel il sollicite, au nom de son pays, le droit d'adopter la religion officielle japonaise et d'adorer la déité du shinto. « Je dois me rendre à vos vœux », répond l'empereur du Japon, et il lui remet, comme cadeau sacré, trois petits objets symbolisant sa religion : un morceau de jade courbe, une épée et un miroir de bronze.

« Je me suis dit que les magasins d'antiquités de Pékin regorgeaient de ce genre d'objets, écrit Pu Yi. C'était donc cela leur grand dieu ? C'était donc cela mes ancêtres ? Dans la voiture qui me raccompagnait, j'ai éclaté en sanglots. »

Dès le retour de Pu Yi à Ch'ang-ch'un, le shinto devient la religion officielle du Manchukuo. Cette mesure est imposée contre l'avis de plusieurs officiers nippons qui connaissent bien la Mandchourie et qui savent que c'est le plus sûr moyen de s'aliéner encore un peu plus la population.

On dresse des autels shintoïstes dans tout le pays et les Mandchous sont tenus de s'incliner dans leur direction à chaque fois qu'ils passent devant. Deux fois par mois, Pu Yi, flanqué de

266

ses propres fonctionnaires et d'une suite de Japonais, dont le grand prêtre du shinto au Manchukuo (ancien général de la police japonaise), prend part à des cérémonies shintoïstes à l'autel de Ch'ang-ch'un. « Avant de me rendre à l'autel, je me prosternais toujours devant mes propres ancêtres, dans mon palais, a noté l'empereur. Et lorsque je m'inclinais devant l'autel de la déesse du soleil japonaise, Ama-terasu-o-mi-Kami, je me disais en mon for intérieur : en réalité, je m'incline devant le Palais de la Tranquillité terrestre à Pékin. »

Prier devant un autel shinto, poursuit Pu Yi, est une expérience encore plus honteuse, plus écœurante que d'apprendre la profanation des tombeaux de ses ancêtres Ch'ing.

20.

A mesure que les événements de la Seconde Guerre mondiale prennent un tour défavorable pour le Japon, exactement comme l'ont prévu certains des conseillers les plus clairvoyants d'Hiro-hito, le seul aspect de la situation pourrissante, susceptible de rassurer Pu Yi, c'est que l'URSS a signé avec le Japon un pacte de neutralité, par lequel elle reconnaît l'intégrité territoriale de l'« empire du Manchukuo ».

Cela signifie, dans la pratique, qu'en dépit de la proximité de l'Union soviétique Pu Yi a le sentiment que les Russes ne risquent pas de venir l'agresser dans son fief. Autrement, il ne se fait toujours pas une idée très réaliste de la guerre. Jusqu'à la fin, il devra ingurgiter l'absurde propagande que les censeurs japonais estiment nécessaire pour maintenir le moral. Certains détails — les pénuries croissantes dans presque tous les domaines et les demandes pressantes de ferraille de toutes sortes (Pu Yi fait don de certains des ordres qu'on lui a décernés en sa qualité d'empereur) — lui permettent néanmoins de comprendre que les Japonais sont aux abois.

La brusque augmentation des membres de la « Concordia » est un indice encore plus sûr. Cette association n'est autre que le « parti », sur le modèle fasciste, que les Japonais ont établi pour contrôler la population mandchoue par l'entremise d'un réseau compliqué de comités de rue et d'usine, qui font tous des rapports à des unités de sécurité et de renseignements japonaises ; or, on remarque soudain un énorme afflux de membres

268

La raison n'en est nullement idéologique ; c'est tout simplement que chaque adhérent au Parti reçoit un uniforme gratuit et que les Mandchous sont désormais en haillons.

Ayant parié sur le mauvais cheval si tôt dans sa carrière, Pu Yi se prend à présent à espérer, à retardement, la victoire des Alliés. « Il souhaitait de toutes ses forces que l'Amérique gagne la guerre », m'a dit son neveu Jui Lon. « Lorsqu'il s'estimait en sécurité, a ajouté le majordome Grand Li, il s'asseyait au piano et jouait sur un doigt une version des " Stars and Stripes ". »

Une question s'impose. Pourquoi Pu Yi ne tente-t-il pas de s'échapper ? Ne pourrait-il pas mettre à profit sa fortune personnelle (sa liste civile se monte à environ un million deux cent mille francs actuels par an) pour soudoyer le nombre de personnes qu'il faudra et quitter le pays ? Li Wenda lui a justement posé cette question et s'est entendu répondre que le seul fait de la poser montrait bien qu'il ne comprenait pas dans quel guêpier se trouvait Pu Yi. D'abord, les Japonais sont partout : sous couvert de sécurité anti-« bandits », des escouades de gendarmes nippons en uniforme vert foncé sont venus s'installer dans l'enceinte du palais impérial, fouillent tous les véhicules qui y entrent ou en sortent et surveillent de très près son périmètre. Peut-être sont-ils corrompus sous certains rapports, mais leur organisation, qui n'est pas sans rappeler celle des SS allemands, est néanmoins redoutée, si bien que le palais de la Gabelle ne vaut guère mieux qu'une prison. En outre, depuis sa première visite officielle au Japon, en 1934, les visiteurs de Pu Yi, fussent-ils japonais, sont sévèrement filtrés. Yoshioka veille à ce qu'il n'entre en contact qu'avec les personnes strictement nécessaires pour consolider sa façade d'empereur fantoche. Comme le dira par la suite l'empereur, à la barre du Tribunal de guerre international : « Je n'étais même pas libre de voir mes propres ministres. »

L'autre raison pour laquelle Pu Yi considère l'hypothèse de la fuite comme « absurde et futile », c'est qu'il n'a, littéralement, aucun point de chute. Certes, les trains fonctionnent entre le Manchukuo et Pékin, mais, à partir de 1937, la capitale fait, elle aussi, partie de la zone d'occupation japonaise, gouvernée par un autre fantoche, Wang Ching-wei. Cela signifie que, même si Pu Yi se débrouillait pour gagner Pékin, il serait toujours en danger. Le prince Tchun, dans sa « Demeure du nord », est étroitement surveillé par l'occupant. D'ailleurs, selon Pu Ren, un de ses fils cadets, « à partir de 1941, [notre] père a fait une croix sur Pu Yi. Après 1934, il ne lui a plus jamais rendu visite. Ils ne correspondaient que très rarement. Toutes les nouvelles qu'il en avait lui parvenaient par l'entremise de tierces personnes ou, quelquefois, par ce qu'en rapportaient les sœurs cadettes de Pu Yi qui étaient autorisées à le voir ». L'empereur du Manchukuo envoie à son père une petite pension mensuelle, mais le prince Tchun, sans aller jusqu'à refuser cet argent, a quasiment renié son fils aîné. De toute façon, tous les activistes loyaux favorables à une restauration de Pu Yi l'ont suivi à Ch'ang-ch'un et il ne reste à Pékin personne à qui il puisse se fier. Son conseiller le plus ancien, le « réformateur » Cheng Hsiao-hsu, est mort.

Pu Yi sait aussi pertinemment que, même s'il parvient à échapper aux Japonais, personne ne voudra de lui dans le camp allié : il a émis durant la guerre trop de déclarations servilement pronippones pour être crédible. Cette « porte de Londres », que Johnston lui avait garantie, lui est désormais fermée pour toujours. Pour Chiang Kai-shek, il serait une lourde charge, à supposer qu'il puisse échapper aux accusations de trahison. Quant à la possibilité de se joindre aux résistants antijaponais (communistes pour la plupart) au Manchukuo même, elle est hors de question. Pu Yi est convaincu qu'ils l'exécuteraient sur-le-champ. Yoshioka lui a inculqué une telle terreur du communisme qu'une telle pensée lui traverse à peine l'esprit.

N'y a-t-il donc personne, à l'intérieur du palais, capable de galvaniser l'empereur au point de l'inciter à faire de la résistance passive, en refusant, par exemple, d'apposer son sceau aux projets de loi japonais ? Il existe probablement une « cellule » antijaponaise au palais même, car Pu Yi tombe un jour sur une inscription écrite à la craie sur un des murs de sa résidence : « Les Japonais ne vous ont donc pas assez abreuvé d'humiliations ? » lit-il. Dans ses mémoires, Pu Yi déplore le fait qu'au cours de ces sombres années, ses seuls intimes aient été des pages, de jeunes parents inexpérimentés, une épouse irrémédiablement opiomane et une concubine qui n'a même pas vingt ans. L'empereur n'a auprès de lui personne pour qui il éprouve de véritable respect intellectuel. Depuis Johnston, il n'a jamais retrouvé de père spirituel. « Années de Jade » — âgée de seize ans en 1937 — est, comme le déclarera Pu Yi au Tribunal de guerre international, une « jeune patriote chinoise », mais elle ne jouit à la cour d'aucun prestige, d'aucune influence. « Il ne faut pas oublier, m'a expliqué Rong Qi, le frère d'Elizabeth, qu'en dépit de toutes les absurdités et des conditions carcérales qui prévalaient à l'intérieur du palais de la Gabelle, il régnait toujours, parmi le cercle de famille immédiat et les serviteurs, un sentiment de loyauté aveugle envers l'empereur. A mesure que la guerre prenait une tournure néfaste pour le Japon, une espèce de fatalisme s'est emparé de tout le monde. L'empereur coulait à pic et nous devions sombrer avec lui. »

Par tempérament, Pu Yi n'est certes pas un de ces aventuriers bravaches prêts à prendre des risques désespérés. Il devient, à partir de 1938, un bouddhiste de plus en plus dévot. Il devient aussi hypocondriaque et se fait administrer tous les soirs des piqûres de vitamines et d'hormones (pour lutter contre la stérilité) ; il avale aussi des quantités industrielles de pilules de toutes sortes. (Dans son existence sans but, notera-t-il plus tard, il a consacré « plusieurs heures par jour » à se soigner par les médicaments.) Il souffre de crises d'asthme, d'hémorroïdes et par moments il peut à peine marcher.

Plus sa condition de fantoche lui devient intolérable, plus il a tendance à se réfugier dans le passé. Selon les souvenirs de son neveu Jui Lon, il s'intéresse de très près aux leçons particulières que reçoivent les jeunes parents qui vivent à sa cour. « Deux ou trois fois par semaine, il nous donnait des cours d'histoire sur la glorieuse dynastie des Ch'ing. » On dirait que Pu Yi prend un plaisir masochiste à contraster la stature héroïque de certains de ses ancêtres mandchous avec son abjecte existence. Tout comme les corrections infligées à ses serviteurs et à ses pages, c'est une manifestation de sa haine envers lui-même.

Il semble en tout cas éprouver, nonobstant sa « liaison » avec son page, une affection sincère, et même de l'amour, pour

271

« Années de Jade ». Il voudrait d'ailleurs la promouvoir au rang d'impératrice et à l'occasion de son voyage au Japon, en 1940, il annonce à Hiro-hito qu'il a l'intention de divorcer d'Elizabeth. L'empereur du Japon oppose à ce projet un veto formel. Un empereur, fût-il un simple pantin, ne saurait divorcer. Peut-être est-ce aussi cela qui provoque la crise de larmes de Pu Yi après leur entrevue.

C'est peu après ce déplacement à Tokyo que Pu Yi apprend la consternante nouvelle : Elizabeth est enceinte d'un de ses serviteurs. Dans son autobiographie, il s'arrange pour contourner l'épisode, en se contentant de noter qu'elle « se conduisit d'une manière que je ne pus tolérer ». Le responsable de cette grossesse n'est autre que le chauffeur de l'empereur, Li Tieh-yu, qui a souvent procuré de l'opium à l'impératrice. Ils en ont fumé ensemble et il est devenu d'abord son confident, puis son amant. Pu Yi prend finalement la chose avec un mélange de magnanimité et de couardise : il pourrait faire exécuter Li, car ce dernier s'est rendu coupable du plus noir forfait prévu dans le code moral des Ch'ing. Au lieu de cela, il lui glisse quatre cents dollars et lui conseille de quitter la ville. Lorsque Elizabeth accouche, cependant, un médecin japonais élimine le nouveau-né (une fille) en lui administrant une injection mortelle sous les yeux mêmes de sa mère et Pu Yi, qui est parfaitement au courant des intentions japonaises, laisse faire sans rien dire.

On peut imaginer comment de tels événements affectent Elizabeth et, en effet, à dater de ce moment, elle vit, semble-t-il, dans un constant brouillard opiacé. La mésaventure tout entière, dont on parle à voix basse derrière le dos de l'empereur, est si honteuse que Li Wenda lui-même ne parviendra pas à le convaincre de s'étendre sur ce sujet.

Et puis, dix-huit mois plus tard, en 1942, « Années de Jade » disparaît. Selon Hiro, la belle-sœur de Pu Yi, elle tombe en proie à une forte fièvre, commence à boire d'énormes quantités d'eau et sombre dans le délire. Un médecin chinois diagnostique une méningite et recommande des injections de glucose, mais, à mesure que l'état de la jeune femme empire, Yoshioka insiste pour qu'on laisse intervenir une équipe de médecins japonais. Pu Yi se persuadera par la suite que ces derniers ont délibérément supprimé sa concubine. Il déclarera au Tribunal de guerre international : « On n'a pas administré les injections de glucose. Il y a eu beaucoup d'allées et venues cette nuit-là, des infirmières et des médecins venaient s'entretenir avec Yoshioka, puis regagnaient la chambre de la malade. » Le lendemain matin, celle-ci s'éteint, à l'âge de vingt-deux ans ; lorsque Pu Yi demande qu'elle soit inhumée dans les sépultures Ch'ing à Mukden, Yoshioka l'éconduit sans rien vouloir entendre. Elle sera enterrée à Ch'ang-ch'un, déclare-t-il péremptoirement. (Ses cendres resteront en fait au palais de la Gabelle jusqu'à la fin de la guerre et seront finalement transférées à Pékin.) Tout au long de ses séjours ultérieurs dans des prisons soviétiques et chinoises, Pu Yi gardera sur lui, dans un minuscule étui, des rognures d'ongle et une mèche de cheveux d'« Années de Jade », car elles représentent à ses yeux un précieux talisman et la preuve de son amour et de son chagrin.

Un mois après la mort de la jeune concubine, Yoshioka est déjà en train d'importuner Pu Yi pour qu'il choisisse une nouvelle épouse secondaire parmi un lot de photographies de toutes jeunes Japonaises. L'empereur refuse.

Il va néanmoins se remarier, d'une certaine façon. Un an plus tard, en 1943, écrit Hiro dans *Wandering Princess,* une fillette de douze ans paraît aux côtés de Pu Yi, mais elle s'enfuit au bout de trois jours. L'empereur ne tente rien pour la récupérer. Au lieu de cela, il finit par succomber aux talents d'entremetteur de Yoshioka, en stipulant simplement que la jeune fille choisie doit être de naissance mandchoue et non japonaise. Le choix de « Luth de Jade » (Li Yi-ching), âgée de seize ans, reflète l'importance amoindrie de Pu Yi aux yeux des Japonais, car c'est la fille d'un serveur de restaurant. Hiro Saga note qu'à son arrivée au palais elle a grand besoin de prendre un bain... et de se faire épouiller.

Sa photographie nous permet de voir un visage qui a du caractère, d'une régularité quelque peu sévère, plutôt que franchement joli. Pu Yi la traite davantage en page qu'en concubine. Lorsqu'il témoigne devant le Tribunal international des crimes de guerre, il explique que « la raison pour laquelle j'ai épousé une jeune Chinoise, c'est que, étant jeune, elle pouvait être éduquée selon mes goûts et non pas assimilée aux Japonais ou éduquée selon leurs critères ». Il paraît plus vraisemblable de penser que Pu Yi se dit qu'à seize ans elle se laissera plus facilement impressionner et sera suffisamment malléable pour accepter comme normal tout ce que son mari lui réserve. Bien des années plus tard, il avouera à l'un de ses gardiens de prison chinois : « Je lui ai fait recopier par écrit toute une liste de règles et de châtiments, stipulant ce qu'elle aurait à subir en cas de désobéissance ou d'autres fautes. Elle a signé ce document. Lorsque j'avais des raisons de me plaindre de sa conduite, je le brandissais et je lui disais : Lis-moi cela. Et puis, je la punissais. Il m'est arrivé bien souvent de corriger Luth de Jade. »

Ces corrections sont, du moins on le présume, un prélude à l'acte sexuel, à moins qu'elles ne le remplacent carrément. Pu Yi est conscient de son côté sadique. Il a écrit à propos des mauvais traitements qu'il faisait subir à ses pages : « Ces agissements de ma part prouvent à quel point j'étais cruel, dément, violent et instable. » Il sous-entend, évidemment, que cette « démence » découle directement de la façon dont il a été élevé et de sa triste situation d'empereur fantoche. Les tensions qu'il doit endurer, à mesure que la guerre tourne au désavantage des Japonais et que lui-même se rend compte de toute l'étendue de ses erreurs, aggravent très certainement sa névrose. Toutefois, une longue série de schémas qui font partie de son comportement — les châtiments corporels, son attitude envers les femmes en général — laissent penser qu'il aurait de toute façon souffert d'une personnalité névrosée. Bien des années plus tard, il mettra son âme à nu devant ses geôliers chinois, se peignant souvent sous des couleurs encore plus noires qu'elles ne le sont vraiment, mais jamais il ne leur révélera vraiment la vérité sur ses appétits sexuels étrangement déréglés ; et eux, de leur côté — pudeur chinoise oblige —, ne feront guère d'efforts pour l'inciter à parler de cet aspect de sa personnalité.

Tandis que Pu Yi joue les tyranneaux et fait le matamore auprès de sa toute jeune concubine, tandis qu'il terrorise sa cour par ses sautes d'humeur paranoïaques, les Japonais battent en retraite dans le Pacifique et en Birmanie, et les premiers bombardements américains sont déclenchés sur Tokyo. La presse bâillonnée du Manchukuo signale les « sacrifices héroïques » des troupes japonaises sur tous les fronts et dans toute la Mandchourie, on voit apparaître des abris contre les attaques aériennes et des sacs de sable. Dominant sa peur, Pu Yi se met enfin à écouter des émissions de radio en langue chinoise, retransmises depuis les Etats-Unis, et il comprend que la fin de la guerre est proche. Le général Tomoyuki Yamashita, le commandant en chef de toutes les troupes nippones en Mandchourie (et accessoirement l'homme qui a mené la guerre éclair contre Singapour en 1942), est rappelé au Japon et vient prendre congé de l'empereur. « En se cachant le nez pour pleurer, il m'a dit : Ce sont nos derniers adieux. Jamais je ne reviendrai », écrit Pu Yi.

Les Japonais continuent jusqu'à la fin à se servir de leur fantoche pour véhiculer leur propagande. Pu Yi lui-même dépeint sa participation, au cours d'une tempête de sable qui rend la scène encore plus sinistre, à une cérémonie de l'armée japonaise ; il est l'invité d'honneur chargé de « dédier » une poignée de pitoyables « projectiles humains ». Il s'agit de fantassins nippons qui se sont portés volontaires pour devenir l'équivalent terrestre des pilotes kamikazes. « La maigre douzaine de victimes se tenait en rang d'oignons devant moi et j'ai lu le discours qu'avait préparé Yoshioka, écrit Pu Yi. Ce n'est qu'à ce moment-là que j'ai remarqué la teinte terreuse de leurs visages et les larmes qui roulaient sur leurs joues et que j'ai entendu leurs sanglots. » Une fois qu'il a terminé ce discours, au milieu des tourbillons de poussière, Yoshioka le félicite de son intervention et lui explique que ces hommes ont versé des « larmes viriles de Japonais » tant ils étaient « émus » par ce que leur disait Pu Yi.

Lorsqu'il mentionne cet incident dans ses mémoires, Pu Yi — s'adressant à Yoshioka — précise : « Je me suis dit : toi, tu as vraiment peur. Tu sais très bien que je n'ai pas cru aux projectiles humains. Eh bien, si toi, tu as peur, moi je suis terrifié. »

On est tout surpris de constater qu'il n'y a pas, dans l'autobiographie de l'empereur, la moindre référence aux bombes atomiques lâchées sur Hiroshima (le 6 août 1945) et sur Nagasaki (le 9), qui précipitent la reddition japonaise. Ce n'est sans doute pas, comme je l'ai d'abord cru, une omission délibérée de sa part, afin de minimiser la responsabilité américaine et de magnifier l'intervention de dernière minute des Soviétiques dans la guerre du Pacifique.

La bombe d'Hiroshima a incontestablement, pour reprendre la formule lapidaire de feu le sénateur Alexander Wiley, « fait basculer le vieux Staline du bon côté », même si l'invasion de la Mandchourie qui la suit de peu (elle commence le 8 août) est entièrement intéressée : l'objectif de Staline est de récupérer ce territoire que les Japonais ont arraché à la Russie après leur victoire dans la guerre russo-japonaise de 1904-1905, de démanteler l'infrastructure industrielle de la Mandchourie de la façon qui profitera le plus à son pays et de priver les forces de Chiang Kai-shek d'une partie vitale de la Chine, en fournissant à la VIIIe armée de route de Mao (unité communiste) l'occasion d'exercer son contrôle sur l'ex-« Manchukuo ».

Ni Pu Dchieh, ni Rong Qi, qui se trouvent à l'époque auprès de Pu Yi, ni même Li Wenda, qui sert lui aussi en Mandchourie en tant que membre de la VIIIe armée de route, ne se rappellent avoir entendu la moindre allusion à Hiroshima et Nagasaki avant que les hostilités n'aient effectivement pris fin depuis plusieurs jours. « Ce qui nous intéressait, nous, c'était que les Soviétiques avaient franchi la frontière, m'a confié Rong Qi. Nous n'avons entendu parler d'Hiroshima qu'en écoutant le discours radiodiffusé de Hiro-hito annonçant la reddition du Japon. »

Ce n'est que le 9 août (le matin même où a lieu le bombardement de Nagasaki) que le général Yamata, le nouveau commandant en chef des forces japonaises au Manchukuo, informe Pu Yi du fait que Staline vient d'entrer en guerre et que des troupes soviétiques ont franchi la frontière. Tandis qu'il explique à son interlocuteur avec quelle confiance il prévoit la victoire japonaise, on entend résonner pour la première fois les sirènes qui annoncent une attaque aérienne contre Ch'ang-ch'un ; c'est dans le nouvel abri du palais que se poursuit l'entretien. « Avant longtemps, des bombes explosaient tout près de nous et, pendant que j'invoquais doucement Bouddha, le général gardait le silence. Une fois que l'alerte a pris fin, il n'a plus fait la moindre allusion à sa confiance dans la victoire finale de son pays », note l'empereur. Une bombe a détruit la prison bâtie par les Japonais juste en face de son palais.

Le lendemain (10 août), le général Yamata vient au palais annoncer à Pu Yi que son armée va « maintenir ses lignes » en Mandchourie méridionale, mais que « provisoirement » la capitale doit être transférée à Tung-hua. « Nous partirons dès aujourd'hui », précise-t-il. Pu Yi proteste que ce délai est beaucoup trop court. Il s'inquiète non seulement pour son nombreux personnel, mais aussi pour ses biens mobiliers — peintures, bijoux, jades — qui doivent, espère-t-il, lui permettre de vivre confortablement jusqu'à la fin de ses jours. (« Il n'était pas tellement calé sur les bijoux, m'a confié un de ses neveux, Jui Lin, mais il en savait vraiment long sur le jade. ») Les Japonais sont à présent très désireux de quitter la ville au plus vite. « Si vous ne partez pas, lui dit Yoshioka, c'est vous que les troupes soviétiques assassineront en premier. » L'une des trois armées soviétiques qui envahissent la Mandchourie est composée de Mongols entraînés par les Russes et cette nouvelle frappe tout le monde de terreur. A cette époque, Pu Yi a mis au point certaines méthodes pour s'assurer de ce que pensent vraiment les Japonais et il est passé maître dans l'art des professions de foi vides et hypocrites que l'on attend de lui depuis si longtemps. Il revêt sa tenue de commandant en chef de l'armée du Manchu-kuo, dont les hommes sont déjà en fuite et abandonnent leurs uniformes aussi vite qu'ils le peuvent, et il convoque à la fois son Premier ministre, l'obséquieux Chang Ching-hui, et le directeur japonais de la Commission des Affaires générales du Conseil d'Etat, l'homme qui gouverne effectivement le Manchukuo sur le plan civil.

« Nous devons appuyer de toutes nos forces la guerre sainte de la nation mère et résister jusqu'à la fin, jusqu'à l'extrême fin, aux armées soviétiques », annonce-t-il d'un ton solennel, dans le seul but de voir quelle sera leur réaction. Yoshioka quitte la salle en courant et, peu après, des soldats japonais convergent vers le palais de la Gabelle. Pendant un affreux moment, Pu Yi croit qu'ils sont venus l'abattre. Toujours en uniforme, il se tient en haut de l'escalier principal et leur fait face. « Quand les soldats m'ont vu, a-t-il écrit, ils se sont retirés. » Il tente de joindre Yoshioka par téléphone, mais son appel n'aboutit pas.

Une nouvelle crainte s'empare de lui. Et si les Japonais partaient sans le lui dire ? Il rappelle Yoshioka et, cette fois-ci, la ligne fonctionne. Le Japonais lui explique qu'il est souffrant, mais que l'évacuation est prévue pour le 11 août. Pu Yi sonne Grand Li et lui annonce qu'il a faim. Le personnel du palais a déjà commencé à quitter le navire en perdition. Tous les cuisiniers ont disparu et Grand Li ne peut lui proposer que des biscuits.

Le soir du 11 août, les Japonais emmènent Pu Dchieh, son épouse Hiro et tous les autres membres de la famille de l'empereur à la gare et les mettent dans un train spécial. Pu Yi a eu le temps de faire un tri parmi ses trésors ; il doit bien sûr abandonner les objets les plus volumineux, mais il a réussi à caser tous les bibelots précieux dans ses bagages, dissimulant ceux qui ont le plus de valeur dans l'étui d'un appareil de prises de vues, équipé d'un double fond. Il est le dernier à quitter le palais, avec Yoshioka. Selon les souvenirs d'Hiro, la plupart des officiers japonais haut gradés, stationnés en Mandchourie, sont déjà partis pour la Corée à bord d'un autre train.

Le cérémonial sera respecté jusqu'au bout : dans le cortège qui accompagne l'empereur à la gare, la première voiture contient les « reliques sacrées » du shinto, offertes en 1940 par Hiro-hito ; c'est le grand prêtre du shinto au Manchukuo, Toranosuke Hashimoto, ancien général de la police militaire, qui les porte lui-même. A mesure que la procession chemine lentement à travers les rues de Ch'ang-ch'un, tous les Japonais s'inclinent sur son passage. En quittant le palais, Pu Yi entend des explosions : ce sont des sapeurs japonais qui font sauter « l'Autel de la Fondation nationale », devant lequel il a été obligé d'aller vénérer selon les rites du Shinto.

Tandis que l'empereur et sa suite se préparent ainsi à partir, les habitants de Ch'ang-ch'un s'apprêtent, eux, comme l'a signalé Hiro dans *Wandering Princess*, à accueillir les vainqueurs : des femmes s'activent pour confectionner de grossiers drapeaux frappés de la faucille et du marteau. Un fonctionnaire japonais fait preuve d'un calme exemplaire tout au long de cet épisode ; il s'agit d'Amakasu, membre de la police secrète, l'homme qui a accueilli Pu Yi à son arrivée en Mandchourie, quatorze ans auparavant, et qui est devenu entre-temps directeur de l'industrie cinématographique du Manchukuo. Il veille à régler les salaires de tous ses employés et à les rassurer sur leur sort. Puis il se suicide en avalant une pilule de cyanure.

Tard dans la soirée, le train à bord duquel ont pris place Pu Yi, sa cour, ses ministres et une poignée d'officiers japonais quitte la gare de Ch'ang-ch'un, mais il n'arrivera jamais à Tung-hua. En raison des attaques aériennes des Soviétiques, il est détourné vers le centre minier de Talitzou ; c'est un voyage de plusieurs jours. Chemin faisant, Pu Yi a amplement l'occasion de comprendre que le rêve japonais touche à sa fin : il aperçoit des convois nippons, qui se dirigent tous vers le sud, « et les hommes qui s'y trouvent tiennent autant du réfugié que du soldat ». A mi-chemin, le général Yamata monte dans leur train. « Il m'annonça que l'armée japonaise l'emportait et qu'elle avait détruit des quantités de chars et d'avions », notera Pu Yi dans ses souvenirs. A chaque arrêt, cependant, il voit bien que les Japonais, en pleine panique, sont occupés à battre en retraite. Des civils nippons s'efforcent désespérément de se hisser dans leur train « et pleuraient, en suppliant les gendarmes japonais de les laisser monter ». Des bagarres éclatent entre soldats et gendarmes japonais.

Pendant le voyage, Pu Yi évoque son avenir avec Yoshioka qui doit avoir d'autres soucis en tête, mais qui, en excellent officier de liaison qu'il est, parvient à bavarder poliment avec l'empereur et lui propose même un choix entre diverses destinations. Les Japonais ont projeté de trouver un avion pour transporter Pu Yi jusqu'en Corée, qui n'est pas encore envahie par les Alliés ; de là ils tâcheront de le faire passer, toujours par avion, au Japon. Où Sa Majesté aimerait-elle vivre au Japon ? Pu Yi n'en sait rien. Voyons, Sa Majesté doit bien se rappeler sa visite officielle de 1934. Il n'y a donc aucun endroit qui l'attire particulièrement ? Kyoto, par exemple ? Va pour Kyoto, acquiesce Pu Yi.

Secrètement, il est bien soulagé, car il a pris la précaution de faire transférer tous ses fonds personnels de Ch'ang-ch'un à une banque japonaise de Tokyo, quelques semaines avant l'entrée en guerre des Soviétiques. Il n'est toujours pas au courant de l'attaque atomique, et Yoshioka lui certifie que jamais les Etats-Unis ne se risqueront à envahir militairement le Japon, car cela coûterait trop de vies américaines. Il ajoute, toutefois, qu'une fois sur place « Sa Majesté Impériale [Hiro-hito] ne saurait être tenue pour totalement responsable de la sécurité de Votre Majesté ».

Le 14 août au soir, le train arrive en gare de Talitzou ; Pu Yi et son entourage sont escortés jusqu'à un bâtiment en bois de deux étages appartenant à une compagnie minière. C'est là que, le lendemain, massé autour de la radio, tout le monde écoute le discours d'Hiro-hito à son peuple, annonçant la reddition du Japon. S'exprimant dans le style archaïque réservé aux occasions les plus solennelles et s'adressant pour la première fois à la population par l'entremise de la radio (on a branché l'électricité à travers tout le pays, pour que tout le monde puisse l'entendre), l'empereur du Japon prononce l'allocution que ses conseillers les plus proches et lui-même ont mis deux jours à rédiger. « Nous avons déclaré la guerre à l'Amérique et à la Grande-Bretagne, lit Hiro-hito, obéissant à notre désir sincère d'assurer la sécurité du Japon et la stabilité du Sud-Est asiatique, car nous ne songions nullement ni à empiéter sur la souveraineté d'autres nations ni à nous lancer dans une politique d'agrandissement de notre territoire... »

Le discours comporte une référence à l'utilisation, par l'ennemi, d'une « bombe nouvelle et cruelle, dont la capacité de nuire est, il faut bien le dire, incalculable ». Il contient aussi le plus bel euphémisme de la Seconde Guerre mondiale : « La situation a évolué, pas nécessairement à notre avantage. » Ce sont les mots « a évolué » qui ont prolongé les hostilités de quarante-huit heures. L'empereur penchait pour « s'est détério-rée », mais ses conseillers y ont objecté.

C'est Pu Dchieh qui assure la traduction simultanée de cette allocution. Quand elle est terminée, notera Hiro, les deux frères se serrent les mains et pleurent.

280

Deux jours plus tard, dans le réfectoire qui est la pièce la plus vaste du bâtiment où ils sont logés, se déroule une cérémonie presque surréaliste. Pu Yi renonce officiellement au trône du « Manchukuo », proclame la dissolution de son gouvernement et rend le territoire à la Chine. A la suite d'un vote solennel, toute l'assistance se prononce en faveur de ces mesures. Pu Yi appose pour la dernière fois son sceau aux édits qui leur donnent force de loi ; il les lit d'une voix ferme et impassible, puis il serre la main de ses ministres à mesure qu'ils quittent la pièce, l'un après l'autre. Dans son autobiographie, Pu Yi parle d'« une dernière farce que nous avons dû jouer », au cours de laquelle ses ministres se tiennent alignés devant lui « comme autant de chiens perdus », mais aucune des personnes qui y assistent ne conteste sur le moment la solennité de cette occasion. Hiro note qu'il s'agit d'une « cérémonie simple, mais poignante ». D'un bout à l'autre, Pu Yi se comporte avec une tranquille dignité. Peut-être est-il secrètement soulagé de voir enfin se terminer ce pari insensé du Manchukuo, engagé treize ans et cinq mois auparavant. Il entre un élément symbolique dans la cérémonie de Talitzou. C'est à cet endroit même, en effet, voici trois siècles et demi, que Nurhachi, chef des tribus mandchoues, a commencé à lever ses troupes, afin de partir vers le sud s'attaquer à la suprématie de la dynastie des Ming.

C'est maintenant un endroit beaucoup trop dangereux pour pouvoir s'y attarder longtemps : la région tout entière est aux mains des communistes qui sont en train de s'assurer rapidement le contrôle de toute la province. Non sans une certaine panique, le petit groupe va se séparer. Le train qui les a amenés repart pour Ch'ang-ch'un, avec à son bord l'ancien Premier ministre du Manchukuo, Chang Ching-hui. Ce dernier a l'intention de tenter, en désespoir de cause, une ultime manœuvre et d'entrer en liaison radio avec Chiang Kai-shek, afin de lui remettre officiellement le territoire du Manchukuo. Il espère éviter ainsi une occupation soviétique. Il s'y prend trop tard. Les Russes arrivent avant qu'il ne soit parvenu à établir le contact.

Pu Yi annonce soudain à Yoshioka qu'il a changé d'avis et que c'est à Pékin qu'il désire se rendre, pour s'installer chez son père. Yoshioka lui objecte qu'il trouvera peut-être un avion

281

pour passer en Corée et de là au Japon, mais qu'aucun avion japonais n'acceptera d'aller jusqu'à Pékin ; quant au voyage par voie de terre, il est hors de question. Pu Yi est donc bien forcé d'en revenir au plan initial.

L'avion, poursuit Yoshioka, décollera de Tung-hua et Pu Yi doit à présent choisir ses quelques compagnons de route, car c'est un appareil minuscule. L'ex-empereur désigne donc huit personnes, parmi lesquelles Pu Dchieh, Jui Lon, Grand Li et son médecin personnel. Elizabeth, Luth de Jade et Hiro ne seront pas du voyage.

Cette décision est, il faut le préciser, plus imputable à Yoshioka qu'à Pu Yi ; le Japonais ne cesse, en effet, de répéter que ce sont l'empereur et les membres de son cercle intime qui risquent d'être arrêtés par les Russes. Les femmes ne sont pas aussi menacées. Yoshioka leur explique, pour les rassurer, qu'elles suivront un peu plus tard et que, d'ici une semaine, ils seront tous réunis au Japon. Son désintérêt relatif de leur sort reflète bien l'attitude japonaise traditionnelle envers les femmes, considérées comme des êtres inférieurs. Pu Yi n'est pas en mesure de discuter. De toute façon, dans une crise comme celle qu'il traverse, une épouse droguée et une toute jeune concubine ne peuvent être pour lui qu'une source de gêne.

Luth de Jade et Elizabeth se mettent à « sangloter », note Pu Yi. La petite concubine déclare qu'elle veut retourner dans sa famille à Ch'ang-ch'un. Hiro, en bonne Japonaise, ne songe qu'à ses devoirs d'épouse et fait aussitôt la valise de Pu Dchieh. Ce dernier manifeste une gaieté surprenante : « Qu'ai-je besoin de toutes ces affaires ? lance-t-il. Demain, à cette heure-ci, je serai au Japon. »

« Veillez bien à prendre soin les uns des autres », recommande Pu Yi à ceux qu'il abandonne. Il prend à part Hiro, la plus raisonnable de tout le petit groupe. Celui-ci doit faire tout son possible pour gagner la Corée au plus vite, lui explique-t-il. Si jamais ses membres étaient séparés, que chacun s'efforce d'arriver au Japon par ses propres moyens. Une fois en sécurité sur le sol nippon, personne n'aura plus rien à craindre. Il y a suffisamment d'argent à la banque pour tout le monde.

Au cours d'une ultime et pitoyable petite cérémonie, les

membres de la cour et les serviteurs abandonnés en Mandchourie se rangent le long du quai de la gare de Talitzou pour assister au départ de Pu Yi et de ceux qui l'accompagnent. L'ex-empereur leur serre la main à tous. « Vous m'avez rendu de grands services, dit-il. Je prie pour que vos existences se poursuivent dans la santé et le bonheur. » Hiro note qu'il pleure en montant dans son wagon.

A la surprise générale, un petit avion les attend effectivement à Tung-hua et ils embarquent aussitôt. Il les transporte jusqu'à Mukden où un autre appareil, un peu plus grand, doit venir les chercher.

Tandis qu'ils attendent son arrivée, ils entendent soudain le bruit d'un avion qui approche et le petit groupe quitte la salle d'attente pour s'avancer sur la piste. Mais c'est toute une escadrille qui se pose devant eux, et, sous leurs yeux, les appareils déversent une cargaison de soldats soviétiques qui désarment aussitôt tous les Japonais présents et occupent l'aéroport.

Presque par inadvertance, ils arrêtent aussi Pu Yi et ses compagnons, parmi lesquels se trouve toujours Yoshioka. Ils passent la nuit sous bonne garde dans la salle d'attente de l'aéroport et, le lendemain matin, on les fait monter à bord d'un avion soviétique. Quelque part entre Mukden et Khabarovsk, leur destination, l'appareil se pose pour se ravitailler et Pu Yi va trouver l'officier soviétique le plus gradé. Il échafaude déjà dans sa tête le moyen de se dissocier de ses anciens maîtres japonais et de leur faire porter la responsabilité de toute l'affaire du Manchukuo. « Nous ne souhaitons pas voyager avec des criminels de guerre japonais », annonce-t-il de son ton le plus impérial. Yoshioka ne repartira pas avec eux.

21.

Dès que le petit groupe de Pu Yi a quitté Talitzou, la cour se disperse pour de bon. Les quelques gardes japonais et mandchous qui restent disparaissent et les membres de la famille impériale doivent se débrouiller tout seuls. Bien qu'elle ait un petit bébé à charge (sa seconde fille), c'est Hiro qui prend les rênes et, au début, tout se passe bien. Il semble qu'ils vont pouvoir continuer à résider incognito dans les locaux de la compagnie minière jusqu'à ce que la situation s'éclaircisse un peu. Pu Yi leur a laissé une forte somme en argent liquide et d'importantes quantités d'objets anciens de valeur. Elizabeth est partie avec des réserves d'opium considérables.

Au cours de la troisième semaine d'août, ils apprennent que Pu Yi a été capturé par les Soviétiques et tout le monde, même Hiro, s'effondre en larmes. Ce n'est que le 21 septembre, cependant, que les véritables ennuis commencent : des « bandits » occupent la ville et entreprennent une chasse aux Japonais.

Ils arrêtent Hiro en pleine rue. « En voilà une ! » lance l'un d'eux, en la montrant du doigt. « Mais non, non, c'est ma sœur ! » s'écrie une des jeunes sœurs de Pu Yi avec une louable présence d'esprit, et on la laisse partir. Hiro a entreposé une malle pleine d'argent mandchou dans une chambre forte de l'ancien QG de la gendarmerie japonaise à Talitzou. Les « bandits » fouillent systématiquement tous les bâtiments et casernes naguère occupés par les Japonais et confisquent tout ce qu'ils y trouvent.

Quelques jours plus tard arrivent les soldats soviétiques. Eux aussi sont en quête de butin et de femmes ; Hiro et la plupart des femmes de son petit groupe se coupent les cheveux et revêtent des costumes masculins. Les Soviétiques arrêtent tous les Japonais qui tombent entre leurs mains et les emmènent à Lin-chiang, une ville plus importante. Hiro et son groupe suivent. Elle a l'impression qu'ils y seront plus en sécurité que s'ils restent aux prises avec les seuls « bandits ».

Quelques semaines plus tard, les communistes chinois font leur arrivée ; ils sont, certes, extrêmement disciplinés et ne « pillent » que les réserves médicales, mais leur présence met fin à tout espoir de parvenir à gagner le Japon via la Corée. Ils découvrent d'ailleurs assez vite la véritable identité du petit groupe.

Celui-ci, en effet, va être trahi par l'un de ses propres membres, le mari d'une des sœurs de Pu Yi, petit-fils du réformateur défunt, Cheng Hsiao-hsu. Cherche-t-il à se faire bien voir des communistes ou tout simplement à se venger de son beau-frère parce que ce dernier ne l'a pas inclus dans le petit groupe qui est parvenu à s'enfuir ? Toujours est-il qu'il dénonce tout le monde. Un officier communiste vient trouver Hiro dans la maison qu'elle a louée. « Vous êtes madame Pu Dchieh, je crois ? » Mais il lui dit de ne pas s'inquiéter. Ancien officier de cavalerie du Manchukuo, il a eu l'occasion de connaître Pu Dchieh et de l'apprécier. Il veillera à ce qu'il ne leur arrive rien.

L'homme tient parole, mais le beau-frère renégat est bien décidé à se venger. Il retourne au QG militaire des communistes, cette fois-ci pour attirer leur attention sur les vastes quantités de trésors artistiques — certains en provenance de la Cité interdite — qui se trouvent en la possession des membres de sa famille. Comme il s'agit de « biens nationaux », c'est un délit grave. Les communistes arrêtent tout le monde et les emmènent à Tung-hua, où on les garde à vue au poste de police. On est à présent en janvier 1946.

Il reste encore une petite chance pour que les nouveaux dirigeants communistes se montrent relativement cléments envers leurs prisonniers, mais une nouvelle guerre vient d'éclater, entre Chiang Kai-shek et les communistes. Les troupes de Chiang pénètrent au plus profond de la Mandchourie, avec le soutien de quelques unités japonaises qui ont échappé à la détention. Des forces japonaises attaquent Tung-hua, puis battent en retraite après de violents combats. En représailles, les communistes chinois abattent des prisonniers nippons et leur attitude envers Hiro et sa petite bande se durcit. Ils les laissent moisir dans les cellules du poste de police par un froid glacial.

Elizabeth a désormais terminé son abondante provision d'opium et elle commence à supplier à grands cris qu'on la lui renouvelle. Hiro soudoie les gardes pour en obtenir. En avril, ils repartent, sous bonne garde, à Ch'ang-ch'un, où ils sont placés en détention préventive, tandis que les communistes poursuivent leur lente et laborieuse enquête sur leur compte. Le moral d'Hiro est un peu meilleur. On les loge non pas en prison, mais dans quelques pièces qu'ils sont autorisés à louer au-dessus d'un restaurant.

Peu après, Luth de Jade est libérée. Elle invite généreusement Elizabeth à venir s'installer chez elle et propose de s'en occuper, mais la mère de la jeune concubine, soit pour régler de vieux comptes, soit pour se faire bien voir des autorités, va trouver les chefs locaux du parti communiste et dénonce tous les membres de la famille de Pu Yi, Hiro comprise, comme « ennemis du peuple », en les accusant des plus noirs forfaits.

Une fois de plus, la police arrête tout le monde. Cette fois-ci, Hiro et Elizabeth sont séparées des autres et transférées à Kirin, dans le Nord, où on les incarcère à nouveau au poste de police.

C'est là que va avoir lieu l'agonie d'Elizabeth : il n'y a plus moyen de se procurer d'opium. Hiro raconte dans ses souvenirs que sa compagne pousse de tels hurlements que les autres prisonniers ne cessent de crier : « Qu'on l'achève, cette braillarde ! » Les policiers, les membres du Parti et même des citoyens ordinaires viennent la regarder délirer, « comme s'ils étaient au zoo ». De longues queues de Chinois gloussant de rire défilent devant la cellule pour contempler, bouche bée, l'ancienne impératrice de Chine en train de supplier qu'on lui donne de l'opium. Parfois, elle est en proie à des hallucinations au cours desquelles elle se croit de retour dans la Cité interdite. « Holà, s'écrie-t-elle, qu'on m'apporte des sandwiches ! Je veux prendre un bain ! Où sont mes serviettes ? » Hiro fait de son mieux pour la réconforter et lui faire comprendre où elle se trouve, mais sans succès

L'offensive de Chiang Kai-shek se poursuit. Kirin est bombardée et on déplace à nouveau tous les prisonniers, cette fois-ci vers l'est, à Yenchi. Hiro et Elizabeth font le trajet dans une carriole à laquelle est fixée une pancarte où l'on peut lire : « Traîtres de la famille impériale du Manchukuo. » A leur arrivée, elles sont séparées.

Au bout de quelques jours, Hiro parvient à apercevoir sa belle-sœur à travers les barreaux de sa cellule en béton. Elizabeth est allongée par terre, inconsciente, dans une mare d'urine, d'excréments et de vomi. Hiro supplie un garde de lui porter quelque chose à manger. « Quoi ! Ça pue tellement là-dedans que c'est à tomber raide. Jamais de la vie ! » répond-il.

Hiro se porte volontaire pour aller faire la toilette de la mourante. Un des gardiens lui dit qu'il va y réfléchir. Le lendemain, elle est autorisée à regarder tandis qu'un autre gardien, muni d'un masque, nettoie la cellule et fourre les vêtements sales d'Elizabeth dans un seau. L'ex-impératrice, en sous-vêtements, est à présent consciente, mais toujours en proie à des hallucinations. Elle continue à demander où sont ses serviteurs et pourquoi ils ne lui ont pas fait couler son bain et apporté des vêtements propres. Le gardien hausse les épaules : « En voilà une qui ne fera pas long feu », dit-il.

Hiro et sa petite fille sont à nouveau transférées. Elizabeth, qui n'est plus transportable, reste où elle est. Elle meurt, de malnutrition et des autres effets du manque d'opium, en juin 1946. Elle a quarante ans.

La semaine suivante, Hiro est libérée ; elle parvient à gagner Pékin, d'où elle est rapatriée au Japon. Elle profite de son bref séjour dans la capitale pour rendre visite au prince Tchun et lui annoncer, avec ménagement, que ses deux fils aînés sont en vie, mais prisonniers des Soviétiques.

Tandis qu'Hiro accomplit sa longue et aventureuse odyssée, les Soviétiques sont très occupés à démanteler l'Etat industriel si soigneusement bâti par les Japonais. Ils pillent l'infrastructure de la Mandchourie, écrira le professeur Jones, « d'une façon extrêmement sélective et dévastatrice, détruisant gratuitement ce qu'ils n'emportent pas ». Le commissaire américain aux Réparations, Edwin Pauley, déclare dans son rapport au président Truman, en 1946 : « Ils n'ont pas tout pris ; ils ont concentré leur effort sur certaines catégories de fournitures, de machines et d'équipement. En plus des stocks et de certaines installations industrielles, ils se sont approprié en priorité la plus grande partie de tout l'équipement générateur et transformateur d'électricité en état de marche, en plus des moteurs électriques, du matériel expérimental, des laboratoires et des hôpitaux. En ce qui concerne les machines-outils, ils ont pris tout ce qu'il y avait de plus neuf et de meilleur. » Il évalue le butin à quelque huit cent cinquante-huit millions de dollars (de 1946). En dépit de toutes les exactions japonaises en Mandchourie, il n'y a que quelques exemples isolés de brutalités chinoises envers les huit cent cinquante mille immigrants nippons : dès 1947, ils sont presque tous rapatriés, à l'exception de quelques hauts fonctionnaires et officiers haut gradés. En raison du comportement soviétique, cependant, note le professeur Jones, « dès 1946, les Russes sont encore plus haïs que les Japonais ».

Pendant que se déroulent tous ces événements, Pu Yi coule des jours mornes et ennuyeux dans l'hôtel d'une ville d'eaux soviétique, près de Khabarovsk, où il est mi-prisonnier, mi-hôte de marque. Parmi ses codétenus figurent les principaux ex-ministres, généraux et hauts fonctionnaires du Manchukuo. D'après Jui Lon, qui a passé auprès de lui ses premiers mois de captivité, les Soviétiques « ne savaient trop comment le traiter ». En tout cas, la nourriture est bonne, le cadre est celui d'un palace et les prisonniers sont livrés presque totalement à eux-mêmes. Pu Yi est questionné à plusieurs reprises par un colonel des services de renseignements soviétiques, mais ça ne va jamais bien loin.

La routine quotidienne, note Pu Dchieh, n'est pas fort différente de celle qu'ils connaissaient au palais de la Gabelle. Pu Yi prie beaucoup, tient à être traité avec toute la déférence due à un empereur et fait punir ses serviteurs pour toutes leurs petites fautes, exactement comme par le passé, si ce n'est qu'ils ne sont plus fouettés. A présent, on leur donne des claques. Les détenus ont beau écouter les émissions en langue chinoise de la radio soviétique, ils ne parviennent à obtenir que quelques bribes de nouvelles sur le monde extérieur. Pu Yi sait que les armées de Chiang Kai-shek et de Mao sont occupées à en découdre, mais les rapports qui arrivent jusqu'à lui sont des plus vagues : la guerre civile en Chine, précise Jui Lon, ne fait pas les gros titres des bulletins d'actualités soviétiques. Quant à la famille, on ignore totalement ce qu'elle devient. Pu Yi n'apprendra la mort d'Elizabeth qu'au bout de cinq ans.

Deux mois plus tard, Pu Yi, dans un avion soviétique et sous la garde de soldats soviétiques, est en route pour Tokyo où le Tribunal international des crimes de guerre commence à siéger. Le procès, sous la présidence de sir William Flood Webb, redoutable magistrat australien, va durer deux ans et demi et se solder par la pendaison de huit des vingt-huit personnes accusées de « complicité pour livrer une guerre d'agression » et de « crimes contre l'humanité ». Parmi les condamnés à mort figureront Kenji Doihara, le « Lawrence de Mandchourie » ; Seishiro Itagaki, le colonel qui a négocié le retour de Pu Yi au Mandchukuo ; et l'ancien Premier ministre Hideki Tojo, qui de 1935 à 1938 a été chef de la police secrète et de la gendarmerie japonaises en Mandchourie, avant de devenir l'avocat le plus acharné de la guerre contre les Américains et le Premier ministre d'Hiro-hito durant les années de guerre.

Le principal assistant du procureur général américain, Joseph Keenan, n'est autre que le général Takayoshi Tanaka, l'éléphantesque ancien espion et amant de « Joyau de l'Orient », qui est à la retraite depuis 1942, parce qu'il s'est opposé à la guerre contre les Etats-Unis, n'hésitant pas à s'élever violemment contre Tojo à ce sujet.

Le ministère public a tenu à ce que Pu Yi soit convoqué pour servir de témoin à charge, mais sir William Webb est manifestement impatient d'en finir avec sa déposition au plus vite, afin de passer à d'autres témoins, nettement plus importants. Les bandes d'actualités nous montrent l'ex-empereur, l'air ridiculement jeune, les cheveux longs ; il fait penser à quelque étudiant indiscipliné et vaguement dissolu qui n'a pas travaillé et qui redoute visiblement de « se planter à l'oral ». Cramponné à sa liasse de notes manuscrites, il ne passera pas moins de dix inconfortables journées sous les projecteurs de l'énorme prétoire bondé, dont les sombres boiseries abritaient jusque-là la salle de conférences de l'Académie militaire du Japon.

La tâche qui incombe au procureur, M. Keenan, est de présenter Pu Yi sous les traits d'une innocente victime des militaristes nippons qui l'ont placé sur le trône du Manchukuo. L'objectif des consciencieux avocats de la défense, britanniques, américains et japonais, est de prouver que Pu Yi a été au contraire leur zélé collaborateur et qu'il ne cesse de mentir sur le rôle qu'il a joué en tant qu'empereur du Manchukuo. Sur la longue liste des témoins à charge, Pu Yi n'est que du menu fretin, mais la défense sait que si elle parvient à discréditer totalement un de ces témoins, quel qu'il soit, cela pourra contribuer, indirectement, à infirmer la valeur d'autres témoignages, plus importants.

Par conséquent, dès le moment où le témoin officiellement appelé à la barre sous le nom de « Henry Pu Yi » commence sa déposition : « Je suis né à Pékin. Je m'appelle Pu Yi et mon nom de famille mandchou est Aisin Goro ; je suis né en 1906, j'ai été couronné empereur de Chine en 1909. En 1911, une révolution a éclaté en Chine... », il est soumis à un feu nourri de questions féroces de la part de la défense, auquel il n'est clairement pas préparé même s'il surmonte bien vite son désarroi initial et rend même parfois sarcasme pour sarcasme. Comme Arnold C. Brackman devait l'écrire dans *The Other Nuremberg, The Untold Story of the Tokyo War Crimes Trial* (William Morrow, 1987), l'attitude de Pu Yi dans le box des accusés fut toute de bravoure. Jusqu'à sa première apparition en public, les observateurs l'avaient tourné en ridicule, le traitant de lourdaud, voire de retardé mental, de fantoche. Dans le box, pourtant, Pu Yi se révéla astucieux, malin, rusé en diable, carrément fourbe. Il dama le pion à sir William Webb, à Joseph Keenan, et à la défense, tant japonaise qu'américaine. Tour à tour il les agaçait et les mettait hors d'eux, pour les renvoyer finalement dos à dos. S'il avait été libre, sa performance aurait été remarquable, mais quand on songe aux circonstances dans lesquelles il se trouvait, elle fut tout à fait impressionnante.

Le premier obstacle à franchir concerne les notes qu'il tient sur ses genoux, ce qui n'est pas autorisé. Ce sont, explique Pu Yi à la cour, uniquement des références « à de simples dates, précisant les années et les mois, et non des documents détaillés ».

Pas à pas, en réponse aux questions de Keenan, il fait le récit chronologique de son existence, depuis son enfance dans la Cité interdite jusqu'à son règne en tant qu'empereur fantoche du Manchukuo ; et, tel qu'il rapporte les faits, les Japonais sont à blâmer pour tout ce qui lui est arrivé.

S'il s'est initialement réfugié au consulat général du Japon à Pékin, explique-t-il, c'est parce que « l'ambassade britannique était trop petite ». Il intercale ses propres commentaires : « Le Dr Sun Yat-sen était un grand homme... A l'époque, les fonctionnaires de la cour impériale chinoise étaient très corrompus. » Sir William Webb le prie de s'en tenir aux faits de son existence.

Dans la version qu'il donne de sa rencontre avec Itagaki, Pu Yi prétend avoir « refusé » l'offre japonaise de prendre la tête du nouvel Etat du Manchukuo, « parce qu'Itagaki voulait, dès qu'il serait établi, nous obliger à employer des Japonais en guise de fonctionnaires mandchous ». Il a été « forcé » de quitter Tientsin, « sous la menace du commandant de la garnison japonaise dans cette ville... Itagaki m'a dit que, si je refusais, ils prendraient des mesures terribles contre moi. Mes conseillers m'ont assuré que, si je ne donnais pas suite à ses propositions, ma vie serait en danger ». Itagaki aurait adopté « une attitude très rigoureuse et autoritaire ».

Dès le moment où il s'est trouvé en Mandchourie, continue Pu Yi, « ma main ne m'appartenait plus, ma bouche ne m'appartenait plus... Si j'avais dit la vérité à lord Lytton, j'aurais été assassiné après le départ de la commission ».

Keenan le questionne au sujet d'« Années de Jade ». « Mon épouse — ma défunte épouse — m'aimait profondément, déclare Pu Yi. Elle avait vingt-trois ans quand elle a contracté une espèce de maladie. C'était une fervente patriote chinoise. Elle m'a toujours réconforté en me disant que nous devions prendre momentanément notre mal en patience et qu'ensuite nous parviendrions à récupérer les territoires perdus. Mais elle a été empoisonnée par les Japonais. Qui est l'homme qui l'a empoisonnée ? C'est le général Yoshioka. »

Pu Yi prétend avoir créé la garde du palais, rattachée à sa personne, dans le but « d'effectuer la liaison avec l'armée de Chiang Kai-shek... Mon idée était de me constituer une sorte d'armée, de façon à être en mesure, à quelqué date ultérieure, de joindre mes forces à celles de l'armée chinoise afin de résister aux Japonais ».

Sir William Webb écoute tous ces discours avec une impatience croissante. « Nous ne sommes pas là pour faire le procès du témoin ; ce qui nous intéresse, c'est de savoir si l'on peut attacher foi à ses dires, déclare-t-il. Les menaces qui pèsent sur la vie de quelqu'un, sa peur de la mort n'excusent pas la couardise ni la désertion sur le champ de bataille. Et elles n'excusent pas non plus la trahison où que ce soit. Nous avons écouté toute la journée les excuses avancées par cet homme pour justifier sa collaboration avec les Japonais. Il me semble que nous en avons entendu suffisamment. »

Cependant, les avocats de la défense sont bien décidés à se faire entendre. Le plus efficace, et de très loin, est le commandant Ben Blakeney, des services juridiques de l'armée américaine. Le livre de Johnston va jouer un rôle important dans son échange avec Pu Yi.

COMMANDANT BLAKENEY. — Je voudrais vous demander s'il n'est pas vrai qu'après votre départ de la Cité interdite, en 1924, une fois que vous avez cessé d'être traité en souverain et que votre pension ne vous a pas été versée dans son intégralité, vous avez éprouvé le sentiment, bien naturel, que la république avait violé les termes de son contrat avec vous sur presque tous les points ?

PU YI. — Mon sentiment d'alors, c'était que je préférais quitter la Cité interdite parce que les conditions n'y étaient pas du tout salubres. La situation a été pleinement décrite dans le livre de M. Johnston, *Twilight in the Forbidden City*, grâce auquel il vous sera possible de comprendre ce que je ressentais et quelle était ma situation.

COMMANDANT BLAKENEY. — Donc, nous pouvons partir du principe que l'ouvrage de sir Reginald Johnston exprime correctement votre point de vue ?

PU YI. — Oui, assez correctement.

Blakeney s'empresse d'exploiter cette déclaration.

BLAKENEY. — J'aimerais que vous nous précisiez exactement quelle position il [Johnston] occupait auprès de vous.

PU YI. — C'était mon professeur d'anglais.

BLAKENEY. — Il est resté plusieurs années à votre service ?

PU YI. — Oui.

BLAKENEY. — Outre votre professeur d'anglais, était-il aussi votre ami et votre conseiller ?

PU YI. — Il était simplement un de mes précepteurs.

BLAKENEY. — Etait-il tout à fait familiarisé avec tous les détails de votre existence et de vos opinions durant la période qu'il a passée auprès de vous ?

PU YI. — Pour les moments ordinaires, il connaissait certaines choses à mon sujet. Mais, après mon départ pour la Mandchourie, il n'a plus rien su de moi.

BLAKENEY. — Je crois vous avoir entendu dire que dans son livre il avait correctement rapporté les conditions qui existaient à cette époque de votre vie.

PU YI. — Dans ce livre, il y a de nombreuses sections... Je n'ai jamais eu l'occasion de le lire en entier... En ce qui concerne les sections qui décrivent ma vie à Tientsin, je ne sais pas ce qu'il a écrit.

BLAKENEY. — Quelle est la date de votre dernière rencontre avec sir Reginald Johnston ?

PU YI. — La dernière fois que je l'ai vu, c'était en Mandchourie.

BLAKENEY. — A quelle date ?

PU YI. — Je ne me rappelle ni la date ni l'année.

BLAKENEY. — En quelle occasion l'avez-vous vu pour la dernière fois avant votre départ de Tientsin ?

PU YI. — A franchement parler, je ne me rappelle pas du tout ces dates. Et puisque je ne me les rappelle pas, je ne peux pas vous les dire.

BLAKENEY. — L'avez-vous vu durant le mois qui a précédé votre départ de Tientsin à destination de Port-Arthur ?

PU YI. — Je ne me rappelle pas.

BLAKENEY. — Avez-vous écrit une préface pour son livre ?

PU YI. — Je ne me rappelle pas.

Blakeney brandit aussitôt un exemplaire de *Twilight* et se met à lire la préface de Pu Yi, concernant les événements survenus à Tientsin en 1931, qui ont provoqué son départ (« personne n'a une connaissance plus intime que lui des désastres et des épreuves de cette période critique »).

Pu Yi examine attentivement le livre.

PU YI. — Ce texte a été écrit par Cheng Hsiao-hsu. Ce n'est pas un texte de moi.

BLAKENEY. — Voulez-vous dire que la calligraphie n'est pas de votre main ou que les mots ne sont pas de vous ?

PU YI. — Je n'ai jamais vu ce texte.

Il s'ensuit une altercation portant sur la procédure, au cours de laquelle le procureur, M. Keenan, s'oppose à ce que le témoignage du livre soit retenu sous prétexte que Johnston est mort. « Nous ne connaissons rien de l'auteur et, pour autant que je sache, il n'est pas une autorité reconnue en la matière. » Webb prend le parti de Keenan, pour le plus évident dépit de Blakeney. Ce dernier parvient toutefois à citer un passage de *Twilight,* parce que, fait-il valoir, celui-ci infirme la crédibilité de Pu Yi en tant que témoin. Le passage en question se réfère à la dernière conversation entre Johnston et son ancien élève, juste avant que celui-ci ne quitte Tientsin pour la Mandchourie. Expose-t-il correctement les faits ? demande l'avocat britannique.

PU YI. — A cette époque, Johnston se trouvait effectivement à Tientsin, mais cette conversation n'a pas eu lieu. Johnston a écrit ce livre à des fins commerciales. Il voulait le vendre pour gagner de l'argent.

Hitler a écrit un livre mondialement célèbre qui s'intitule

Mein Kampf... Je n'ai pas encore fini de répondre à cette question.

SIR WILLIAM WEBB. — Eh bien, ne vous donnez pas cette peine.

Tout cela n'est déjà pas brillant, mais les déclarations de Pu Yi concernant l'interview accordée au journaliste anglais Henry Woodhead, après être devenu chef de l'Etat, font encore plus mauvaise impression. Il prétend avoir fait toutes ses déclarations à Woodhead en présence de Japonais et d'interprètes à qui il ne pouvait pas se fier. De toute façon, « il fallait bien que j'adopte une attitude hypocrite et que je fasse semblant, sinon je n'aurais pas pu gagner la confiance des Japonais... Je ne me souviens pas des propos que j'ai tenus à Woodhead. Il faut les considérer comme une espèce de contre-propagande ». Quant aux déclarations faites en son nom par le « réformateur » Cheng Hsiao-hsu : « Je n'ai aucun moyen de savoir quelles étaient ses activités personnelles. Je n'ai rien à voir avec ses convictions intimes. »

L'avocat japonais de la défense brandit un exemplaire du *Mémorable voyage au Japon* et se met en devoir de citer les poèmes quotidiennement composés par Pu Yi, en alléguant qu'ils expriment ses « sentiments intimes ».

PU YI. — Quand j'ai composé ces poèmes, ce n'était qu'une sorte de distraction... Il fallait que j'écrive quelque chose juste pour les satisfaire. On ne peut pas les prendre au sérieux. Je ne peux pas vous en vouloir. Vous êtes l'avocat de la défense et vous voudriez, bien sûr, que je déforme la vérité autant que cela vous arrange. Je ne veux pas discuter avec vous.

SIR WILLIAM WEBB. — Je vous ai déjà averti, témoin, du fait que vous deviez vous contenter de répondre aux questions, très simplement, et que vous n'aviez pas à faire ces déclarations discursives.

Tandis que l'on entame la seconde semaine du contre-interrogatoire, sir William Webb fait de son mieux pour mener à son terme la déposition de Pu Yi. Mais les avocats japonais ne sont pas disposés à se laisser faire sans lutter.

T. Okamoto (*défenseur d'Itagaki*). — Avez-vous jamais demandé au gouvernement japonais de faire de vous un empereur... de vous aider à redevenir empereur ?

Pu Yi. — Non.

T. Okamoto. — Vous êtes aujourd'hui, à ce qu'il semble, très mécontent du gouvernement japonais. N'est-ce pas parce que le Japon ne vous a pas aidé à remplir cette prétendue mission céleste ?

Pu Yi. — C'est un tissu de mensonges.

T. Okamoto. — Vous avez déclaré que, afin de tromper le gouvernement japonais, vous aviez fait diverses fausses déclarations lorsque vous étiez empereur, que vous aviez même écrit des poèmes à la gloire du Japon, mais tout cela n'était-il pas aussi dû à votre désir de réintégrer la Cité interdite ?

Pu Yi. — Je vous ai déjà répondu : non.

Sir William en a assez. « La véritable question, c'est de savoir si le témoin était empereur de fait ou s'il servait de simple façade aux Japonais, dit-il. Nous en avons désormais entendu suffisamment pour nous décider sur ce point dans un sens ou dans l'autre. Il s'agit, continue-t-il, de savoir si le témoin était vraiment un fantoche. Quant à savoir s'il l'était de bon gré ou contre son gré, cela ne nous concerne pas ici. »

Profitant de sa prérogative de président des débats, Webb précise à la cour que, s'il met ainsi fin au contre-interrogatoire, « il ne s'ensuit pas nécessairement que c'est parce que nous ajoutons foi aux propos du témoin. Nous pouvons garder l'esprit ouvert sur ce point. C'est parce que nous estimons qu'il est tout à fait absurde de poursuivre le contre-interrogatoire ».

On escorte Pu Yi hors du prétoire pour le remettre entre les mains de ses gardes soviétiques. Il n'aura plus à comparaître.

Le plan que Pu Yi a conçu, dès l'instant de son arrestation par les parachutistes russes à Mukden, en 1945, a toujours été de faire porter aux Japonais l'entière responsabilité de ce qui lui est arrivé entre 1931 et 1945. Il y parvient en partie à Tokyo, parce qu'il a beaucoup de chance : on ne retient comme ayant valeur de témoignage que quelques lignes de *Twilight in the Forbidden City* et pas un seul des articles de Woodhead. Ni sir Reginald

Johnston (parce qu'il est mort) ni Woodhead (parce qu'on ne parvient pas à le trouver à temps) ne sont là pour donner leur version des faits. Pu Yi est prompt à exploiter la situation et s'avère être un menteur cohérent et assuré, prêt à n'importe quoi pour sauver sa peau. Il fait aussi la preuve que les quatorze stériles années qu'il a passées cloîtré dans le palais de la Gabelle n'ont émoussé ni son intellect ni ses facultés de raisonnement. Une fois surmontée la désastreuse première journée, il reprend confiance : il se rend bien compte qu'à l'exception du commandant Blakeney pas une des personnes présentes dans le prétoire n'a lu le livre de Johnston ni les articles de Woodhead.

De retour à Khabarovsk, un garde mandchou lui annonce qu'une mission envoyée par Chiang Kai-shek vient d'atterrir à Moscou pour exiger son extradition à destination de la Chine. Pu Yi se prépare au pire, car il sait que Chiang le fera certainement exécuter pour trahison, après un procès à sensation.

Les Soviétiques, cependant, ne sont pas près de lâcher une prise aussi précieuse au profit d'un gouvernement chancelant et anticommuniste de surcroît. Ils croient à la victoire finale de Mao dans la guerre civile. C'est alors, et alors seulement, qu'ils rendront Pu Yi à ses compatriotes.

22.

Les quelques centaines de criminels de guerre japonais et « manchukuots » qui tombent aux mains des Soviétiques, dans le sillage immédiat de la guerre, ne partagent pas tous les luxueuses conditions de détention dont bénéficie Pu Yi. Beaucoup d'entre eux font connaissance avec le « goulag » soviétique. Seuls les prisonniers les plus âgés et les plus haut placés ont droit à la même confortable existence que l'ex-empereur, d'abord dans un palace de ville d'eaux, puis dans une école convertie en prison, près de Khabarovsk, connue sous le nom de « Centre de détention n° 45 ».

Rong Qi, le frère d'Elizabeth, fait partie de ceux qui se retrouvent, du jour au lendemain, dans un « goulag », en compagnie de la plupart des neveux de Pu Yi... et de Grand Li.

Ils apprendront à supporter les privations, se plieront à la discipline du bagne et s'habitueront, au cours de ces années (1947 à 1950), à envisager les choses sous un jour différent. Certains mènent une vie d'esclave dans des usines ou des fermes collectives et font partie d'équipes de travailleurs sous-alimentés, soumis à une brutale discipline. Les plus chanceux sont affectés aux hôpitaux.

Comme tout pensionnaire de « goulag », ils apprennent à survivre. Par ailleurs — loin de l'atmosphère étouffante de la cour —, ils se mettent à réfléchir sur la succession d'événements qui les ont fait ainsi atterrir au fin fond de l'URSS. Durant ces années de séparation, les traditionnels liens personnels et

298

familiaux qui faisaient d'eux les loyaux vassaux de Pu Yi sont sinon rompus, du moins sérieusement effilochés.

Malgré la disparition de la majeure partie de sa cour, le style de vie de l'ex-empereur n'est pas notablement modifié tout au long de sa période de détention en Union soviétique. Le « Camp spécial n° 45 », réservé aux VIP mandchous et japonais, est doté de toute une équipe de plantons mandchous et japonais chargés de pourvoir aux besoins des détenus. Jamais Pu Yi ne doit faire son lit, nettoyer les latrines, ni même effectuer le moindre travail. Ce sont les plantons qui s'occupent de tout et son rang impérial lui vaut encore de considérables privilèges. Son beau-père, le prince Su, qui ne faisait pas partie du petit groupe original de fuyards, mais qui a été arrêté séparément, échoue finalement dans le même centre de détention que Pu Yi et assume aussitôt les fonctions de majordome. C'est lui, à présent, qui remplace Grand Li et s'occupe des vêtements de son gendre, de ses possessions et de son considérable lot de bijoux.

Aussi surprenant que cela paraisse, jamais les habitants du « Camp spécial n° 45 » ne seront fouillés par leurs geôliers soviétiques, jamais ils ne seront traités en véritables prisonniers. Ce sont des « détenus provisoires ». Si l'on a envoyé les plus vaillants physiquement dans des camps de détention très durs, ce n'est pas pour les châtier — cela reste la prérogative des Chinois — mais simplement parce que c'est un moyen rentable de disposer d'eux en attendant la victoire finale de Mao.

Par conséquent, aux côtés de quelques généraux japonais privilégiés et d'ex-ministres du Manchukuo, Pu Yi a tout loisir de prier Bouddha, de jouer au mah-jong, de manger trois solides repas par jour et d'assister à une séance de cinéma hebdomadaire. Dans les pièces qu'ils occupent, aux étages supérieurs, les généraux japonais écoutent inlassablement leur stock limité de disques nippons. Pu Yi note dans ses mémoires que, à son retour de Tokyo, il souffre d'un violent sentiment de culpabilité et tente d'expier sa honte par ses prières : il sait bien qu'il a non seulement menti, mais sali la mémoire d'une des rares personnes pour lesquelles il ait jamais éprouvé du respect, feu sir Reginald Johnston.

Avant la dispersion de ses parents et de Grand Li, l'ex-empereur fait le compte des biens qu'il a encore en sa possession. Il conserve l'espoir, tout à fait déraisonnable, que les Soviétiques vont l'autoriser à s'exiler « dignement » dans un pays autre que la Chine. Il envisagerait même de demeurer en URSS et il écrit deux fois aux autorités pour solliciter un asile permanent dans leur pays. Il ne recevra pas de réponse.

Pu Yi sait que, si les Soviétiques lui permettent de partir, il lui reste encore assez d'or et de bijoux pour finir ses jours très confortablement. Il a même trop de choses à transporter et il remet, de son propre gré, environ deux cents objets de valeur aux autorités du centre de détention. Quant aux articles les moins précieux, il s'en débarrasse purement et simplement ; il en cache un peu partout dans le bâtiment, il en enterre dans l'enceinte du camp. Plus tard, il apprendra que les Soviétiques ont rendu tous ces trésors à la Chine, car c'est encore l'époque où les deux pays sont au mieux. Quant aux bijoux qui ont le plus de valeur, il les garde dans sa chambre, dans le double fond de son étui de caméra.

Les contacts de Pu Yi avec ses gardiens soviétiques sont très rares. Pour avoir vent de quelques nouvelles, il doit donc compter sur les plantons mandchous qui ne savent pas ce qui se passe, mais qui se donnent des airs importants. L'un d'eux lui explique qu'il n'a aucun souci à se faire : les Russes le garderont probablement en Sibérie pour le reste de ses jours, car « vous êtes originaire de cette partie du monde ». Une autre rumeur, à laquelle il ne croit pas vraiment, sauf dans ses rêves les plus fous, c'est que les Russes ont l'intention de le remettre sur le trône de Mandchourie, cette fois-ci en tant que fantoche soviétique. Quand il lui arrive de côtoyer des officiers soviétiques, ceux-ci se montrent courtois et rassurants, mais leurs propos restent flous.

La guerre entre Chiang Kai-shek et les communistes chinois — au départ presque passée sous silence par les médias soviétiques — envahit progressivement la une de leurs journaux, à mesure que les hommes de Chiang accumulent les défaites. Un membre du personnel soviétique traduit les articles à l'assemblée des détenus et un bulletin d'informations en langue chinoise est distribué quotidiennement à partir de 1947. L'année suivante, Pu Yi apprend la chute de Shanghai devant les forces communistes, la semaine même où l'événement a lieu.

Peu à peu, l'ex-empereur en vient à comprendre que les Soviétiques se contentent de le garder au frais, en attendant que Mao Tsé-toung ait établi en Chine un régime communiste. Dès que ce sera fait, on le renverra chez lui.

C'est un cauchemar auquel il finit par se résigner. Au début, cette perspective est si épouvantable qu'il ne peut penser à rien d'autre : il devient plus mystique que jamais. Le temps aidant, cependant, l'idée qu'il sera un jour remis à ses compatriotes communistes devient une terreur familière, aussi familière que la peur de mourir. Puisque la mort est inévitable, son seul espoir est de connaître une fin rapide aux mains des communistes.

Ce que sait Pu Yi du communisme en général, et du communisme chinois en particulier, se limite à ce qu'il a appris tout jeune de Johnston, puis de Cheng Hsiao-hsu et, plus tard, de ses conseillers japonais. Yoshioka, dans les derniers temps de la guerre, a plusieurs fois laissé entendre que les communistes chinois n'étaient pas des « bandits » ordinaires, que leur égalitarisme et leurs capacités militaires en faisaient une force redoutable. Pu Yi aurait aimé en parler avec lui, mais Yoshioka n'est plus là. L'ex-empereur l'ignore, mais il s'est suicidé peu après être tombé aux mains des Soviétiques.

Ni les Japonais ni aucun des codétenus de Pu Yi ne comprennent véritablement la nature du communisme chinois. Et, tout particulièrement, personne dans l'entourage de l'ancien empereur ne se rend compte que le système judiciaire et pénitentiaire est radicalement différent de celui qui existait dans la Chine prérévolutionnaire. Non pas qu'il soit moins brutal, comme peuvent en témoigner les myriades de personnes — propriétaires, koulaks, capitalistes et « traîtres » de tout poil — exécutées dans le sillage de la prise de pouvoir par les communistes.

La différence réside plutôt dans l'optique globale des autorités vis-à-vis de quiconque est accusé d'un « crime » quel qu'il soit. Pour reprendre la formule de Jean Pasqualini, dont le livre, *Prisonnier de Mao,* nous offre des aperçus uniques du système pénitentiaire chinois, fondés sur ses propres expériences en prison et au bagne : « La prison n'est pas une prison, mais une école où l'on doit apprendre à connaître ses erreurs. » Les geôles chinoises sont des endroits où « les prisonniers réforment les prisonniers ».

Les techniques d'interrogatoire qu'utilisent les communistes chinois ne ressemblent en rien à celles qui sont en vigueur dans le monde non communiste. L'intention n'est pas d'arracher à un criminel présumé des aveux dont on pourra se servir contre lui devant un tribunal. C'est un processus religieux, une technique en vogue jadis chez les spécialistes de l'Inquisition, non seulement pour convaincre les suspects de leur culpabilité, mais pour les contraindre à l'accepter. C'est une forme extraordinairement efficace de lavage de cerveau.

Comme l'a écrit Pasqualini : l'objectif n'est « pas tant de vous faire inventer des crimes qui n'existent pas que de vous faire accepter votre vie quotidienne, telle que vous l'avez vécue, comme quelque chose de pourri, de mal, qui mérite un châtiment ». Dans le système judiciaire chinois, c'est l'accusé lui-même qui est le procureur le plus efficace, car « l'auto-accusation est l'un des chefs-d'œuvre du système pénal... Le prisonnier prend soin d'instruire l'affaire contre lui-même le plus habilement possible... Lorsqu'un prisonnier a enfin fourni une déclaration satisfaisante, le gouvernement détient un document grâce auquel, selon la façon dont on interprète les faits, il est possible de le condamner pratiquement à la peine que l'on désire. C'est le rêve du ministère public ».

Le système en question est aussi étonnamment souple ; certains de ceux qui sont accusés des crimes les plus graves sont traités, à un moment ou à un autre, avec une extrême indulgence. Les espions et les « saboteurs » ont droit à trois repas par jour et à toutes les lectures dont ils ont envie, alors que d'autres, accusés de délits beaucoup plus bénins, sont sous-alimentés. Les établissements eux-mêmes varient énormément sous le rapport de la qualité : certains sont des prisons modèles, d'autres sont abominablement surpeuplés, gérés de façon cruelle et impitoyable. Ce n'est pas par hasard : dans l'optique chinoise de la rédemption du criminel, la mansuétude peut elle aussi devenir une arme, parfois incroyablement efficace

Dans le cas de Pu Yi, la façon de procéder la plus directe serait de le confronter aux atrocités perpétrées au Manchukuo, d'évaluer ses responsabilités à la fois lors de sa prise du pouvoir et durant son règne d'empereur fantoche et de lui infliger une sentence correspondante. C'est ce qui est arrivé aux inculpés japonais du Tribunal de guerre international, à Tokyo. Il pourrait, tout au plus, faire valoir, comme il l'a fait à Tokyo, qu'il n'était qu'un simple pantin manipulé par les Japonais. En son for intérieur, il est à demi convaincu que son procès sera des plus sommaires et qu'après des débats brefs et de pure forme on s'empressera de le fusiller.

Or, ce traitement est peut-être celui que Chiang Kai-shek aurait réservé à Pu Yi, mais certainement pas Mao. De même qu'en Chine un prisonnier doit non seulement se repentir, mais montrer qu'il se repent (pas une seule fois Pasqualini n'a rencontré un détenu prêt à contester le bien-fondé de son arrestation), Pu Yi et son ancienne cour doivent permettre de donner à la nouvelle société une leçon de choses sur l'ancien régime.

Pour cela, il faut avoir recours à un traitement, à des techniques, à des gens spéciaux ; et aussi fournir aux détenus des raisons spéciales de se repentir. Ils seront exposés au communisme chinois dans ce qu'il a de meilleur et de plus vertueux, au sein d'un environnement particulier. Aux yeux de Mao, et des autres dirigeants communistes chinois, Pu Yi, le dernier empereur, est l'incarnation de tout ce qu'il y avait de vil dans la société chinoise d'antan. Si l'on peut montrer qu'il a fait l'objet d'une conversion sincère et permanente, quel espoir reste-t-il au plus réactionnaire des contre-révolutionnaires ? Plus la faute est accablante, plus le rachat sera spectaculaire — et plus grande sera la gloire du parti communiste chinois.

Il y a encore une autre raison de se pencher avec un intérêt tout particulier sur le cas de Pu Yi et de sa « cour » : la transformation de l'ex-empereur en citoyen communiste exemplaire démontrera la supériorité de la justice révolutionnaire chinoise sur le système soviétique. En effet, peu après la révolution bolchevique, la famille impériale russe a été brutalement massacrée. Lénine lui-même n'a pas réussi à faire du dernier tzar un communiste convaincu !

Pour toutes ces raisons, la réhabilitation de Pu Yi et de sa cour devient l'une des tâches prioritaires des dirigeants communistes dès leur arrivée au pouvoir, en 1949. Elle intéresse tout spécialement le Premier ministre, Chou En-lai, qui négocie leur retour d'Union soviétique. Ce dernier possède un autre motif pour vouloir faire de ces détenus des hommes « nouveaux » : certains des prisonniers qui subiront aux côtés de l'ex-empereur le processus de « réhabilitation » sont d'anciens généraux du KMT qui ont naguère été ses propres élèves à l'Académie militaire de Whampoa. Pédagogue dans l'âme, Chou En-lai a bien l'intention d'avoir le dernier mot.

Pu Yi ne sait rien de tout cela lorsque vient pour lui le moment de quitter l'Union soviétique pour rentrer en Chine, durant l'été de 1950. A cette date, Grand Li ainsi que ses neveux et son demi-frère l'ont rejoint au « Centre spécial n° 45 ». Un beau jour — tout le monde, sauf Pu Yi, portant ses effets —, les pensionnaires de cet établissement sont mis dans un train, sous la garde de soldats soviétiques, et reconduits à la frontière.

Pu Yi a l'impression d'être revenu plusieurs années en arrière. Ses neveux lui manifestent toujours autant de déférence. Tout le monde, y compris Grand Li, semble sincèrement content de le revoir. Pu Yi considère ces sentiments comme son dû. En montant dans le train, un imperméable sur le bras et une canne à la main, il paraît étrangement calme, pour ne pas dire insouciant. Il voyage dans un compartiment à part, où il est le seul prisonnier parmi un groupe d'officiers soviétiques qui mâchonnent des bonbons, boivent de la bière et grillent cigarette sur cigarette.

En son for intérieur, il est convaincu qu'un peloton d'exécution l'attend au bout du voyage. Durant la nuit, les officiers somnolent, mais « je restai étendu, les yeux grands ouverts ; la peur de la mort me tenait éveillé ». Pu Yi prie, croit entendre un martèlement de bottes, regarde par la fenêtre. Le quai est désert. Les officiers ont fait de leur mieux pour le rassurer, mais il croit que ce n'est qu'une ruse pour qu'il reste docile. « Ma vie ne durera pas davantage que la rosée qui brille à l'extérieur de la vitre, et vous êtes là à dormir comme des chiens. »

Le lendemain matin, on l'emmène dans un autre compartiment où deux Chinois l'attendent. L'un porte un costume « Mao » bleu, l'autre un uniforme de l'armée. L'homme en civil toise l'ex-empereur du regard et annonce : « Je suis venu vous recevoir sur l'ordre du Premier ministre, Chou En-lai. Vous voici de retour dans la mère patrie. » Pu Yi attend qu'« un soldat vienne me passer les menottes » et, voyant que rien ne vient, il se dit : « Il sait que je ne peux pas m'échapper. » Une heure plus tard, le train s'immobilise dans une petite gare à la frontière sino-russe. Il y a deux rangées de soldats armés, chinois d'un côté, soviétiques de l'autre. Pu Yi passe entre les deux pour gagner un train rangé le long d'un autre quai. En approchant, il constate que tout son petit groupe et d'autres anciennes « personnalités » du Manchukuo se trouvent déjà à bord et que « personne n'a de menottes ni de liens ». Les fenêtres du compartiment où il prend place sont recouvertes de papier. « Mon cœur se serra. Cela signifiait sûrement que nous étions en route pour notre exécution. » Dès ces premiers moments, Pu Yi s'est déjà convaincu de sa culpabilité. « Les visages des criminels qui m'entourent sont d'une pâleur mortelle », écrit-il. A partir de ce moment, dans son autobiographie, il désignera ses codétenus par les mots « criminels de guerre ».

Le processus de rééducation est d'ores et déjà commencé : dès le début du voyage, Pu Yi et ses acolytes sont bouleversés par la gentillesse, la sollicitude et les constants exemples de vertu qu'ils constatent chez leurs gardiens. Un officier passe les voir pour leur souhaiter la bienvenue au pays et leur assurer : « Vous n'avez aucun souci à vous faire. » Il ajoute qu'il y a un médecin dans le train, au cas où l'un d'eux aurait besoin de soins. Les prisonniers consomment un petit déjeuner chinois, fort substantiel : légumes en conserve, œufs salés et riz sauté. S'apercevant que ce dernier plat a beaucoup de succès, les gardiens leur en redonnent — en prélevant sur leurs propres rations. Pu Yi se persuade que c'est parce qu'ils cherchent à faire plaisir aux prisonniers pendant les quelques instants qu'il leur reste encore à vivre.

Il décide de lier conversation avec un des gardiens, un jeune soldat assis en face de lui. « Il fallait que je parle avec quelqu'un, afin de faire comprendre à ceux qui m'escortaient qu'on ne devait pas me tuer », écrit-il. Pour la première fois de sa vie, il utilise pour s'adresser à quelqu'un la formule de politesse (« nin » au lieu de « ni »). « Vous êtes membre de l'armée de Libération du peuple ? C'est bien, c'est très bien. Je suis moi-même bouddhiste et dans les écritures bouddhiques le thème de la libération revient très fréquemment. Bouddha est compatissant, il a juré de libérer toutes choses... »

Le soldat le contemple, les yeux écarquillés, sans rien comprendre à ce qu'il raconte. Pu Yi se trouble, bafouille et renonce. Gêné, il se lève et se dirige vers les toilettes.

En regagnant son siège, il surprend une conversation dans un autre compartiment. L'un de ses neveux, Petit Hsiu, pérore sur la « démocratie » et la « monarchie ». Depuis la porte du compartiment, Pu Yi l'interrompt pour faire bon effet auprès des gardes. « Encore en train de parler de la monarchie ? Le premier qui ose dire du mal de la démocratie aura affaire à moi. » Tout le monde lève le nez. « Ne vous inquiétez pas, glapit Pu Yi. C'est moi seul qu'ils enverront devant le peloton d'exécution. » Un des soldats le presse de regagner sa place. Indiquant Petit Hsiu, Pu Yi lui explique : « C'est mon neveu, ce garçon-là. Il a des idées nocives. Il est contre la démocratie. Et cet autre-là, c'est Tchao. Il était officier avant. Il a dit des tas d'ignominies contre l'Union soviétique. »

Le lendemain matin, le train s'arrête. Pu Yi ignore où ils se trouvent, mais il entend le garde dire : Ch'ang-ch'un. « C'était donc là que j'allais mourir, puisque c'était là que j'avais été empereur », se dit-il. Mais le train ne s'immobilise que le temps de charger les provisions nécessaires.

Il y a un nouvel arrêt, plusieurs heures plus tard, à Shen-yang (Mukden). La mise à mort au pays de ses ancêtres est sûrement toute proche. Un civil parcourt le train, une liste à la main. Tous ceux dont il appelle le nom (parmi lesquels figure Pu Yi) sont autorisés à quitter le train pour se reposer dans un bâtiment mis à leur disposition. L'ex-empereur est persuadé qu'il s'agit d'une ruse pour faire descendre du train les condamnés à mort.

Ils s'installent dans un autobus qui les transporte jusqu'à une vaste demeure, dans les faubourgs de la ville. Elle est gardée par d'autres soldats de l'armée de Libération du peuple. L'angoisse de Pu Yi doit être évidente, car l'homme en civil qui leur montre le chemin lui dit : « De quoi avez-vous peur ? Je vous ai dit que vous veniez ici pour vous reposer. »

Dans une pièce à l'étage, on a disposé du thé, des gâteaux et des fruits, comme pour une réception. « Ça doit être le dernier repas des condamnés », se dit Pu Yi en saisissant une pomme. Quand il a fini de la manger, il se tourne vers un des soldats et dit :

« Très bien. Allons-y !

— Ne soyez pas si pressé, intervient l'homme en civil. Vous aurez tout le temps d'étudier à Fu-shun. »

Toujours persuadé qu'il est sur le point d'être exécuté, Pu Yi demande à voir la liste de noms que l'on a appelés un peu plus tôt. Il est certain qu'il s'agit de tous ceux qui sont voués au peloton d'exécution.

Au même instant, écrit Pu Yi, un autre lot de « criminels de guerre » pénètre dans la pièce. Il reconnaît parmi eux Petit Chang, fils du Premier ministre fantoche, Chang Ching-hui. Cela fait déjà quelque temps qu'il se trouve en Chine, explique-t-il à Pu Yi. Ils doivent partir pour Fu-shun ensemble. Ce n'est qu'à ce moment-là que Pu Yi se détend enfin. « Quand nous avons appris que tous les membres de ce premier groupe étaient encore en vie, que nos familles se portaient bien, que les enfants faisaient des études ou travaillaient, nos visages se sont éclairés. Les larmes me sont montées aux yeux. »

Quand ils regagnent le train, une franche allégresse règne parmi les prisonniers. « Nous avons évoqué la peur que nous avions éprouvée un peu plus tôt et nous avons ri aux éclats », note Pu Yi. Tout le groupe est à présent convaincu que le pire est derrière eux. Ils vont bientôt pouvoir rentrer chez eux, « après avoir lu des livres communistes pendant quelques jours ». Pourtant, des gardes armés les emmènent, à bord de camions, dans une enceinte fermée par de hauts murs garnis de miradors. A l'intérieur, ils découvrent plusieurs rangées de bâtiments d'un étage, dont toutes les fenêtres ont des barreaux.

Pu Yi vient enfin d'arriver à destination : c'est la prison de Fu shun

Il doit se déshabiller pour une fouille personnelle (les valises ne seront pas ouvertes), puis on l'introduit dans une cellule pleine d'anciens généraux du Manchukuo. Ils se tiennent au garde-à-vous, ne sachant trop comment réagir en présence de leur ancien empereur. La porte de la cellule se rouvre et on fait ressortir Pu Yi pour l'escorter jusqu'à une autre cellule où il reconnaît des visages familiers, rassurants. C'est une cellule réservée à sa « famille » : son beau-père, son frère Pu Dchieh et trois de ses neveux.

Leurs espoirs de liberté se sont évanouis, mais la situation pourrait être pire. Ils sont ensemble et la peur d'être exécutés s'estompe à nouveau. Néanmoins, la terreur s'empare derechef de Pu Yi après le dîner. Le repas du soir est si bon qu'il pourrait bien s'agir d'un ultime « banquet des condamnés ». Le prince Su n'est pas de cet avis. On ne leur aurait pas distribué des brosses à dents, du savon et des serviettes de toilette si leur mort était imminente, objecte-t-il. Le repas suivant est tout aussi savoureux, mais ce qui convainc finalement l'ex-empereur que ses geôliers ont l'intention de lui laisser la vie sauve, c'est l'examen médical très poussé qu'on lui fait subir le lendemain. Le médecin de la prison lui demande s'il doit suivre un régime alimentaire spécial. On lui octroie un uniforme de prisonnier et des cigarettes.

Pu Yi et ses compagnons de cellule s'adaptent à la routine carcérale : une demi-heure d'exercice dans la cour, trois repas par jour, le droit de se réunir dans une salle commune à heures fixes pour écouter les bulletins d'informations à la radio et entendre de la musique. Ce qui frappe tout le monde, ce sont la cordialité et la bonne humeur apparentes des gardiens qui leur apportent de l'eau chaude pour le bain. Aucun d'eux ne se comporte comme les traditionnels geôliers de l'ancien régime. Personne ne leur parle durement, personne ne les abreuve d'injures. L'un des neveux tente d'offrir sa montre à un gardien. Il refuse poliment.

Le prince Su se charge de leur expliquer les réalités de la captivité. Il est le membre le plus âgé du groupe et celui qui a le plus d'expérience du monde ; pour cette raison ses compagnons reconnaissent son autorité et il fait quelque peu figure de chef de clan. Le gardien a dû refuser la montre, parce que quelqu'un d'autre l'observait, explique-t-il. Puis il fouille dans ses poches à la recherche de ses cigarettes. « Zut ! s'écrie-t-il. Je les ai laissées sur le rebord d'une fenêtre durant la période d'exercice. Tous les gardiens fument. Je leur en ai fait cadeau sans le vouloir. » C'est le dernier paquet d'une cartouche de cigarettes de luxe, achetée lors de l'arrêt à Shen-yang.

La porte de la cellule s'ouvre. « Quelqu'un a oublié des cigarettes dans la cour ? » demande un gardien. Il les rend au prince Su. Nouvelle leçon de choses sur la vertu chinoise. La réhabilitation est en bonne voie.

23.

Quand il n'était encore qu'un écolier à Harbin, le jeune Jin Yuan devait se prosterner tous les matins d'abord vers Tokyo, puis devant la photographie de Pu Yi, empereur du Manchukuo. Il se rappelle avoir attendu pendant des heures dans les rues de la ville, avec ses camarades d'école, tenant à la main un drapeau du Manchukuo, pour regarder passer la voiture du souverain. En 1940, il a fait partie d'une délégation d'écoliers chargée de souhaiter la bienvenue à Pu Yi qui rentrait de son second voyage au Japon. Petit garçon, à chaque fois qu'il allait au cinéma, des bandes d'actualités lui montraient l'empereur en train de visiter des usines, d'accueillir des dignitaires ou de réconforter des soldats nippons blessés dans les hôpitaux.

Quand les Japonais ont assassiné son frère, les membres de la famille de Jin Yuan, résistants anti-Manchukuo de la première heure, se sont mis à haïr encore davantage le nouveau régime. Jin Yuan a cessé d'aller à l'école — il ne pouvait plus supporter de se prosterner devant le portrait d'Hiro-hito — et en 1945, à l'âge de dix-neuf ans, il s'est engagé dans l'armée de Libération du peuple et inscrit au parti communiste chinois. En 1950, il est entré au Bureau de Sécurité publique de Mandchourie. Il est fonctionnaire subalterne de la prison de Fu-shun lorsque Pu Yi y fait son arrivée, avec les membres de sa famille, ceux de son ancienne cour impériale et divers « criminels de guerre » japonais et « manchukuots ». L'une des raisons pour lesquelles on a affecté Jin Yuan à la prison de Fu-shun, c'est qu'il parle couramment le japonais, langue obligatoire lorsqu'il faisait ses études à Harbin. Yuan est l'un des premiers fonctionnaires de la prison que rencontre Pu Yi ; c'est lui qui approvisionne l'ex-empereur en livres et en journaux et qui le met au courant du comportement qui sied à un détenu.

La prison de Fu-shun a été construite par les Japonais en 1936, pour y loger les nombreux prisonniers politiques de Mandchourie. A la fin de la Seconde Guerre mondiale, lorsque les hommes de Chiang Kai-shek sont revenus à Fu-shun, elle a été transformée, brièvement, en caserne de cavalerie. En 1950, Chou En-lai ordonne au Bureau de Sécurité publique de Mandchourie de remettre en état le bâtiment laissé à l'abandon, d'y installer le chauffage central et de le transformer en prison spéciale pour les criminels de guerre nippons et « manchu-kuots ». Jin Yuan est choisi par ses supérieurs locaux pour faire partie du personnel. Petite ironie du sort, l'un des premiers occupants de l'établissement sera celui qui le dirigeait au temps de l'empire du Manchukuo.

« Cela ne me plaisait pas du tout, m'a confié Jin Yuan. J'ai essayé d'obtenir une autre affectation. Je ne voulais rien avoir affaire avec les responsables de la mort de mon frère aîné et des souffrances de ma famille durant toutes les années du Manchu-kuo. Je me demandais comment je pourrais supporter de me trouver en leur compagnie. »

Aujourd'hui retraité et installé à Pékin, Jin Yuan est un homme robuste, largement sexagénaire, dont les traits ne sont pas sans évoquer une version chinoise et bienveillante du cinéaste américain Otto Preminger. Il est resté en poste à la prison de Fu-shun jusqu'en 1975, d'abord en qualité de gardien, puis de directeur adjoint et enfin, à partir de 1960, de directeur. Dès le début, Pu Yi a été placé tout spécialement sous sa responsabilité. Il fait une brève apparition presque symbolique dans le film de Bertolucci. Il y incarne le « chef du Parti » qui remet à Pu Yi les documents officialisant sa grâce et sa réhabilitation.

Dès le premier jour, Jin Yuan va jouer un rôle clef dans le processus qui transformera Pu Yi (matricule n° 981) en loyal citoyen de la République populaire de Chine. Bien qu'il ait une bonne vingtaine d'années de moins que l'empereur, il devient pour lui une sorte de père spirituel — le premier depuis Johnston. A partir de 1950, avec une seule brève interruption en 1952, Jin Yuan sera en contact quotidien avec Pu Yi, à qui il apprendra même à jouer au poker. Au cours de ses neuf années de détention, et plus tard, Pu Yi en viendra à compter sur lui exactement comme un patient compte sur son analyste après plusieurs années de traitement.

Sous bien des rapports, c'est à Pu Yi que Jin Yuan doit sa carrière distinguée au sein du Bureau de Sécurité publique. Le succès avec lequel il a su transformer l'empereur en citoyen s'est imposé à l'attention de Mao en personne, qui lui a adressé une note de félicitation de sa main. Depuis, le « dossier Pu Yi » sert de modèle aux autres fonctionnaires du Bureau.

Sans vouloir le moins du monde rabaisser les mérites de Jin Yuan, il convient de se rappeler que du jour où la prison de Fu-shun reçoit ses premiers « criminels de guerre », elle se trouve placée sous l'étroite surveillance de Chou En-lai en personne, ce qui est un avantage énorme. A l'encontre d'une autre prison « vitrine », la « prison n° 1 » de Pékin, que visitent souvent les étrangers, elle n'est pas obligée de faire fonction d'usine de production, tenue de respecter certains quotas avec une main-d'œuvre non spécialisée et un équipement désuet ; elle n'a pas non plus une population carcérale disparate et « difficile » : tous ses pensionnaires sont du même type, c'est-à-dire des « criminels de guerre » japonais ou mandchous, auxquels viennent se joindre, à partir de 1956, d'anciens généraux des armées de Chiang Kai-shek. Le personnel est en mesure de consacrer des sommes d'une importance inusitée aux frais d'entretien de l'établissement et au bien-être des prisonniers. La nourriture est toujours abondante, les soins médicaux sont les meilleurs que peut offrir la Chine, le personnel trié sur le volet. Lorsque tous les prisonniers sont transférés de Fu-shun à Harbin pendant deux ans, au moment de la guerre de Corée, parce que l'on craint que les forces américaines n'envahissent la ville, la majeure partie des gardiens les accompagnent.

Pu Yi décrira dans le plus grand détail ses expériences de détenu, mais son désir de plaire à ses geôliers — et de se faire bien voir de ses hypothétiques lecteurs — est tel qu'il adopte bien souvent pour faire le récit de sa « rééducation » un ton un peu béat, qui agace ; c'est presque trop beau pour être vrai. Même en tenant compte des conditions spéciales d'incarcération, on attend en vain l'apparition d'un gardien un peu moins parfait que les autres, on voudrait voir ne serait-ce qu'une fois les prisonniers traités de façon injuste ou autre qu'idéale. On a l'impression que Pu Yi dans sa prison n'avait pour surveillants que des saints.

Pourtant, il y eut des heurts : en 1952, à ce que m'a dit Jin Yuan, les ex-généraux japonais se « mutinent ». Ils ne parviennent pas à comprendre pourquoi, alors que la guerre est finie depuis des années, ils sont obligés de continuer à écrire d'interminables confessions de leurs crimes passés. Et parmi les généraux du KMT aussi, il doit y avoir quelques têtes brûlées car, si les prisonniers nippons sont libérés en 1964 et le dernier des « manchukuots » en 1965, certains généraux du KMT ne quitteront Fu-shun qu'en 1975, soit plus de vingt-cinq ans après leur arrestation.

Il faudra neuf années à Pu Yi pour passer de la peau d'un empereur à celle d'un citoyen ordinaire. Selon les critères des prisons chinoises, c'est un temps relativement court. La raison en est — et Jin Yuan le reconnaît volontiers — que le Bureau de Sécurité publique a été prié d'activer au maximum sa « rééducation » : « Ils voulaient qu'il puisse mener une existence normale pendant quelque temps, ils ne voulaient pas qu'il soit trop vieux avant d'y parvenir », m'a-t-il expliqué. En d'autres termes, dès le départ, et c'est somme toute fort compréhensible, les dirigeants du parti chinois ont eu l'intention de se servir de la « régénération » de Pu Yi à des fins de propagande.

C'est néanmoins une véritable gageure, car personne ne peut savoir à coup sûr comment Pu Yi va réagir à la vie carcérale et au processus de « rééducation ». Or, il se trouve que Jin Yuan, en dépit de ses expériences passées, en vient non seulement à « bien aimer Pu Yi », comme il le dit lui-même, mais doit aussi, très vite, le protéger des quolibets et des brimades que lui infligent ses anciens « courtisans ». Car sans les vestiges d'une « cour », sans les privilèges traditionnels de son ancien environnement, Pu Yi est le plus faible, le plus démuni de tous les détenus de la prison de Fu-shun ; et sans l'aide et la protection de Jin Yuan, il ne survivrait peut-être pas aux tracasseries et aux critiques d'inspiration idéologique dont l'abreuvent ses codétenus.

Même dans l'atmosphère douillettement familiale de sa cellule, les tensions montent très vite. Grand Li ne tarde pas à se retourner contre son ancien maître. Petit Hsiu n'a pas pardonné à son oncle la scène du train et refuse de lui servir de valet. Pu Yi est obligé de s'en remettre à un autre neveu, Petit Jui, qui lui lave ses vêtements et ses chaussettes et lui fait son lit. Au cours de ces premiers jours passés ensemble, l'ex-empereur possède encore quelques lambeaux d'autorité, en tant que chef de la famille : derrière le dos de Petit Hsiu, il met les autres en garde en leur recommandant de se montrer extrêmement prudents et circonspects. Ayant lui-même dénoncé son neveu durant le voyage en train, Pu Yi redoute à présent que celui-ci ne lui rende la pareille. Il prononce aussi, à l'occasion, des petites homélies édifiantes sur la puissance des liens du sang, entre membres d'une même famille ou d'un même clan.

Cependant, le séjour dans la cellule « familiale » ne dure que dix jours, au bout desquels on le déménage. Cette fois, ses compagnons de cellule sont tous des inconnus, et Pu Yi se sent affreusement perdu. Le règlement de la prison stipule qu'on ne doit converser qu'avec les membres de sa propre cellule, mais Pu Yi demande au directeur une dérogation spéciale, afin de pouvoir s'entretenir tous les jours avec ses parents. Elle lui est accordée et Petit Jui continue à lui ravauder ses chaussettes et à lui faire sa lessive.

Pour la première fois de sa vie, cependant, Pu Yi est traité comme le commun des mortels et il en est ulcéré. Depuis toujours, il est habitué à être entouré de gens à sa dévotion. « Je ne m'étais jamais lavé les pieds tout seul, je n'avais jamais lacé mes souliers. » A présent, « le matin, quand les autres étaient déjà occupés à faire leur toilette, moi j'étais à peine habillé... Quand je mettais ma brosse à dents dans ma bouche, je m'apercevais qu'il n'y avait pas de dentifrice dessus et quand j'avais fini de me brosser les dents, les autres avaient déjà presque terminé leur petit déjeuner ».

Il devient la cible des plaisanteries de ses camarades de cellule. Tous sont d'anciens officiers du Manchukuo, « qui dans le temps n'auraient jamais osé lever la tête en ma présence ». Maintenant, ils ricanent derrière son dos. Pu Yi est même censé prendre son tour pour vider les toilettes communes, mais cela il s'y refuse tout simplement. « J'ai pensé que j'allais humilier mes ancêtres. »

Lors de l'inspection, il se présente si mal tenu que le directeur de la prison, d'« une voix pleine de bonté », le fait sortir du rang, devant tout le monde, et lui dit d'aller faire un brin de toilette. Inutile de dire que Pu Yi ne le prend pas très bien. « Toute ma vie, j'avais été environné de murs, mais du moins par le passé avais-je été traité avec respect. »

La guerre de Corée n'arrange rien ; quelques mois après leur arrivée à Fu-shun, les prisonniers et leurs gardiens sont transférés par le train à Harbin, où les conditions sont nettement plus dures. La prison de cette ville, construite elle aussi par les Japonais, n'a pas été remise en état : elle est moins confortable, mal chauffée et tout le monde a le moral à zéro. Parmi les détenus, il n'est question que de la guerre. Personne ne croit ce que rapportent les journaux et lorsque ceux-ci cessent d'être disponibles, pendant quelques semaines, tous les prisonniers sont convaincus que c'est parce que la Chine subit une série de revers. La raison officielle de cette suppression, Pu Yi l'apprendra plus tard, c'est que les dirigeants de la prison ne tiennent pas à ce que les hommes dont ils ont la garde lisent les articles sur la « législation contre-révolutionnaire », alors en voie d'introduction, de peur que leur moral ne soit atteint.

Les détenus sont divisés dans leur attitude envers la guerre certains anciens officiers pensent que les Etats-Unis sont sur le point d'écraser la Chine ; les pessimistes — parmi lesquels se range Pu Yi — sont persuadés que, si la victoire américaine est proche, ils seront tous fusillés. Cette rumeur se répand d'ailleurs avec une telle véhémence que le chef de la sécurité rassemble tous les prisonniers et les harangue pendant une heure, en leur certifiant que leurs jours ne sont pas en danger.

C'est alors que Pu Yi comprend, pour la première fois, qu'il n'est pas près de sortir de prison. En effet, le directeur de l'établissement leur adresse ces mots en conclusion : « Peut-être direz-vous que, si nous n'avons pas l'intention de vous tuer, le mieux serait de vous remettre en liberté. Eh bien, non. Si nous devions vous relâcher avant que vous ne soyez rééduqués, vous risqueriez de commettre de nouveaux crimes. De toute façon, le peuple ne serait pas d'accord et il ne vous pardonnerait pas, s'il vous rencontrait. »

C'est la première indication vraiment nette de ce que l'on attend de Pu Yi, mais il n'est pas préparé aux conséquences qu'implique une telle attitude. Il a établi, avec sa famille et avec Grand Li, témoin privilégié des événements passés, un système de défense qu'il croit avoir utilisé à bon escient lors des audiences du Tribunal des crimes de guerre. C'est pourquoi, à Harbin, lorsque vient pour lui le moment de coucher par écrit toute son existence passée, « dans le cadre de la réforme de votre pensée » (et comme doivent le faire les détenus de toutes les prisons de Chine), il s'en tient farouchement à sa version de Tokyo : à partir du moment où il a quitté la Cité interdite, prétend-il, il a été contre son gré la victime des Japonais.

En même temps, il s'efforce de devenir un prisonnier modèle : toujours aussi désordonné, comptant sur Petit Jui pour entretenir son linge, il accepte néanmoins, quand vient son tour, d'apporter à manger à ses codétenus, mais il est d'une telle maladresse qu'on le dispense de servir à table : il renverse toujours tout.

Il est bien décidé à montrer, de façon spectaculaire, sa loyauté envers le nouveau régime. Il a en sa possession un objet inestimable : trois sceaux gravés sur trois morceaux de jade qui s'emboîtent les uns dans les autres, de l'époque de Chieng Lung. Un jour où un haut fonctionnaire en visite inspecte sa cellule, il lui tend cérémonieusement les sceaux, en s'inclinant bien bas et en le suppliant de lui permettre d'« offrir cet objet qui m'appartient à la République populaire ».

A sa grande surprise, le visiteur refuse. « Vous êtes Pu Yi, n'est-ce pas ? Il vaudrait mieux en discuter avec les autorités », déclare-t-il. Pu Yi remet alors les sceaux à Jin Yuan. Son geste n'a pas fait l'effet escompté. Le directeur de la prison lui dit non sans désinvolture : « Nous avons vos sceaux et votre lettre. Nous avons aussi tout ce que vous avez remis aux autorités soviétiques. Mais ce qui compte aux yeux du peuple, ce sont les hommes, les hommes rééduqués. »

Le processus menace d'être plus compliqué qu'il ne l'a cru. L'ennui, c'est que, tout autour de lui, il y a un glissement des loyautés. Le prince Su, qui lui serait peut-être resté fidèle, meurt durant le séjour à Harbin. Bien qu'il ne s'en soit pas rendu compte sur le moment, Pu Yi a perdu le soutien de son petit groupe dès avant le transfert dans cette ville ; et le plus changé de tous n'est autre que Grand Li, son serviteur personnel depuis trente-deux ans.

Dans le jargon de la sécurité publique chinoise, il y a deux sortes d'individus : le « prisonnier-pâte dentifrice » et le « prisonnier-robinet ». La « rééducation » de Pu Yi se fait par petites touches ; c'est un peu comme de presser un tube pour en faire sortir méthodiquement la pâte dentifrice. Grand Li en revanche est du genre robinet : « Il ne lui a pas fallu plus d'un mois, m'a confié Jin Yuan, pour tout déverser. »

Jin attribue les « progrès » de Grand Li au fait qu'il est « issu d'une famille pauvre... Après avoir appris comment fonctionnait le système féodal, il s'est rendu compte qu'il avait travaillé pour le plus grand de tous les propriétaires ». Cependant, ce qui précipite sans nul doute la transformation de Grand Li, c'est de découvrir que, s'il se trouve en prison, ce n'est pas du tout parce qu'il a commis le moindre délit, mais parce qu'il a eu au départ la malchance de devenir serviteur de Pu Yi. « Grand Li n'était coupable d'aucun crime, a reconnu Jin Yuan. Il était en prison parce qu'il était le valet personnel de Pu Yi et que l'on jugeait ce dernier tellement empoté qu'on le croyait incapable de survivre sans lui. » Toutefois, la volte-face de Grand Li va être si brutale qu'il refuse très vite, une fois en prison, de rester le serviteur de son ancien maître. Pu Yi s'est rappelé que son premier geste de révolte a été de refuser de lui réparer ses lunettes. Pu Yi passe alors un très mauvais moment, parce que Grand Li connaît toute la vérité sur la fuite de Tientsin, l'étui de caméra à double fond, la façon dont Pu Yi s'est conduit avec ses pages et tout le reste. S'il lui prend fantaisie de raconter tout ce

317

qu'il sait aux autorités, on s'apercevra que la confession si soigneusement préparée par Pu Yi n'est qu'un tissu de mensonges. Or, il ne lui est pas facile de s'entretenir avec son ancien serviteur, étant donné qu'ils sont dans des cellules différentes. Il tente de lui faire passer un message par un de ses neveux, mais ces derniers, eux aussi, commencent à se montrer plus distants.

Pu Yi en prend pleinement conscience le jour où les détenus interprètent une série de sketches sur leur vie en prison. C'est une pratique très courante en Chine, car elle fournit de précieuses indications sur les progrès accomplis par chacun. Il y a un sketch où l'on se moque d'un ancien ministre de la Justice du Manchukuo, qui tente invariablement de se faire bien voir des gardiens en lisant tout fort des livres communistes à chaque fois que l'un d'eux se trouve à portée de voix. Et puis il y a un sketch sur Pu Yi, qui tourne en ridicule sa manie de prier Bouddha et de refuser de tuer les mouches. Tout le monde sauf Petit Jui participe à ces sketches et ce dernier est lui-même férocement « critiqué » dans un autre sketch parce qu'il accepte platement de servir de valet à un de ses codétenus. Peu après cette « représentation », Petit Jui refuse de s'occuper plus longtemps du linge de son oncle et il ne tarde pas à se montrer ouvertement hostile à son égard.

Pu Yi comprend pourquoi dès qu'il reçoit de Petit Jui une note le pressant de passer aux aveux complets et de remettre à qui de droit tous les bijoux qu'il dissimule dans son étui de caméra. Il se rend soudain clairement compte que, derrière son dos, les membres de sa famille ont révélé aux autorités qu'il cachait un trésor. Au bout d'une semaine de réflexion, il décide qu'il a intérêt à tout rendre de son propre chef.

En réalité, depuis son arrivée dans leurs murs, les autorités de la prison jouent au chat et à la souris avec l'ex-empereur. « Ils savaient parfaitement ce qu'il cachait dans son étui de caméra, m'a dit un de ses parents qui se trouvait avec lui à Harbin. Ils voulaient tout simplement voir combien de temps il allait tenir. »

En échange des 468 bijoux qu'il lui a confiés, le directeur de l'établissement lui remet un reçu. Ce geste est considéré comme le premier « sincère acte de repentir » de la part de Pu Yi. C'est aussi une importante leçon en matière de comportement carcéral : lorsqu'il regagne sa cellule, après s'être défait de son trésor, ses compagnons, jusque-là fort rébarbatifs, le félicitent et commencent à l'appeler « ce vieux Pu ». Pour la première fois, ils cessent de faire comme s'il n'existait pas ou de lui manifester leur mépris. Il était grand temps pour lui d'agir ainsi avec sagesse, déclare Vieux Yuan, ancien ambassadeur de Manchukuo au Japon. « Rappelez-vous que le gouvernement sait des choses que vous avez oubliées depuis des années. »

La restitution des bijoux n'est que le début de la « rééducation » de Pu Yi : lorsqu'on demande aux prisonniers de dresser des listes des crimes commis par les Japonais en Mandchourie, il se rend compte que sa précédente confession ne va plus avoir la moindre crédibilité. Brusquement, le sentiment de culpabilité que lui inspire sa conduite passée ouvre les vannes aux remords et aux accusations contre lui-même. Par ailleurs, et c'est peut-être le plus important, « je comprenais enfin, note Pu Yi, que je me heurtais à une force irrésistible qui refuserait de me laisser en paix tant qu'elle n'aurait pas tout découvert ».

« Je dois confesser mes fautes envers le peuple, annonce Pu Yi au directeur de la prison. Je ne puis les expier, même si je devais mourir dix mille morts. » Il demande à l'un de ses compagnons de cellule s'il doit, dans sa dissertation sur le comportement japonais en Mandchourie, faire référence à ses propres crimes. « Bien sûr, répond son camarade. De toute façon, le gouvernement sait tant de choses sur notre compte qu'il vaut beaucoup mieux tout avouer. »

Pu Yi se met donc à écrire, taillant en pièces sa première confession, rapportant, tels qu'il se les rappelle, les faits concernant son séjour à Tientsin et son départ pour la Mandchourie. C'est le tournant de sa vie et son premier grand pas en avant dans le processus de « rééducation ».

Li Wenda, qui a eu l'occasion de lire ce document lorsqu'il a aidé Pu Yi à rédiger ses mémoires, déclare qu'il s'agissait d'un compte rendu abject, évoquant la couardise et le manque de courage moral de Pu Yi et montrant bien qu'il avait été toute sa vie hanté par la peur et la culpabilité. Dorénavant, l'ex-empereur va se livrer à une autocritique qui ne prendra fin qu'au jour de sa mort.

Qu'est-ce donc qui a ainsi ouvert les vannes ? Cette « rééducation » est-elle — comme le croit Pu Yi — le résultat de ses réflexions sur la nature de son sort absurde et absurdement privilégié ? Ou cette spectaculaire conversion n'est-elle que la dernière d'une série de manœuvres visant à lui permettre d'échapper, comme par le passé, aux conséquences de ses actes ? Aujourd'hui encore, Grand Li reste persuadé que son ancien maître n'était ni aussi humble ni aussi innocent qu'il le paraissait. On a le plus grand mal à s'empêcher de penser que la fourberie manifestée par Pu Yi lors du procès de Tokyo pouvait aussi — dans ces nouvelles circonstances — être utilement mise à contribution et lui suggérer qu'une habile autocritique serait un excellent moyen de rédemption dans la société communiste chinoise. En tout cas, il ne met pas longtemps à maîtriser le jargon du criminel en voie de rachat. Et lorsqu'il regagne Fushun, en 1954, il est en passe de devenir le prisonnier le plus célèbre de Chine.

24.

L'une des principales différences entre le système pénitentiaire chinois et celui en vigueur dans le reste du monde est qu'en Chine le comportement des détenus est constamment surveillé sans le moindre apport électronique. Les gardiens sont immédiatement conscients des changements d'humeur de leurs pensionnaires ou d'un brusque éclat de colère. Il n'y a pas jusqu'aux paroles qu'un détenu marmonne dans son sommeil qui ne soient portées à leur attention.

La raison de ce phénomène, c'est que, dans une prison chinoise, chacun donne des renseignements sur tous ses camarades et que les détenus assument, chacun son tour, le rôle de procureur. Au cours de séances collectives, ils s'accusent mutuellement de paresse, d'hypocrisie et de comportement hostile à l'Etat ; et la réaction de chacun permet de décider dans quelle mesure ses « progrès » idéologiques sont réels. Les prisonniers se rendent immédiatement compte du fait que la date de leur remise en liberté ne dépend pas tant de la durée de leur condamnation — d'ailleurs certains, comme Pu Yi, ne passent jamais en justice — que des preuves tangibles de leur « rééducation ».

Ces preuves sont portées à l'attention des autorités de diverses façons. L'« autocritique » écrite est un élément essentiel sans lequel nul ne peut espérer sortir de prison. Les Chinois, cependant, sont un peuple éminemment pragmatique et l'autocritique seule ne suffit jamais : ce qui compte au moins autant, c'est le comportement quotidien du prisonnier, pris isolément et au sein du groupe avec qui il cohabite. Or, même si les gardiens ne peuvent être constamment présents, fût-ce dans un environnement carcéral aussi spécial que celui de Fu-shun (où il y avait aussi des « criminels de guerre » japonais et des membres du KMT à « rééduquer »), il ne se passe rien dans l'établissement dont ils n'aient vent ; et ce parce que les détenus savent qu'ils ne peuvent ni ne doivent rien leur cacher et que plus ils se montreront francs, concernant les fautes et les bizarreries de tout un chacun, mieux cela vaudra pour tout le monde.

Dans la plupart des prisons, les « indics » sont méprisés ; les mouchards, on s'en débarrasse. En Chine, ce n'est pas pareil : un détenu qui ne rapporte pas à son gardien jusqu'aux événements les plus insignifiants, jusqu'aux disputes les plus mesquines survenus à l'intérieur de sa cellule s'aperçoit vite que ses camarades lui en font grief. Ce refus de coopérer ne dure jamais bien longtemps, parce que le coupable se rend très vite compte qu'il est isolé, seul contre tous.

Une cellule dans une prison chinoise, particulièrement durant les années que Pu Yi passe à Fu-shun (1950-1959), c'est une espèce de forum permanent pour groupe marxiste-léniniste-maoïste et, même si le gardien n'est pas présent à chaque instant de ces interminables colloques (le refus d'y participer étant en soi une preuve de comportement antisocial), il est néanmoins au courant de tout sur des bases quotidiennes : pour leur propre protection et afin d'attirer l'attention sur leur processus de « rééducation », les détenus signalent aux autorités tout ce qui se passe autour d'eux depuis l'instant où ils se lèvent jusqu'à celui où ils s'endorment. Tout ce qui se dit, chaque petit échange de propos, chaque petite manie, apparemment insignifiant, est livré en pâture aux commentaires, aux analyses et aux auto-critiques.

Il y a bien sûr des moyens de déjouer le système. Etant donné que l'idéologie — en tout cas dans la Chine de Mao — conditionne tout le comportement humain, il est important de se conduire, et de se « confesser », selon des normes idéologiquement acceptables. On peut pardonner (mais jamais oublier) la faute d'un prisonnier, du moment que la « confession » écrite

322

suit le modèle sémantique voulu. Une faute, même s'il s'agit d'une vétille, comme par exemple d'avoir cassé un carreau, peut, en revanche, entraîner des sanctions graves, si l'aveu est mal rédigé ou si le détenu a donné l'impression de chercher à jouer au plus fin en avançant des excuses que l'on juge insuffisantes, ironiques ou spécieuses. En toutes circonstances, l'humilité est de rigueur et on a tout intérêt à se reconnaître franchement coupable.

Le fait que Pu Yi a fort bien saisi le système accélère sans conteste son processus de « rééducation ». L'humilité devient sa spécialité. Ce n'est pas tout à fait aussi simple, cependant. Ainsi, un grand nombre de ses codétenus commettent l'erreur de s'en prendre à lui et de le « clouer au pilori » non seulement parce qu'il a été le « plus gros propriétaire » de Chine, mais aussi parce qu'en prison il n'est qu'un pauvre crétin incapable de se débrouiller tout seul ; ce qu'ils n'ont pas su comprendre, c'est que les autorités carcérales voient dans un tel comportement un transfert de culpabilité, une volonté de minimiser leurs propres crimes. C'est pourquoi, loin de leur permettre d'être mieux notés, cette attitude risque au contraire de retarder leur mise en liberté de plusieurs mois, voire de plusieurs années. En revanche, un garçon comme Grand Li qui, dès le début de sa détention, a fourni aux autorités un récit circonstancié du comportement réel de Pu Yi à partir de 1924, mais qui n'a jamais laissé son ressentiment personnel dégénérer en insultes, est manifestement quelqu'un qui « progresse ». L'ancien serviteur de Pu Yi est libéré en 1956, en même temps que certains neveux de l'empereur, qui ont informé Jin Yuan de l'endroit où leur oncle cachait ses trésors de la Cité interdite. En fait, Pu Yi ne s'est jamais rendu compte que, dès le jour de son arrivée à la prison de Fu-shun, Jin Yuan n'ignorait presque plus rien de lui.

Les brimades infligées à Pu Yi par ses camarades prennent de nombreuses formes et, en haut lieu, on observe attentivement sa façon de réagir. Durant leur séjour à Harbin, par exemple, les détenus se voient imposer des travaux manuels. Il ne s'agit pas de ces travaux d'usine harassants dans lesquels la plupart des prisonniers chinois doivent apprendre à exceller s'ils ne veulent pas être privés de leurs rations ; on leur fait simplement coller ensemble des bouts de carton, afin de fabriquer des boîtes pour les crayons que fabrique une des usines de la ville. Inutile de dire que Pu Yi s'y prend avec sa maladresse habituelle. Au début, les boîtes qu'il produit sont refusées, ce qui fournit à l'un de ses compagnons de cellule, un ancien haut fonctionnaire du Manchukuo, prompt à jouer les caïds, un prétexte pour le traîner continuellement dans la boue, l'accusant de « se prendre encore pour une saleté d'empereur » et ajoutant benoîtement que, ce qu'il en dit, c'est pour le bien de Pu Yi.

Selon les termes du système pénitentiaire chinois, la réaction de ce dernier mérite un « vingt sur vingt ». « Ecoutez, répond-il patiemment, je suis plus sot que vous ; je ne suis pas doué pour bien parler ni pour faire des choses de mes mains et je suis né ainsi. Cela vous suffit ? »

Les brimades le rendent malade, cependant, et il est hospitalisé avec une forte fièvre. C'est, notera-t-il dans ses souvenirs, une période d'intense réflexion et de prise de conscience. « A chaque fois qu'on se moquait de moi ou qu'on soulignait mon incompétence, j'en éprouvais un amer ressentiment ; je détestais ceux qui me critiquaient et le gouvernement du peuple qui m'avait enfermé avec ces gens. A présent, je comprenais que j'avais tort de penser ainsi. J'étais vraiment quelqu'un de risible, d'incapable et d'ignorant. » Il se rend compte, désormais, que c'est la façon dont il a été élevé qui est responsable de son état actuel.

Le directeur de la prison le félicite d'avoir su ouvrir les yeux.

« Vous avez identifié la source de votre incompétence, explique-t-il. C'est un pas dans la bonne voie, certes, mais vous devriez vous demander pourquoi ces princes et ces hauts fonctionnaires de la cour vous ont élevé ainsi.

— Parce que c'était dans leur intérêt, répond Pu Yi.

— Ce n'est pas si simple », objecte le directeur.

Ceux qui l'ont élevé afin de faire de lui un empereur ont-ils délibérément cherché à lui faire du mal ? Pu Yi ne sait quoi répondre. « Réfléchissez-y très soigneusement, lui dit son interlocuteur. Si vous parvenez à trouver la réponse, votre maladie aura servi à quelque chose. »

Ce que tente de lui faire comprendre le directeur — mais il veut que son prisonnier le découvre de lui-même —, c'est que, sous l'ancien régime, c'était le système qui était mauvais et non les individus chargés de l'appliquer. C'est une autre leçon que Pu Yi apprend très vite. Les véritables responsables de ses malheurs ne sont nullement des hommes, mais des abstractions : impérialisme, féodalisme, capitalisme. C'est une idée à la fois rassurante et porteuse d'un nouveau respect de soi.

La « rééducation » est à peine entamée : en mars 1954, Pu Yi et tous les autres « criminels de guerre » regagnent Fu-shun et c'est là que commencent les choses sérieuses ; on dresse tout d'abord un catalogue exhaustif des crimes de guerre japonais et « manchukuots ». Les détenus nippons jouent dans cette affaire un double rôle : celui de témoins et celui d'accusés désireux d'obtenir leur pardon. Il faut écrire de nouvelles « confessions », mais cette fois — du fait qu'elles doivent être beaucoup plus détaillées et que les prisonniers sont censés s'accuser les uns les autres — les mesures de sécurité prises pour empêcher quiconque de concocter quelque fable avec la complicité d'autres détenus sont draconiennes. Comment diable, ai-je demandé à Jin Yuan, était-il possible de s'assurer qu'ils n'allaient pas se réunir pour mettre au point une version qui les absoudrait tous ? Facile, m'a-t-il répondu, et l'expression menaçante du regretté Otto Preminger s'est peinte fugitivement sur son visage jovial : « Nous les avons tous mis au secret. »

Il faut des mois à Pu Yi pour compléter son récit et, cette fois, il est interrogé par deux agents du Bureau de Sécurité publique extérieurs à la prison, qui épluchent son texte ligne par ligne. Ils sont, écrira Pu Yi plus tard, incroyablement bien renseignés. Ils savent combien de riz, combien de soja et d'opium ont été récoltés en Mandchourie, année par année. Ils disposent de chiffres concernant les exportations japonaises vers le Manchukuo ; ils sont au courant de tous les détails du système de rationnement introduit par les occupants et à chaque fois qu'ils rencontrent un chiffre dans la verbeuse déclaration de Pu Yi, ils lui demandent quelle en est la source, découvrant à coup sûr dans quelle mesure il s'agit de faits avérés ou de rumeurs et dans quelle mesure Pu Yi s'est fié à d'anciennes conversations avec ses compagnons de cellule.

Ensuite, les « autocritiques » de chacun des détenus de Fu-shun sont incorporées à une véritable symphonie, à laquelle participent aussi les « criminels de guerre » japonais, jusque-là tenus à l'écart. Ils ont subi de leur côté le même processus de « rééducation » et ils sont prêts à jouer leur rôle. L'un d'eux, Tadayuki Furumi, ancien directeur de la commission des Affaires générales du Conseil d'Etat du Manchukuo, fait aux détenus mandchous une conférence sur les crimes nippons au Manchukuo, détaillant infatigablement la politique du Japon concernant l'opium et son pillage systématique de toutes les ressources mandchoues.

Un ancien officier de la gendarmerie japonaise explique à l'assemblée de prisonniers qu'il a présidé à des exécutions de masse et arrêté des civils pour en faire ni plus ni moins que des esclaves. « Toutes ces atrocités, notera Pu Yi, ont été accomplies en mon nom. »

L'étape suivante consiste à présenter des preuves des tortures et des sévices infligés par les Japonais et les « Manchu-kuots », fournies par les victimes elles-mêmes. Les témoignages écrits de certains survivants soigneusement choisis, qui avaient défié les autorités de l'époque et payé cher cette résistance, sont lus aux détenus. Chacun se termine par un appel au châtiment des coupables. « Les traîtres japonais et chinois doivent payer pour le sang qu'ils ont fait couler. Vengez nos familles assassinées ! »

La leçon sous-entendue est la suivante : Pu Yi, pour excuser ses fautes passées, fait invariablement valoir qu'il n'avait aucun moyen de se dresser contre les Japonais. Or, voici qu'on lui oppose l'exemple d'humbles ouvriers, agriculteurs, mères de famille et enfants mandchous qui, *eux,* ont osé défier les oppresseurs. Il est submergé par un profond sentiment de culpabilité, ce qui est exactement l'effet recherché par ses geôliers. Pu Yi écrira : « On ne peut jamais échapper aux conséquences de ses fautes. » A partir de 1955, c'est un homme transformé. Quand le directeur de la prison lui demande comment il envisage son avenir, l'ex-empereur baisse la tête et déclare : « Je ne puis qu'attendre mon châtiment. »

326

Il ne le sait pas encore, mais il devient déjà, dès cette époque, une vivante leçon de choses pour les « masses ». Au début de 1955, une équipe de cinéma chinoise se rend à la prison de Fu-shun pour filmer les détenus en train de jouer au volley-ball et au ping-pong dans la cour. Pu Yi accapare tout spécialement leur attention, mais les autres prisonniers éprouvent envers lui un tel ressentiment que personne n'accepte d'être filmé à ses côtés.

En mars, un groupe des généraux les plus haut gradés de Chine — parmi lesquels le maréchal Chuh Teh, mais cela Pu Yi l'ignore — visite la prison et s'entretient avec l'ex-empereur et son frère cadet Pu Dchieh. L'un d'eux lui conseille de continuer à étudier. « Un jour, vous serez capable de voir de vos propres yeux l'édification du socialisme. » Ce qui, selon un des compagnons de cellule de Pu Yi, ne peut vouloir dire qu'une chose : ils ont l'intention de le relâcher un jour. « Cette constatation réconforta tout le monde, notera Pu Yi. Si le traître numéro un n'avait rien à craindre, il y avait de l'espoir pour eux aussi. »

Il est encore, sous bien des rapports, un prisonnier inférieur à la moyenne : à présent, il s'occupe lui-même de son linge, mais il reste lamentablement désordonné ; il oublie toujours de refermer les robinets après usage et gaspille ainsi l'eau de la prison ; il répugne toujours à tuer les mouches (1955 est, en Chine, l'année de la « campagne pour l'élimination des mouches » et chaque détenu a pour mission d'en tuer cinquante par jour avec une tapette qu'on lui a remise à cet effet) et, bien qu'il ait depuis longtemps renoncé au végétarisme, il continue à prier. Les autres prisonniers le traitent avec un mélange de mépris et d'impatience ; Pu Yi est désormais totalement imprégné du sentiment de sa propre nullité et il manifeste une reconnaissance pathétique au moindre compliment. Sans se rendre pleinement compte de l'étendue de sa métamorphose, il est en passe de devenir un travailleur modèle : humble, zélé, doutant de soi. Il admire beaucoup le directeur de la prison et son adjoint, Jin Yuan, pour leur sagesse et leur tolérance, et reconnaît même la supériorité de son ancien serviteur, Grand Li. Il est mûr pour l'ultime stade de la « rééducation ».

Celui-ci prend la forme de visites accompagnées à travers le pays qui était naguère le Manchukuo, ponctuées par des rencontres avec certaines des anciennes victimes de son règne fantoche. Vêtus de costumes « Mao », les prisonniers sont ramenés sur les lieux des atrocités japonaises. Pu Yi s'entretient avec une femme qui a survécu à une exécution de masse. « Sa stupéfiante miséricorde, notera-t-il, a momentanément privé les criminels de guerre japonais de la parole ; puis ils se sont mis à pleurer de honte et se sont agenouillés devant elle, en demandant au gouvernement chinois de les punir. »

Dans une commune rurale, il avoue son identité à l'épouse d'un agriculteur dont toute la famille a failli mourir de faim durant les années où il a régné sur le pays. Au lieu de le maudire, elle déclare : « Tout ça est fini, à présent, n'en parlons plus » ; et Pu Yi fond en larmes. Partout où il va, il voit les preuves d'une prospérité et d'un respect de soi nouveaux parmi les anciennes « masses opprimées ». Dans les mines de charbon, les aciéries, les centrales électriques, les « criminels de guerre » captifs sont bouleversés par l'accueil qu'ils reçoivent. La boucle est presque bouclée. Dorénavant, on va pouvoir montrer Pu Yi à un public plus vaste. Il ne risque pas d'oublier ses répliques.

La première visite qu'il reçoit est inattendue : c'est Li Yu-ching, la concubine qu'il a abandonnée à son sort en 1945, qui vient lui apporter un stylo et une paire de chaussures. Elle est enceinte, mais Jin Yuan lui interdit d'en faire état, car cela ne peut que perturber Pu Yi. Leur entretien est bref, mais Jin Yuan fait merveille, car il parvient à la faire parler « tout à fait entre nous » de son existence et à lui soutirer l'identité du père de son enfant. Peu après, l'homme est envoyé dans un camp de travaux forcés pour « avoir eu une liaison avec une femme mariée » et le nourrisson est confié à un couple sans enfant désireux d'en adopter un.

Li Yu-ching reviendra encore deux fois à la prison — en 1957 et 1958 —, mais Pu Yi ne mentionnera aucune de ses visites dans son autobiographie, probablement parce qu'elles sont loin de correspondre à l'image d'Epinal qu'il s'efforce désormais de projeter.

Il préfère se rappeler plutôt une autre visite, qu'il désigne d'ailleurs comme étant la première : le 10 mars 1956 a lieu une véritable réunion de famille. Pu Yi, Pu Dchieh, deux de leurs beaux-frères et deux neveux sont convoqués dans le bureau du directeur où les attendent l'oncle de Pu Yi, Tsai Tao, et deux de ses sœurs cadettes.

La surprise n'est pas totale : les familles des « criminels de guerre » mandchous ont été autorisées à correspondre avec eux depuis 1955. Pu Yi sait désormais que la plupart des membres de sa famille vont bien et se sont adaptés au nouveau régime. Il est significatif de noter qu'il ne mentionne absolument pas, dans son livre, les circonstances qui ont entouré la mort de « l'impératrice » Elizabeth ; on y trouve juste une allusion au fait qu'elle est morte « il y a longtemps ». En revanche, il décrit intarissablement les progrès idéologiques d'autres membres de sa famille : son oncle Tsai Tao, qui n'a jamais trempé dans la collaboration, est à présent membre du Congrès national populaire, où il représente la minorité mandchoue, et il a tout récemment rencontré Mao. C'est d'ailleurs ce dernier qui a autorisé cette visite.

Les sœurs de Pu Yi, elles aussi, ont volontairement entrepris leur « rééducation ». Deux d'entre elles sont enseignantes, une couturière et une autre « activiste sociale » et membre d'un « comité de rue ». Se rappelant à quel point elles étaient oisives, étant petites, entourées par une nuée de domestiques, les détenus ont du mal à en croire leurs oreilles. « Tu sais vraiment coudre ? Et tu fais de la bicyclette ? » demande un beau-frère à la « sœur numéro trois ».

Dans son livre, Pu Yi ne fait pas non plus état des circonstances de la mort de son père, en 1951. Peut-être est-ce parce que, jusqu'à l'heure de sa mort, ce dernier, dans l'incapacité d'obtenir la moindre information au sujet de ses fils, les croyait toujours prisonniers des Soviétiques.

Le prince Tchun a survécu à l'occupation japonaise et à la guerre civile qui l'a suivie, dans des conditions précaires. Avec un de ses fils, Pu Ren, il a ouvert une école privée ; puis, lorsque celle-ci a été fermée par les autorités, ils sont devenus enseignants dans une école d'Etat. Au cours des derniers mois de sa vie, il a vendu la « Demeure du nord » au nouveau gouvernement chinois, ce qui a quelque peu atténué les difficultés financières de la famille.

A sa grande surprise, Pu Yi apprend que non seulement ses sœurs, mais aussi les membres de la nouvelle génération se portent fort bien sous le nouveau régime. Tous sont étudiants ou travaillent déjà. Aucun n'a été pénalisé parce qu'il appartient à l'ancienne famille impériale. Cette découverte décuple, bien entendu, sa gratitude envers les dirigeants ; à partir de cette rencontre avec ses proches, sa description de la vie carcérale prend un ton carrément idyllique. Il continue ses tournées dans les usines et les fermes de Mandchourie, s'émerveillant des progrès accomplis depuis la prise du pouvoir par les communistes ; il ne paraît pas se rendre compte des erreurs qui feront du « grand bond en avant » — qui démarre alors qu'il est encore en prison — un désastreux revers pour l'agriculture et l'industrie chinoises. Il est cité comme témoin au procès de criminels de guerre japonais, à Shen-yang, et se fait un plaisir de déposer : il croit désormais dur comme fer à la justice révolutionnaire.

« Mes pensées, écrira-t-il, se reportèrent au Tribunal militaire international à Tokyo. Là-bas, les criminels de guerre japonais avaient engagé les services d'avocats pour créer des ennuis aux témoins et les attaquer. Dans l'espoir d'alléger leur propre sentence, ils avaient eu recours à toutes les méthodes possibles et imaginables pour tenter de couvrir leurs forfaits. Devant cette cour, en revanche, tous les criminels de guerre se reconnaissaient coupables et se soumettaient à leur châtiment. »

Il commence à accorder des interviews ; entre dix et vingt par an à partir de 1956, selon les souvenirs de Jin Yuan. « Il savait très bien s'y prendre avec la presse. »

Le moment le plus mémorable de ces dernières années en prison, cependant, ce sont les rôles de premier plan qu'il tient dans une série de pièces écrites et jouées par les détenus « manchukuots », devant leurs camarades du KMT et japonais. Par le passé, jamais on n'a demandé à Pu Yi de participer à ces spectacles. Les organisateurs l'estimaient trop timide et trop gauche pour se produire sur scène. A partir de 1956, non seulement il fait partie des chœurs, mais il se voit distribué dans

330

de véritables rôles. Le thème de la première pièce qu'il interprète est l'expédition de Suez. Elle s'intitule : « La défaite des agresseurs. » C'est un des ex-ministres du Manchukuo qui tient le rôle du ministre des Affaires étrangères britannique, Selwyn Lloyd (« parce qu'il a un grand nez »), tandis que Pu Yi incarne un membre (de gauche) du Parlement de Sa Majesté, qui reproche à Lloyd, en pleine assemblée, le comportement « honteux » de la Grande-Bretagne.

Il revêt pour l'occasion le costume bleu foncé qu'il portait au procès de Tokyo. Lorsque « Selwyn Lloyd », penaud et servile, tente de justifier la politique britannique, Pu Yi le prend à partie. Des bribes de cet anglais qu'il a désormais oublié lui reviennent en mémoire et il improvise : « No, no, no, hurle-t-il. It won't do ! Get out ! Leave this House ! » (« Non, non, non. Ça ne se passera pas comme ça ! Sortez ! Quittez l'assemblée ! ») Son interprétation suscite un tonnerre d'applaudissements. C'est l'un des plus beaux jours de sa vie. Il s'entiche alors des représentations théâtrales et joue bientôt le rôle d'un « criminel de guerre » japonais à la cour du « fantoche du Manchukuo ».

Une autre pièce — écrite par Pu Dchieh — se passe aussi au Manchukuo. C'est de l'histoire grossièrement dramatisée : une paire de « traîtres » chinois commencent par collaborer avec les Japonais, puis s'efforcent de contacter Chiang Kai-shek pour lui livrer le pays. Ils se font prendre et sont « rééduqués ».

Cette œuvre est du même acabit que les films chinois conventionnels des années cinquante et les opéras ultérieurs, approuvés par Pékin. Tout en concédant qu'elle n'a « rien de merveilleux en soi », Pu Yi explique que « nous tous, criminels de guerre, pouvions nous y reconnaître. Elle nous rappelait notre passé, retenait notre attention et nous emplissait d'une honte de plus en plus grande ».

Par un de ses aspects, elle est d'un comique poignant : à chaque fois que les deux « traîtres » pénètrent dans leur bureau, ils se prosternent en direction de « l'image impériale » de « l'empereur du Manchukuo » — une photographie de Pu Yi en costume d'apparat —, tandis que le véritable empereur assiste à la représentation parmi les autres détenus. Il ne ressent guère de distanciation pirandellienne, mais seulement un profond dégoût

— et note que le portrait devant lequel s'inclinent les acteurs est « la chose la plus ignoble du monde ».

Une personne ne s'est pas encore pénétrée de la métamorphose de Pu Yi. C'est Li Yu-ching, sa concubine, qui fait une nouvelle apparition. Elle passe deux jours auprès de lui, partageant sa cellule (il en a une pour lui tout seul, à présent, et peut se déplacer à sa guise à travers toute la prison, presque comme un homme libre). Elle doit s'imaginer qu'elle va enfin pouvoir tirer profit des liens qui les unissent.

Elle questionne Jin Yuan de très près sur le sort qui les attend. Quand Pu Yi va-t-il être libéré ? A quelle part de ses biens a-t-elle droit ? Qu'est devenue sa collection de jade personnelle ? Une partie de ces trésors ne lui revient-elle pas ?

Jin Yuan, subodorant sa nature avide, reste dans le vague. Il n'a pas la moindre idée de la date à laquelle Pu Yi sera libéré, déclare-t-il, et de toute façon tout ce qui lui a jamais appartenu appartient désormais à l'Etat. Quelques semaines plus tard, Li Yu-ching obtient le divorce, en arguant du fait que son mariage était arrangé, et qu'elle n'y avait jamais consenti.

Pu Yi doit essuyer une dernière « altercation » avec ses anciens ministres et généraux du Manchukuo. Ils se refusent à croire que l'ex-empereur n'était pas au courant du transfert des finances du pays — soit trente millions de dollars — qui a eu lieu quelques semaines avant la fin de la Seconde Guerre mondiale. A l'époque, Pu Yi a simplement ordonné le transfert de ses propres fonds et, avec une opiniâtreté inusitée, il proteste avec indignation de son innocence. Lorsqu'il se rend compte que les autorités carcérales ont cru dès le début sa propre version des événements, il « éclate en sanglots ».

L'ultime preuve de la « rééducation » de Pu Yi est donnée un jour de 1959. La Chine est au beau milieu d'une campagne nationale antirongeurs. Chaque enfant doit fournir la dépouille d'au moins une souris. Pu Yi note qu'après avoir entendu un gardien « rapporter des souffrances » survenues sous la tyrannie du Manchukuo, il parvient à surmonter son dégoût « superstitieux » de bouddhiste, qui lui interdit de tuer une créature vivante. « Sous l'égide du gardien Chang, écrit-il, je fus capable de tuer six souris. »

En septembre 1959, pour célébrer le dixième anniversaire de l'établissement de la république populaire, Mao Tsé-toung propose une amnistie exceptionnelle pour certaines catégories de prisonniers, notamment les « criminels de guerre » qui « se sont vraiment amendés et ont délaissé un passé de vice pour un présent de vertu ». Le Comité Central du Parti approuve dûment cette idée et, à la prison de Fu-shun, la nouvelle est accueillie par des transports d'allégresse. Jin Yuan demande à Pu Yi ce qu'il en pense. Ce dernier est plus heureux qu'il ne l'a jamais été et en meilleure santé, ajoute-t-il, grâce à des « travaux volontaires » qui consistent à s'occuper du potager de la prison et à transporter du charbon. A présent, il est aide-infirmier à l'hôpital de la prison et porte une blouse blanche ; les « criminels de guerre » japonais lui donnent même du « docteur ». « Je serai le dernier à partir, déclare modestement Pu Yi, à supposer que je parvienne jamais à me rééduquer. »

Et si son nom figurait dans le prochain lot de prisonniers « rééduqués » que l'on va remettre en liberté ?

« C'est hors de question », répond-il en riant

Le lendemain, un fonctionnaire de la « Cour suprême populaire » lit tout haut un « avis de grâce spéciale », devant une assemblée de détenus. « Le criminel de guerre Pu Yi, âgé de cinquante-quatre ans, de nationalité mandchoue, domicilié à Pékin, a maintenant purgé dix années de détention, déclare-t-il. A la suite de sa rééducation à travers le travail et la formation idéologique, il a montré qu'il s'était véritablement amendé Conformément à la première clause de l'Ordre des grâces spéciales il sera de ce fait remis en liberté »

Une fois de plus Pu Yi s'effondre et sanglote.

25.

Le 9 décembre 1959, Pu Ren est à la gare centrale de Pékin pour y accueillir son demi-frère Pu Yi. Il le reconnaît à peine. « Je ne l'avais pas vu depuis 1934, à Ch'ang-ch'un, s'est-il rappelé. A cette époque, il m'avait paru immense. A présent, j'étais presque aussi grand que lui. Il était voûté et paraissait non seulement frêle, mais vieux. »

Pu Ren emmène le nouveau venu chez une de leurs sœurs mariées. Ils restent à parler très avant dans la nuit et Pu Yi manifeste une curiosité cancanière envers tous les membres de la famille ; il veut savoir qui est marié, ce que fait chacun, combien de petits-enfants a son frère. Il a adopté un personnage de patriarche bienveillant. Cette attitude de « grand frère » envers le reste de la famille lui durera jusqu'à sa mort.

« Il était naïf et curieusement puéril, m'a confié Pu Ren, et il a connu un certain nombre de difficultés pour s'adapter à la vie quotidienne dans une grande ville. » Durant ces premiers jours de liberté, qu'il passe dans le minuscule appartement de sa sœur, Pu Yi participe aux travaux domestiques du mieux qu'il peut, ce qui ne ravit pas forcément la maîtresse de maison : il est en effet toujours aussi maladroit et, quand il ne casse pas, il renverse.

Tous les citadins chinois sont responsables de la propreté des rues où ils vivent. Pu Yi tient à prendre son tour de balayage et s'aventure dans son zèle un peu loin de l'immeuble où loge sa sœur... et le voilà perdu. Errant à travers le voisinage, un balai à la main, il finit par demander son chemin aux passants

334

« Bonjour, je suis Pu Yi, le dernier empereur de la dynastie des Ch'ing, annonce-t-il. Je séjourne actuellement chez des parents à moi et je n'arrive plus à retrouver le chemin de la maison. »

Il a pris à cœur, de façon caricaturale, la directive de Mao : « Il faut servir le peuple. » A chaque fois qu'il voyage en autobus, il tient absolument à être toujours le dernier à monter, ce qui lui vaut de rester souvent en rade sur les trottoirs. Au restaurant, il adresse aux serveuses des petites homélies un peu embarrassantes : « Ce n'est pas vous qui devriez m'apporter à manger, dit-il en se levant de table pour s'incliner devant elles. C'est moi qui devrais vous servir. »

Il est plus distrait que jamais et semble même y prendre un malin plaisir. « La première fois que je l'ai vu, m'a dit Li Wenda, il était désespérément cramponné à un sac à bandoulière qui contenait ses notes, ses lunettes, ses médicaments, sa montre et son portefeuille. Dès qu'on sortait avec Pu Yi, on pouvait être sûr que ça ne se passerait pas tout seul, parce qu'il perdait tout. »

Ses petites manies pouvaient aussi être fort agaçantes, s'est rappelé Li Wenda. Dans les chambres d'hôtel, Pu Yi « oubliait invariablement de fermer les portes derrière lui, de tirer la chasse d'eau, de refermer le robinet après s'être lavé les mains ; il avait un véritable génie pour mettre instantanément une pagaille noire autour de lui ». De toute évidence, l'habitude, contractée tout petit, d'être servi comme un empereur a résisté à près de quinze années de prison. Peut-être même cultive-t-il sciemment son côté distrait en s'apercevant que c'est une caractéristique qui attendrit souvent les gens. Au début de son séjour à la prison de Fu-shun, ses codétenus l'ont traité en bouffon. A présent, c'est de son propre gré qu'il endosse le rôle.

« Jamais il n'a pu maîtriser le système des " tickets " de restaurant », a continué Li Wenda. Dans tous les restaurants et cantines de Chine, à l'exception de ceux réservés aux touristes, les clients achètent d'avance des bons, en papier pelure mince comme du papier à cigarette, grâce auxquels ils pourront se procurer ce qu'ils vont commander. « Jamais il n'a pu s'y habituer ni apprendre à additionner les prix des différents

plats. » Pu Yi est d'ailleurs le contraire d'un homme d'argent :
« Quand il a commencé à travailler, il dépensait tout son mois
dès la première semaine et, ensuite, il devait compter sur la
générosité des autres. »

Pu Yi correspond assidûment avec Jin Yuan, promu, peu
après son départ, directeur de la prison de Fu-shun, afin de le
tenir au courant de ses « progrès » quotidiens. Lorsque son
ancien geôlier vient à Pékin, Pu Yi lui rend visite, parfois tard
dans la soirée, sans jamais annoncer sa venue, et lui parle
interminablement des efforts qu'il fait — et de ses échecs —
pour devenir un communiste totalement « rééduqué ».

A sa sortie de prison, il a le privilège de bénéficier de
plusieurs mois de loisirs auprès de sa famille, durant lesquels il
visite les musées, lit et va siroter du thé dans les restaurants.
Grand Li, en revanche, a été dès sa libération affecté à une
équipe de terrassiers de Pékin, chargée de casser des cailloux, et
les neveux de Pu Yi ont dû prendre des emplois harassants dans
des fermes d'Etat, à une trentaine de kilomètres de la capitale.

Pu Yi est constamment ébloui par l'honnêteté de l'homme
de la rue : il oublie son portefeuille et sa montre en or dans
d'innombrables restaurants, cantines et bibliothèques, mais il se
trouve toujours quelqu'un pour les lui restituer. La montre a
pour lui une grande valeur sentimentale : il l'a achetée en 1924,
en compagnie de Johnston, dans une boutique du quartier des
légations, alors qu'il cherchait à déjouer la surveillance des
espions de son père ; c'était le jour de sa fuite de la « Demeure
du nord », juste avant de se réfugier d'abord à l'hôpital
allemand, puis à la légation japonaise. « C'est à dater de ce jour,
a noté Pu Yi, qu'ont commencé tous mes honteux forfaits. »

C'est le seul objet de valeur qu'il lui reste du trésor qu'il a
rendu à l'Etat durant son passage à Fu-shun. La veille de sa
sortie de prison, le directeur la lui a solennellement rendue.
Pu Yi a commencé par refuser ce don, en déclarant que la
montre avait été achetée avec de l'argent « dérivé de l'exploitation ». Mais le directeur l'a obligé à la prendre. Quelles que
soient ses origines, a-t-il répondu avec une impatience contenue,
c'est aujourd'hui « un cadeau du peuple de Chine ».

Pu Yi retourne dans la Cité interdite, pour la première fois depuis 1924, en compagnie d'autres prisonniers, anciens membres du KMT ou fonctionnaires du Manchukuo, qui viennent d'être libérés ; cela fait partie de leur « tournée de familiarisation » avec la ville de Pékin. L'ex-empereur joue les guides et s'émerveille de la transformation des lieux. Il a gardé le souvenir d'un endroit désolé et décrépit et voilà qu'il retrouve un musée impeccable, parfaitement restauré, rempli de visiteurs. Il reconnaît dans les vitrines de nombreux objets qu'il a lui-même emportés hors de la Cité interdite et restitués ultérieurement.

Avec Li Wenda, il écrira plus tard un article pour le magazine chinois *Luyou* (Voyage), dans lequel il décrit ses impressions en retrouvant le cadre de sa jeunesse au bout de trente-deux ans.

Il recherche la poignée de vieux érudits mandarins encore en vie, qui ont jadis été ses conseillers. L'un d'entre eux, Chang Yen-ying, a loyalement suivi Pu Yi d'abord à Tientsin, puis à Ch'ang-ch'un, jusqu'à ce que la tutelle japonaise lui paraisse trop oppressante. Il est à présent octogénaire, grabataire, quasi mourant. « Quand vous irez mieux, nous servirons le peuple ensemble, vous et moi, lui dit Pu Yi. — Je vous suivrai partout, répond le vieillard. — Moi, je suis le Parti communiste », lui assure vertueusement l'ancien empereur.

Peu après sa libération, Pu Yi rend visite à Chou En-lai, en compagnie d'ex-généraux du KMT. A cette époque, le Premier ministre est sans doute l'homme le plus occupé de Chine, ce qui ne l'empêche pas de les recevoir longuement. Ses remarques sont étonnamment vierges de tout jargon idéologique.

Ils doivent tous, leur déclare-t-il, se rappeler qu'ils sont désormais citoyens d'un même pays, s'adapter aux changements qui les entourent et bannir toute nostalgie de l'« ancienne société ». Ils doivent veiller à ne pas offenser les membres de leur famille et ne pas oublier que, dans la « nouvelle société », les femmes sont les égales des hommes, qu'elles occupent des postes importants et ne sont plus les esclaves de l'homme. Par expérience personnelle, leur confie-t-il, il sait bien tout ce qu'il doit à sa propre épouse.

Le Premier ministre se tourne alors vers les ex-généraux et

assure qu'il reconnaît plusieurs de ses anciens élèves de l'Académie de Whampoa.

« Je ne devais pas être un très bon professeur, ou vous ne vous seriez pas engagés dans la voie que vous avez suivie pour vous battre contre les communistes, leur déclare-t-il avec un sourire. Ou alors, c'est que vous étiez vraiment des cancres. » Mais il s'adresse à eux, précise-t-il, en « vieil ami » et non en homme désireux de raviver d'anciennes blessures, et ils ne doivent pas hésiter à venir le trouver avec leurs problèmes. Sa porte leur sera toujours ouverte.

S'adressant ensuite à Pu Yi, Chou En-lai lui dit qu'on ne saurait le blâmer pour tout ce qui s'est passé durant son enfance.

« Ce n'est pas de votre faute si vous êtes devenu empereur à l'âge de trois ans et vous n'êtes pas non plus responsable de la tentative de restauration de 1917, lui dit-il. Mais vous l'êtes pleinement, en revanche, de tout ce qui est arrivé par la suite. Vous saviez parfaitement ce que vous faisiez quand vous vous êtes réfugié au quartier des légations, quand vous vous êtes rendu sous la protection des Japonais jusqu'à Tientsin et quand vous avez accepté de devenir chef de l'Etat du Manchukuo. »

Pu Yi baisse la tête. Avec son humilité habituelle, il répond à Chou En-lai que, même petit garçon, il savait ce qu'il faisait.

En mars 1960, Pu Yi se voit enfin confier un emploi. Il devient assistant à temps partiel aux Jardins botaniques, qui sont eux-mêmes une des ramifications de l'Institut botanique de l'Académie chinoise des sciences. En même temps, il commence, avec Li Wenda, à rédiger son autobiographie : *J'étais empereur de Chine.*

Il s'agit d'une suggestion émise par Chou En-lai en personne, à l'occasion d'une de leurs rencontres peu après la mise en liberté de Pu Yi, mais Li Wenda est incapable de dire si c'est une idée qui est venue subitement au Premier ministre ou si l'offre est soigneusement programmée. Quoi qu'il en soit, Pu Yi réagit avec enthousiasme. Il annonce fièrement à son interlocuteur qu'il a déjà sous la main la majeure partie du matériau nécessaire. Il s'imagine en effet que les « confessions » qu'il a écrites en prison peuvent être publiées telles quelles, moyennant quelques ajouts mineurs. Chou En-lai lui conseille de se mettre au travail.

N'en déplaise à la légende qui le dépeint en train de soigner des roses dans les jardins pékinois, Pu Yi ne sera jamais un véritable jardinier. Il repique des plants et nettoie les serres, mais son emploi est bel et bien une sinécure. Il vit de façon spartiate, dans une seule pièce du bâtiment où sont logés les travailleurs des Jardins botaniques, et, après une matinée de menus travaux en plein air, Li Wenda et lui s'en vont jusqu'à l'Hôtel des Collines parfumées, tout proche, où ils déjeunent et travaillent tout l'après-midi à ses Mémoires. Leurs frais sont pris en charge par les services de Chou En-lai et le Premier ministre s'enquiert souvent personnellement de la façon dont ils progressent.

Chou, rejeton révolutionnaire d'une famille d'aristocrates comptant plusieurs mandarins parmi ses ancêtres, a depuis le début manifesté un intérêt tout spécial envers Pu Yi et le clan tout entier des Aisin Goro « rééduqués ». Pour le premier nouvel an chinois qui suit la libération de Pu Yi, il l'invite, avec plusieurs membres de sa famille, à partager chez lui un repas à la bonne franquette ; cette invitation sera répétée chaque année, à la même date, jusqu'à la Révolution culturelle. La fascination qu'éprouve le Premier ministre à l'égard de Pu Yi est due en partie à l'extraordinaire volte-face idéologique du personnage. Si le communisme est capable de transformer quelqu'un comme Pu Yi au point d'en faire l'homme qu'il est devenu, a-t-il coutume de dire, il n'y a rien qu'il ne puisse réussir.

Lorsqu'il commence à travailler à J'étais empereur de Chine, Li Wenda s'imagine que mettre en forme la longue « autocritique » écrite en prison par Pu Yi sera l'affaire de trois mois. Dès qu'il la lit, cependant, il se rend compte qu'ils vont devoir repartir à zéro. L'autocritique n'est pas suffisamment factuelle, le style est ampoulé ; à chaque page ou presque, on tombe sur des confessions vaguement hystériques de myriades de péchés. Si le livre doit pouvoir séduire un vaste public chinois et international, comme le souhaite Chou En-lai, il va falloir le récrire entièrement.

Cela leur prendra presque quatre ans et durant les trois dernières années, Pu Yi ne travaille plus aux Jardins botaniques, mais aux archives du Comité politique et consultatif des peuples de Chine. A cette époque (novembre 1962), il est redevenu un citoyen à part entière et possède même le droit de vote. Le jour où il l'a reçu a été, note-t-il, « le plus beau jour de ma vie ».

Pu Yi et Li Wenda travaillent dans des bibliothèques, vont interviewer les survivants de la Cité interdite et s'entretiennent avec ceux qui ont côtoyé l'ex-empereur durant le séjour à Tientsin. Pu Yi va trouver les eunuques pour les questionner sur les conditions en vigueur à l'intérieur de la Cité interdite et Li Wenda retourne passer plusieurs semaines en Mandchourie.

Pu Yi s'entretient même avec Li Tieh-yu, son ancien chauffeur, l'homme qui a fait un enfant à l'impératrice Elizabeth, à Ch'ang-ch'un. Pour autant que se rappelle Li Wenda, il s'agit d'une rencontre fortuite : un beau jour, les deux hommes tombent nez à nez dans une rue bondée de la capitale. Pu Yi reconnaît Li et lui dit aussitôt qu'il souhaiterait bavarder avec lui quelques instants. L'ancien chauffeur, très gêné, voudrait bien refuser, mais Pu Yi lui assure qu'il n'a pas à s'inquiéter : il veut simplement avoir des détails sur les conditions de vie des domestiques au palais de la Gabelle, pour le livre qu'il écrit. Il ne fera pas la moindre allusion à la liaison de Li et d'Elizabeth. En prenant congé, il offre à son interlocuteur tout l'argent qu'il a sur lui, soit une dizaine de dollars.

En 1962, Pu Yi se remarie pour la cinquième fois. Li Shu-hsien est infirmière, quadragénaire, parente de l'un des anciens généraux du KMT dont l'ex-empereur a fait la connaissance en prison ; c'est lui qui les a présentés. On leur attribue un minuscule deux-pièces au centre de Pékin. Li Shu-hsien continue à travailler, mais elle s'aperçoit vite que la vie commune avec Pu Yi peut être parfois exaspérante, et elle se répand en sarcasmes à son égard. « Pu Yi était plus gentil avec elle qu'elle avec lui », m'a déclaré Li Wenda. Divers témoignages s'accordent pour la peindre sous les traits d'une harpie, mais Pu Yi supporte cette nouvelle infortune avec beaucoup de résignation.

Cela fait-il aussi partie du nouveau personnage de saint qu'il s'est forgé ou bien a-t-il réellement changé ? Pu Dchieh, pour sa part, est convaincu que la transformation de son frère était authentique : « La prison a été une école pour lui, assure-t-il. Toute sa vie, jusqu'en 1945, il a été entouré de gens persuadés qu'il était quelqu'un de spécial, de presque divin. C'est pourquoi sa conduite envers les autres n'a jamais été normale. Ce n'est qu'à Fu-shun qu'il a appris à traiter les autres en égaux. »

« Avant, un de ses principaux traits de caractère était son extrême égoïsme, dit son neveu Jui Lon. Même en prison, il gardait toutes ses cigarettes pour lui et refusait d'en donner une seule à quelqu'un d'autre, alors qu'il n'avait rien d'un gros fumeur. Quand je l'ai revu à Pékin à sa sortie de prison, ce n'était plus le même homme. Au sein de sa famille, il s'est mis à se soucier des autres pour la première fois de sa vie. »

Il est certain que Pu Yi commence à se préoccuper sincèrement des gens qui l'entourent : un jour, à vélo, il renverse une vieille femme que l'on doit hospitaliser. Il lui rend visite tous les jours jusqu'à ce qu'elle soit rétablie. Lorsqu'il travaille à l'Hôtel des Collines parfumées, avec Li Wenda, il convie toujours un de ses neveux, qui travaille dans une ferme toute proche, à se joindre à eux pour le déjeuner. On est alors à l'apogée du « grand bond en avant » et tous les Chinois en sont réduits à la portion congrue, sauf dans les hôtels de luxe.

Cela dit, ses nouvelles convictions politiques le rendent parfois intolérant. Lorsque Pu Dchieh (libéré en 1960) et sa femme Hiro décident de reprendre la vie commune (Hiro ayant passé toutes ces dernières années au Japon), Pu Yi fait tout son possible pour empêcher sa belle-sœur de revenir. Pu Dchieh finit par être obligé d'en appeler à Chou En-lai qui demande à Pu Yi de se montrer plus compréhensif. « La guerre est finie, vous savez, lui dit-il. Il ne faut pas permettre à cette haine nationale de déborder sur votre vie de famille. » Comment ne pas soupçonner que l'ex-empereur, désireux de faire la preuve de sa « rééducation », manifeste envers les hommes en place de la Chine nouvelle de la même lâcheté qu'on lui a connue jadis, au Manchukuo, vis-à-vis des Japonais ?

J'ai fait part de cette impression à Rong Qi : « Evidemment, l'instinct de survie est très fort chez chacun d'entre nous, m'a-t-il répondu avec une perspicacité considérable. Néanmoins, il avait vraiment changé. Il a su comprendre que l'impérialisme et le féodalisme ne pouvaient pas fonctionner, que le communisme était le seul moyen de sauver la Chine. »

Le problème, c'est que, depuis 1949, plusieurs communismes se sont succédé en Chine. L'euphorie du début des années cinquante a vite cédé la place à un culte de la personnalité totalitaire comme on en a rarement vu. Les chapitres les plus écœurants de flagornerie, les plus encombrés de clichés de *J'étais empereur de Chine,* ceux qui ont trait aux expériences de Pu Yi en prison et qui ont été écrits à l'apogée du culte de la personnalité maoïste, font songer à des leçons apprises par cœur et régurgitées. Leur style était de rigueur en 1963-1964. Aujourd'hui, ils dégagent un parfum suranné.

De nos jours, tous les historiens chinois reconnaissent les épouvantables conséquences du « grand bond en avant » et déplorent la répression qui a suivi la campagne des Cent Fleurs. Aucun de ces deux événements, cependant, n'est mentionné dans le livre de Pu Yi ; d'ailleurs, tant qu'ont duré, en Chine, les sombres années de la Révolution culturelle et de la « bande des quatre », il était impossible d'y faire la moindre allusion sans risquer d'être arrêté.

L'autobiographie de Pu Yi contient aussi quelques absurdités que les Chinois d'aujourd'hui ont du mal à accepter. A l'heure qu'il est, tous les citoyens de Chine savent parfaitement que ce sont les Soviétiques, et non Chiang Kai-shek, comme l'a écrit Pu Yi, qui, en 1945, ont démantelé les usines de Mandchourie. Quant à la description idyllique de la vie en prison, elle n'est pas sans causer une certaine hilarité parmi ceux — et ils se comptent par millions — qui ont tâté des geôles ou de la déportation durant les années de la Révolution culturelle.

La raison en est que *J'étais empereur de Chine* est lu à présent à la lumière de la Révolution culturelle et que la conscience qu'ont désormais les lecteurs de ce qui s'est passé durant ces années a engendré un certain scepticisme quant aux événements survenus *avant* qu'elle n'éclate. Les excès qui ont découlé du culte de la personnalité maoïste au cours des années 1960-1964, c'est-à-dire à l'époque où Pu Yi écrit son autobiographie, sont aujourd'hui beaucoup mieux connus et la remise en question est d'autant plus virulente : la génération montante de jeunes Chinois sait bien, même si ce n'est pas toujours le cas de ses aînés, que tout au long de cette période de vastes zones de la

Chine sont devenues des « villages Potemkine », complètement coupés de la réalité : certaines des usines et des fermes que Pu Yi a visitées au cours de ses dernières années de « rééducation », avant sa sortie de prison, étaient peut-être aussi du type « Potemkine », ou bien peut-être étaient-elles réelles — après tout la Mandchourie est une riche province —, mais les séquelles de la Révolution culturelle sont telles que le genre de propos tenu par Pu Yi, lorsqu'il décrit ses expériences, ne pourra jamais être cru sans arrière-pensée par les lecteurs modernes.

Cette forme de scepticisme durera jusqu'à ce que la dernière trace de vénération de Mao ait cédé la place à une réévaluation franche et réaliste du personnage, en tenant compte de son abominable répression des « Cent Fleurs », de son projet bâclé de « grand bond en avant » et de son impitoyable destruction de l'appareil de son propre Parti au cours de la Révolution Culturelle. Tous ceux qui ont connu la Chine à l'apogée du maoïsme s'émerveillent de voir à quel point le pays s'est « démaoïsé » tout en continuant à célébrer, en paroles du moins, le « grand timonier ». En toute équité, comme l'a fait remarquer Simon Leys, la « bande des quatre », si décriée et qui a fait tant de mal à la Chine, devrait s'appeler la « bande des cinq », tant il est vrai que, sans Mao, jamais elle n'aurait pu se propulser à la tête du pays. Pu Yi, cependant, appartient à l'époque où la pensée maoïste, intransigeante et dogmatique, n'était pas encore contestée et n'avait pas encore été définitivement discréditée par les gardes rouges et la « bande des quatre ».

Etant donné l'énorme puissance de l'appareil de propagande maoïste, dans les années cinquante et soixante, les réflexes conditionnés manifestés par ce Pu Yi deuxième manière sont-ils plus sincères que ceux des années du Manchukuo ? Tout son comportement ultérieur n'est-il pas le reflet d'une personnalité falote et névrosée.

Ici, il faut absolument se rappeler que Pu Yi n'a pas été le seul succès des spécialistes chinois de la « rééducation ». De coriaces généraux du KMT et des généraux japonais plus durs encore, formés à la tradition des samouraïs et au culte du « bushido », qui glorifie la mort au combat et le sacrifice au

Japon martial, sont devenus, durant leur séjour à Fu-shun, des adeptes tout aussi dévots que Pu Yi des idéaux communistes. Il existe toute une littérature sur les conversions nippones, car plusieurs ex-pensionnaires de la prison de Fu-shun ont décrit, avec une flagornerie aussi excessive que celle de Pu Yi, leur « rééducation ». On en a un excellent exemple avec *Un criminel de guerre rentre de Chine,* récit du même acabit de Saburo Shimamura, ancien général de la gendarmerie japonaise, libéré peu après Pu Yi ; l'ouvrage, qui date de 1975, n'a jamais été publié au Japon et n'est sorti en Chine qu'en 1984.

On pourrait soutenir la thèse que Pu Yi a fait l'objet d'une conversion tout à fait « paulinienne » et que ce n'est qu'après avoir passé quarante et une années dans une succession de prisons dorées qu'il a trouvé la véritable liberté dans une véritable geôle, en embrassant, avec naïveté certes, mais sincérité, la foi maoïste.

Il existe une autre version de l'affaire Pu Yi, proposée, entre autres, par Grand Li : c'est que, toute sa vie, Pu Yi a été une sorte de professionnel de la survie, qui, comme le roseau de la fable, plie mais ne rompt pas, et que sa « rééducation » est aussi fabriquée que l'humilité ostentatoire dont il a fait preuve durant les dernières années de sa vie. Grand Li, qui à partir de 1924 a été constamment à la dévotion de Pu Yi, est l'un de ceux qui affirment que le nouveau personnage mis au point par l'ex-empereur était tout aussi calculé que l'ancien. « Son livre ne correspond pas du tout à la réalité, m'a assuré Grand Li. Pour mieux se rabaisser, Pu Yi s'est dépeint comme étant plus mauvais et plus désemparé qu'il ne l'était vraiment »

Grand Li s'est rappelé qu'une fois Pu Yi était venu le voir à Pékin, après sa libération, et que, « avec des gestes pleins d'humilité, il a brossé mon manteau un peu poussiéreux. Tout ça, c'était de la frime Il voulait que tout le monde voie à quel point il avait changé, mais en fait il était toujours sciemment en train de jouer un rôle ».

Non sans ironie, ce n'est pas des années passées à la prison de Fu-shun que se plaint Grand Li, car il y a appris à lire et à écrire. Ce qu'il ne peut pardonner à Pu Yi, c'est le « gâchis » de son existence antérieure. Aujourd'hui, il vit dans un petit appartement de la capitale, entouré de ses enfants et de quelques petits-enfants. Il se fait beaucoup prier pour parler de son ancien maître et, lorsqu'il l'évoque, son hostilité est aussitôt apparente. De toute évidence, Grand Li a le sentiment que la « rééducation » de Pu Yi n'a été qu'une série consciente et hypocrite de démonstrations extérieures.

Authentique ou fabriqué de toutes pièces, le repentir de l'ex-empereur ne saurait masquer le fait qu'il a bénéficié d'une indulgence exceptionnelle, même si celle-ci découlait directement de la volonté consciente d'exploiter sa « rééducation » à des fins de propagande.

Dans la plupart des pays, la trahison au degré où l'a portée Pu Yi est un crime capital. Nombreux sont les criminels de la Seconde Guerre mondiale qui ont été traités avec un étonnant laxisme, mais cela n'a pas été le cas des « Quisling », des collaborateurs éhontés. Il n'est nullement exagéré de prétendre que, si Pu Yi était passé en jugement devant une cour occidentale, il aurait été exécuté. Si l'on compare son sort à celui des collaborateurs français et italiens sommairement abattus par la Résistance ou lourdement condamnés par la suite, on peut conclure qu'il s'en est très bien tiré.

La raison de cette relative impunité, à mon sens, n'est pas seulement que Chou En-lai voulait se servir de lui pour sa propagande : c'est aussi que, paradoxalement, la prise du pouvoir par les communistes, en 1949, a amoindri le poids des charges qui pesaient contre lui. Dans une société où tous les « grands propriétaires » et les « compagnons de route » du capitalisme sont le mal incarné, le fait que Pu Yi ait en outre trahi sa patrie perd un peu de son importance. Aux yeux des idéologues communistes, c'est d'ailleurs un geste conforme à sa nature profonde. Dans cette forme de manichéisme où tous les capitalistes et tous les propriétaires étaient, de par leur nature même, des « traîtres », il était somme toute logique que l'empereur, « le plus gros propriétaire » de tous, fût aussi « le plus grand traître ». Et, en dernière analyse — du point de vue des autorités communistes chinoises —, Pu Yi était beaucoup plus utile vivant que mort.

En 1963, un an avant la publication de son livre, Pu Yi

donne une conférence de presse. Il annonce qu'il travaille à ses mémoires et répond à toutes les questions avec une sorte de dignité empreinte de tristesse. Un diplomate occidental présent en cette occasion s'est rappelé qu'« il n'avait pas souri une seule fois ». A l'époque, la Chine vit dans un isolement diplomatique quasi total ; l'emprise régulatrice du Parti sur toutes les existences chinoises est rigide et universelle, et le corps diplomatique interprète l'événement comme un signe montrant que le gouvernement de Mao est en train de desserrer très légèrement son étreinte.

J'étais empereur de Chine, publié en 1964, se vend relativement mal en Chine (30 000 exemplaires), lors de la première impression. L'ouvrage fait néanmoins de son auteur, presque du jour au lendemain, une véritable personnalité médiatique. Il n'accorde que peu d'interviews, mais devient un personnage très recherché par la communauté diplomatique. Le livre est traduit en plusieurs langues et, malgré son excessive modestie, Pu Yi acquiert une certaine célébrité. Il travaille à présent pour le comité historique du Comité politique et consultatif des peuples de Chine (CPCPC) ; il est chargé de compulser les archives de la Cité interdite et d'écrire régulièrement sur l'époque prérépublicaine : les autorités chinoises se sont enfin rendu compte que les gens tels que Pu Yi et sa famille sont les dépositaires d'informations passionnantes concernant le passé. Aujourd'hui, les archives gouvernementales contiennent non seulement ses propres réminiscences, mais aussi celles de ses frères et sœurs.

« Il ne fait aucun doute, déclare Li Wenda, que, si les événements avaient suivi leur cours normal, Pu Yi serait devenu membre du CPCPC. » Pu Dchieh a commencé à siéger au sein de ce Comité en 1980, occupant un fauteuil qui aurait presque certainement été celui de son frère aîné, si ce dernier avait vécu. Comme le dit Jin Yuan, avec une légère pointe d'amertume : « Ces gens jouissent maintenant d'un rang plus élevé que le mien. »

C'est en 1964 que Pu Yi ressent les premières douleurs dues au cancer. Il subit une ablation d'un rein en 1965, une seconde en 1966 et, en 1967, lorsqu'il est admis à l'hôpital de la Capitale, il est déjà mourant. D'après son neveu Jui Lon, sa foi communiste « lui a permis d'affronter la mort avec courage et patience. C'était peut-être le changement le plus important qu'il avait subi. Les premières années, à Ch'ang-ch'un, nous le méprisions pour sa couardise ; il était prêt à n'importe quoi pour sauver sa peau ».

Alors que Pu Yi est au seuil de la mort, la Chine de ses rêves, qui n'a jamais vraiment existé ailleurs que dans son esprit, s'effondre dans un fouillis de violence engendrée par la Révolution culturelle. Grâce à Chou En-lai, Pu Dchieh parvient à traverser indemne ces terribles années, de même que Pu Ren, toujours enseignant. « Ils se sont contentés de faire une descente chez moi et d'emporter quelques livres, m'a-t-il dit. J'ai eu de la chance. » Néanmoins, les dommages infligés à l'infrastructure intellectuelle et administrative du pays sont incalculables. La Révolution culturelle a entraîné la mort, dans d'affreuses souffrances, de certains des dirigeants les plus prestigieux de Chine, notamment son président, Liu Shao-ch'i, et de quelques-uns des grands noms de la Longue Marche de 1936. Le maréchal Chuh Teh, son véritable héros, qui était venu rendre visite à Pu Yi à la prison de Fu-shun, a été profondément humilié par les gardes rouges. Moralement atteint, il en est peut-être mort.

Aujourd'hui, il n'y a pratiquement pas une seule famille en Chine qui ne porte quelque cicatrice de la Révolution culturelle, sous forme de morts, de déportés, d'estropiés, ou simplement sous forme d'années gaspillées à accomplir des travaux agricoles en rase campagne. Le propre fils du dirigeant Teng Hsiao-ping a été jeté d'une fenêtre du troisième étage par des gardes rouges, qui l'ont laissé sur place et sans soins pendant des heures. Il est aujourd'hui paraplégique.

En fin de compte, ce sont les gardes rouges eux-mêmes qui ont été les dernières victimes de la Révolution culturelle : arrêtés par l'ALP (l'Armée de libération du peuple), ils ont été exilés à la campagne à leur tour. La plupart des étudiants chinois qui ont participé au tournage du *Dernier empereur* avaient la trentaine. Il y avait eu un trou de dix ans dans leur éducation.

Ceux qui avaient contribué à la rééducation de Pu Yi n'ont pas été épargnés : Jin Yuan, promu directeur de la prison de Fu-shun, est resté plusieurs années prisonnier des gardes rouges à l'intérieur de son propre établissement. Malgré le temps écoulé depuis cette date, il devient rouge de colère lorsqu'il évoque cette indignité. Li Wenda a passé plusieurs années au secret comme « contre·révolutionnaire » pour avoir servi de « nègre » à Pu Yi. Les gardes rouges, en effet, étaient hostiles au livre de l'ancien empereur, non pas parce qu'il ne chantait pas suffisamment les louanges de Mao, mais parce qu'il avait été traduit en langues étrangères. A leurs yeux, comme à ceux des Boxeurs rebelles et même, en son for intérieur, à ceux du « Vieux Bouddha » en personne, tout ce qui était étranger était à proscrire.

Jui Lon venait tout juste de terminer une période forcée de dix années dans une ferme communale et de regagner Pékin, afin de se perfectionner dans l'art de la calligraphie, lorsque la Révolution culturelle a éclaté : il s'est retrouvé pendant neuf nouvelles années dans une autre ferme, en Mandchourie cette fois. A présent, il est calligraphe à plein temps pour l'une des principales galeries d'art de Pékin. Quand on lui parle, on ne peut que s'émerveiller de l'incroyable ressort de la race chinoise. Ce petit homme au teint cuivré, dont la ressemblance physique avec Charles Aznavour est frappante, parle du passé sans la moindre amertume. Pourtant, lui aussi a été interné à Fu-shun uniquement parce qu'il faisait partie de la cour de Pu Yi et il a dû attendre 1979 pour pouvoir pratiquer professionnellement l'art de la calligraphie dans lequel il est passé maître.

La Révolution culturelle ayant pris fin, on a pu, dans le sillage de la mort de Mao, en 1976, recommencer à publier des livres autres que le *Petit Livre rouge*. En 1979, une seconde édition de *J'étais empereur de Chine* s'est vendue à 1 300 000 exemplaires. Toutefois, Li Wenda reconnaît volontiers que la nouvelle génération de Chinois, qui n'a pas connu la Révolution culturelle, trouve l'ouvrage presque incompréhensible sous sa forme actuelle : les premiers chapitres, décrivant les antécédents impériaux de l'auteur, les laissent perplexes et la description des années de prison les assomme. La Révolution culturelle a rendu tous les Chinois beaucoup plus méfiants vis-à-vis de ce type de récit sur la « rééducation ».

Cependant, l'objectif de Chou En-lai a été respecté : Pu Yi

fait déjà partie du panthéon des héros chinois, où il incarne le parfait exemple de l'homme « rééduqué ». La prison de Fu-shun est devenue un musée. On peut y voir, dans des vitrines, les lettres de Pu Yi à Jin Yuan. A Ch'ang-ch'un, le palais de la Gabelle est à présent un Institut de géologie, mais la salle de réception de l'empereur, où se réunissait la cour et où se trouve encore le trône, est elle aussi un minimusée.

Alors qu'il se mourait à l'hôpital, Pu Yi ne pouvait pas savoir qu'il deviendrait un jour un personnage exemplaire du communisme chinois et que l'on tournerait un film inspiré par sa vie. Lui seul pourrait nous dire si sa « rééducation » a été aussi totale qu'il le prétendait et si le film cadre bien avec la vérité. Nous ne pouvons que hasarder des suppositions.

Mais, qu'on le considère comme un authentique converti ou comme un opportuniste habile qui a su jouer la bonne carte jusqu'au bout, on ne peut nier que son histoire est poignante. Pu Yi était un être profondément humain, confronté à des choix impossibles, forcé d'endurer les conséquences de ses erreurs pendant de longues et cruelles années. Son histoire se déroule sur plusieurs niveaux : c'est d'abord l'étrange saga d'un traître devenu héros à titre posthume, sans vraiment mériter ni l'opprobre du début ni l'auréole de la sainteté communiste qui l'a suivi. C'est ensuite l'histoire d'un couple pris au piège dans un monde qu'il ne sait ni comprendre ni contrôler. L'une meurt, détruite par la drogue, l'autre survit, au prix d'énormes souffrances, pour lui et pour d'autres. S'efforçant d'expier ses fautes réelles et imaginaires, il ne pourra plus voir sa jeunesse sous des couleurs autres que celles de l'infamie.

Faible, il l'était très certainement et lâche la majeure partie de son existence. Mais c'était aussi un innocent-né. Vers la fin de sa vie, Pu Yi voulait que la postérité garde de lui l'image d'un communiste sérieux et « rééduqué », dans un paradis totalitaire.

Nous en avons une autre vision : celle du tout petit garçon contemplant fixement l'objectif depuis son trône ridiculement haut ; celle de l'adolescent faisant du vélo dans la Cité interdite, avec sa ravissante jeune epouse ; celle du dandy commandant ses costumes chez Whiteway et Laidlaw à Tientsin, celle de

l'empereur fantoche s'empêtrant dans ses gants devant Hiro-
hito.

Dans sa jeunesse, il est loin de se douter de l'avenir épouvantable qui l'attend et des métamorphoses qu'il devra subir pour pouvoir survivre. Plus tard, il sonde son âme jusqu'au tréfonds et ploie sous le fardeau d'une culpabilité presque insoutenable que lui avaient inculquée des maîtres en la matière.

Je ne m'étonne plus d'avoir vu flotter sur ses lèvres ce pâle et triste sourire, le soir où je l'ai rencontré Kanpei !

Annexes

I. PERSONNALITÉS CHINOISES
DU TEMPS DE LA MONARCHIE (jusqu'en 1911)

ALUTE (1854-1875) : Epouse de l'empereur Tung Chih. L'impératrice douairière, Tz'u-hsi, a été fortement soupçonnée d'avoir causé sa mort.

AN TE-HAI : Eunuque en chef à la cour de Tz'u-hsi, il devient si puissant que, malgré son amitié pour lui, l'impératrice douairière se voit dans l'obligation de le condamner à mort pour abus de pouvoir.

CHANG HSUN : Dit « le général à la natte ». Partisan de la restauration de la dynastie impériale, il organise en 1917 un coup d'Etat malheureux, dont le but est de remettre sur le trône l'empereur-enfant, Pu Yi.

CHANG TSO-LIN (1875-1928) : Seigneur de la guerre mandchou, ennemi à la fois des Japonais et de Chiang Kai-shek. Assassiné par les Japonais.

CHENG HSIAO-HSU : Lettré confucéen, précepteur de Pu Yi, il devient son conseiller politique et son Premier ministre lors de la création de l'Etat du Manchukuo, en 1931. Il meurt en 1936. A l'époque, on soupçonne les Japonais de l'avoir empoisonné.

CHIANG KAI-SHEK (1887-1975) : Brillant officier chinois, leader du « Kuomintang » (KMT) ; républicain convaincu ; allié, puis ennemi des communistes chinois qu'il massacre en 1927. Il fait la guerre aux envahisseurs japonais et, au début, à ses compatriotes communistes, mais un « front uni » précaire l'unit à ces derniers à partir de 1938. Après la défaite japonaise dans la Seconde Guerre mondiale, Chiang Kai-shek essaiera de réduire les forces communistes, mais sera au contraire vaincu militairement par elles. En 1949, il se réfugie à Taiwan (Formose), où il proclame la République de Chine, anticommuniste, devient chef de l'Etat à vie et ne cesse de prôner la « reconquête » des territoires « provisoirement occupés » par les communistes.

CH'IENG-LUNG (1711-1796) : Un des plus prestigieux empereurs de la dynastie Ch'ing ou mandchoue.

CONCUBINE DE PERLE (1876-1900) : Favorite de Kuang-hsu, « l'empereur-prisonnier », elle meurt assassinée sur l'ordre de l'impératrice douairière, Tz'u-hsi, en 1900. On essaie de camoufler ce meurtre en « suicide patriotique ».

CONCUBINE RESPLENDISSANTE (1874-1924) : Sœur de la « Concubine de Perle », elle est aussi concubine de l'empereur Kuang-hsu et deviendra par la suite une des douairières de la Cité interdite. Selon le protocole, Pu Yi est tenu de l'appeler « mère ».

CONFUCIUS (551-479 av. J.-C.) : Philosophe et penseur politique, dont les écrits ont influencé toutes les dynasties impériales successives et les régimes républicains qui les ont remplacées.

FENG YU-HSIANG (1880-1948) : Dit le « général chrétien », il occupe Pékin militairement en 1924, déloge Pu Yi de la Cité interdite et se montre si menaçant que l'ex-empereur préfère se réfugier à la légation japonaise de Pékin. Procommuniste, il prendra progressivement ses distances et finira allié de Chiang Kai-shek.

HSIEN-FENG (1831-1861) : Empereur de Chine, il choisit comme concubine du « cinquième rang » la future impératrice douairière, Tz'u-hsi ; elle lui donne un fils, Tung-Chih, qui deviendra empereur à son tour mais mourra jeune.

HUNG HSIU-CHAN (1813-1864) : Candidat malheureux au mandarinat, il se convertit au protestantisme et devient le redoutable chef des rebelles T'ai-p'ing, qui sèment la terreur et occupent un tiers de la Chine avant d'être vaincus.

JUNG-LU (1836-1903) : Général mandchou, dévoué à la dynastie des Ch'ing et, tout spécialement, à l'impératrice douairière, Tz'u-hsi, dont il a été l'amant, dans sa jeunesse. Sa fille épousera le second prince Tchun et aura pour fils aîné Pu Yi.

JUNG-SHU (1824-1911) : Fille du prince Kung, frère de l'empereur Hsien-feng, elle devient fille adoptive de Tz'u-hsi, dont elle est la dame de compagnie favorite. Après la mort de l'impératrice douairière, elle devient la doyenne des douairières de la Cité interdite, une des cinq princesses y ayant leur palais. Pu Yi doit, selon le protocole, leur dire « mère » lorsqu'il s'adresse à elles.

KANG YU-WEI (1858-1927) : Lettré et réformateur, ami de l'empereur Kuang-hsu, dont il a été le tuteur. Il lui fait appliquer son plan de réformes, mais Tz'u-hsi lui barre la route, fait exécuter la plupart de ses amis et annule toutes les réformes en cours. Elle fait aussi emprisonner le malheureux empereur et veut la tête de Kang Yu-wei qui parvient à s'enfuir. Il vivra des années en exil à Londres.

KUANG-HSU (1871-1908) : « L'empereur-prisonnier ». Il monte sur le trône à l'âge de cinq ans, mais c'est Tz'u-hsi qui devient impératrice douairière et règne à sa place. En 1900, elle en fait son prisonnier. Il le restera jusqu'à sa mort.

KUNG, le prince (1833-1898) : Frère de l'empereur Hsien-feng, confident de l'impératrice douairière, Tz'u-hsi, il tombe plus tard en disgrâce.

LUNG-YU (1868-1912) : nièce de Tz'u-hsi, celle-ci la choisit comme « épouse numéro un » de l'empereur-prisonnier Kuang-hsu. Sa vie durant, elle sert d'espionne à la cour auprès du « Vieux Bouddha » la renseignant sur tout ce qui s'y passe. Une des « mères » de Pu Yi.

NIUHURU (1837-1881) : Epouse « numéro un » de l'empereur Hsien-feng. Après la mort de son mari, elle devient codouairière avec Tz'u-hsi, mais cette dernière prend de plus en plus d'ascendant sur elle. On a par la suite accusé Tz'u-hsi de l'avoir empoisonnée.

PU DCHIEH (né en 1908) : Frère cadet de l'empereur Pu Yi, il vit à présent à Pékin. Il a été intimement mêlé à la carrière de son frère presque toute sa vie.

PU YI (1906-1967) : Dernier empereur de Chine. Il monte sur le trône à l'âge de deux ans, reçoit le statut de « souverain étranger » à la proclamation de la République chinoise (1911), demeure avec sa cour dans la Cité interdite jusqu'à son expulsion en 1924. Il s'installe ensuite à Tientsin, succombe aux intrigues japonaises et devient d'abord chef de l'Etat du Manchukuo, puis empereur. Arrêté par les Soviétiques en août 1945, il passe d'abord cinq ans en détention en URSS avant d'être remis entre les mains des autorités chinoises (communistes) en 1950. Après neuf ans de prison et de « rééducation », il est libéré, blanchi et devient un des plus fidèles supporters du régime de Mao Tsé-toung.

TCHUN, le prince (1840-1891) : Un des fils de l'empereur Tao-Kuang et frère de Hsien-feng, il épouse une sœur de Tz'u-hsi. Il est le père de l'empereur-prisonnier, Kuang-hsu.

TCHUN, le second prince (1880-1951) : Fils du précédent et d'une de ses concubines. Son fils aîné, Pu Yi, devient empereur en 1908.

TEH HING : Sœur de l'impératrice douairière, Tz'u-hsi.

TUNG-CHIH (1856-1875) : Fils de l'empereur Hsien-feng et de sa concubine, Tz'u-hsi, il ne règne que quelques années avant de mourir de débauche.

WAN JUNG (1906-1946) : Connue aussi sous les noms de « Visage rayonnant » et d'« Elizabeth », elle est l'épouse « numéro un » de Pu Yi et devient impératrice du Manchukuo.

II. PERSONNALITÉS CHINOISES DE L'ÉPOQUE RÉPUBLICAINE
(après 1911)

ANNÉES DE JADE (morte en 1945) : Troisième concubine de Pu Yi, elle meurt à l'âge de vingt-deux ans. Pu Yi accusera plus tard les Japonais de l'avoir assassinée.

CHANG CHING-HUI (mort en 1956) : Homme d'affaires et politicien véreux, collabore avec les Japonais, devient Premier ministre du Manchukuo et meurt en prison où il est codétenu de Pu Yi.

CHOU EN-LAI (1896-1976) · D'origine aristocratique, ce jeune révolutionnaire devient « commissaire politique » de Chiang Kai-shek et enseignant à l'Académie militaire de Whampoa, avant de rompre avec le KMT. Maire de Shanghai en 1927, il échappe de justesse à la mort lors du massacre des communistes ordonné par Chiang Kai-shek. Il devient alors un fidèle partisan de Mao, dont il sera ministre des Affaires étrangères, puis Premier ministre. Pendant la Révolution culturelle, il joue un double jeu, appuyant à fond Mao, mais essayant de limiter les dégâts. A sa mort la population manifeste spontanément en son honneur... ce qui est aussi une manière de manifester contre la Révolution culturelle.

KOO, WELLINGTON (né en 1898) : C'est la forme occidentalisée de son nom, Ku Wei-tchun. Conseiller de Chiang Kai-shek, il sera ministre des Affaires étrangères et lobbyiste du KMT aux Etats-Unis.

LI (né en 1910) : Dit « Grand Li », il est le serviteur personnel de Pu Yi à partir de l'âge de 14 ans et le suit en prison. Il est à présent retraité et vit à Pékin.

LI TIEH-YU (mort en 1985) : Chauffeur de Pu Yi lorsqu'il « règne » sur le Manchukuo. Il devient l'amant de l'impératrice et le père de son enfant, tué à la naissance par les Japonais.

LI WENDA (né en 1922) : Journaliste, il collabore à la rédaction de l'autobiographie de Pu Yi dont il devient le fidèle ami.

LI YU-CHING (Luth de Jade) : Quatrième concubine de Pu Yi, elle obtient le divorce en 1958. Bibliothécaire à Ch'ang-ch'un.

SOONG, MEI-LING (née en 1897) : Seconde épouse de Chiang Kai-shek, elle devient encore plus puissante que son mari. Elle vit aujourd'hui aux Etats-Unis.

SOONG, T. V. (1894-1971) : Frère de la précédente, il est ministre des Finances de Chiang Kai-shek.

SUN YAT-SEN, Mme (1882-1981) : Née Soong, elle est la sœur des deux précédents. Après la mort de son mari, elle se rapproche du parti communiste chinois et deviendra vice-présidente de la République populaire de Chine.

WEN HSIU (1909-1951) : Concubine ou « épouse secondaire » de Pu Yi dont elle obtient le divorce en 1927

III. PERSONNALITÉS JAPONAISES

AMAKASU, Masahiko : Membre de la police secrète japonaise, il massacre toute une famille d'opposants japonais. Nommé en Mandchourie, il devient un des conseillers de Pu Yi, sous couvert de diriger l'industrie cinématographique mandchoue. Il se suicide avant l'arrivée des Soviétiques, en août 1945.

ASAKA, le prince : Oncle de l'empereur Hiro-hito, il joue un rôle déterminant dans le « viol de Nankin » en septembre 1937.

CHICHIBU, le prince : Frère cadet de l'empereur Hiro-hito, il est spécialement chargé des relations avec le Manchukuo.

DAISAKU, Komoto : Il est un des chefs du Deuxième Bureau japonais en Mandchourie, avec le grade de colonel. Condamné à mort et exécuté en 1948 pour crimes de guerre.

DAN, le baron : Banquier, conseiller de la Société des Nations, il est assassiné en 1931.

DOIHARA, Kenji : Fait aussi partie du Deuxième Bureau, avec le même grade. Condamné à mort et exécuté en 1948 pour crimes de guerre.

GIGA, commandant : Conseiller militaire du seigneur de la guerre mandchou, Chang Tso-lin, il l'entraîne dans un guet-apens. Assassiné à son tour en 1938, par des justiciers mandchous.

HIGASHIKUNI, le prince : Membre de la famille impériale nippone, il est envoyé en mission à Pékin en 1929 par l'empereur Hiro-hito.

HIRO-HITO : Né en 1905, régent en 1920, empereur en 1926, c'est de très loin le plus ancien des souverains encore en activité.

ISHIWARA, Kanji : Brillant diplômé de l'Ecole de guerre japonaise, il élabore le plan d'occupation de la Mandchourie et orchestre « l'incident de Mukden » en 1931. Par la suite, il entre en conflit avec les instances suprêmes sur l'opportunité d'entrer en guerre contre les Etats-Unis. Il meurt général, mais sans avoir eu droit aux responsabilités les plus importantes en temps de guerre.

ITAGAKI, colonel : Un des chefs du Deuxième Bureau japonais en Mandchourie et artisan de l'occupation.

KAWASHIMA, Yoshiko (1906-1949) : Plus connue sous le nom de « Joyau de l'Orient », c'est une descendante directe du fondateur de la dynastie des Ch'ing. Cette princesse mandchoue, élevée au Japon, devient la plus prestigieuse espionne au service des Japonais et trahit son pays en collaborant ouvertement avec les occupants. Elle sera jugée et décapitée peu avant le départ de Chiang Kai-shek pour Taiwan.

MATSUI, Iwane : Général japonais commandant les troupes nippones devant Nankin en 1937, il fait de son mieux pour empêcher les massacres de civils chinois, mais il est vite muté par Hiro-hito. Par fidélité à son souverain, il assume néanmoins la responsabilité du « viol de Nankin » lors du procès des criminels de guerre et il est exécuté en 1948. C'est un flagrant déni de justice.

NAKAJIMA, Kesago : Autre général japonais qui est le véritable responsable du « viol de Nankin ». Il mourra dans son lit, de mort naturelle, sans avoir été inquiété par la justice.

SAGA, Hiro : Parente de la famille impériale japonaise, elle épouse Pu Dchieh, frère cadet de Pu Yi. Elle vit aujourd'hui à Pékin avec son mari.

SHIMAMURA, Saburo : Général de gendarmerie, arrêté pour crimes de guerre, « rééduqué » dans la même prison que Pu Yi, il devient un chantre du régime communiste chinois et écrit un livre où il « confesse » ses crimes et explique son revirement.

TAKEMOTO, colonel : Il dirige le détachement de gardes militaires assurant la protection de la légation japonaise en 1924 et joue un rôle important dans la fuite de Pu Yi.

TANAKA, Gi-ichi (mort en 1929) : Premier ministre japonais.

TANAKA, Takayoshi : Membre du Deuxième Bureau japonais, en mission à Shanghai en 1927-1930, il recrute « Joyau de l'Orient », dont il devient à la fois l'amant, le complice et l'officier traitant. Habile manœuvrier, il se met au service des Américains dès la fin de la Seconde Guerre mondiale et devient le conseiller écouté du procureur général américain au procès de Tokyo (1946-1947) où sont jugés les criminels de guerre.

WATARI, Hisao : Colonel et membre de l'état-major japonais, il organise des « manifestations patriotiques » en faveur du Manchukuo, au moment de la visite de la commission Lytton.

YAMASHITA, Tomoyuki : Général japonais, commandant en chef des forces nippones au Manchukuo, c'est un des plus brillants officiers japonais de la Seconde Guerre mondiale. Il est exécuté en 1948 pour crimes de guerre.

YOSHIOKA, Yasunori : Général japonais, attaché militaire auprès de Pu Yi de 1931 à 1945, il se suicide peu après avoir été arrêté par les Soviétiques en août 1945.

YOSHIWARA : Chef de la légation japonaise à Pékin, en 1924.

IV. PERSONNALITÉS EUROPÉENNES ET AMÉRICAINES

BLAKENEY, Ben : Commandant de l'armée américaine, avocat de la défense au procès de Tokyo où sont jugés les criminels de guerre asiatiques, en 1946-1947.

BORODINE, Mikhail : Révolutionnaire soviétique d'origine américaine, émissaire du Komintern et conseiller en Chine du parti communiste chinois (jusqu'en 1927).

BURNETT-NUGENT, F. H. : Commandant des unités britanniques assurant la sécurité de la concession britannique de Tientsin, en 1928-1931.

ELGIN, lord : Chef de la mission anglo-française en Chine en 1865.

FLEMING, Peter : Journaliste anglais, explorateur et grand voyageur en Chine et en Mandchourie dans les années trente.

JOHNSTON, sir Reginald : Fonctionnaire colonial britannique, professeur d'anglais de Pu Yi et personnalité influente à l'intérieur de la Cité interdite de 1919 à 1924. Il meurt en 1938 après avoir été titulaire de la chaire de chinois à l'université de Londres.

JORDAN, sir John : Chef de la légation britannique à Pékin en 1910-1912.

KASPE, Joseph : Propriétaire de l'Hôtel Moderne à Harbin. Son fils, pianiste virtuose, mourra en 1933, otage de bandits commandités par les Japonais.

KEENAN, Joseph : Procureur général américain lors du procès de Tokyo où sont jugés les criminels de guerre asiatiques.

LYTTON, lord : Dirige la commission d'enquête de la Société des Nations sur la Mandchourie, en 1931-1932.

MACARTNEY, lord : Chef d'une mission diplomatique auprès de l'empereur Chien Lung, au XVIIIe siècle, il se fait éconduire.

MORRISON, George (1862-1920) : Célèbre correspondant du *Times* à Pékin de 1900 à 1920, il est très lié avec tout l'« establishment » chinois.

PALMERSTON, lord (1784-1865) : Premier ministre britannique et responsable de la politique étrangère de son pays en Europe et en Asie.

SNOW, Edgar : Journaliste américain, spécialiste de la Chine à partir des années trente.

VESPA, Amleto (né en 1888) : Agent double italien, qui travaille pour les Japonais en Mandchourie, tout en gardant des contacts précieux avec les opposants chinois à l'occupation nippone. Auteur d'un livre sur ses exploits.

WEBB, sir William Flood : Juge australien, président du tribunal chargé de juger les crimes de guerre en Asie, réuni à Tokyo en 1946-1947.

WOODHEAD, Henry : Journaliste anglais, correspondant à Tientsin et à Shanghai. Ami intime de Pu Yi.

Achevé d'imprimer en octobre 1988
sur presse CAMERON,
dans les ateliers de la S.E.P.C.
à Saint-Amand-Montrond (Cher)
pour le compte des Éditions Robert Laffont
6, place Saint-Sulpice, 75279 Paris Cedex 06

Dépôt légal: juin 1987.
N° d'Édition: 31438. N° d'Impression: 1857.

Imprimé en France